医薬・ヘルスケアの法務

規制・知財・コーポレートのナビゲーション
〔第2版〕

アンダーソン・毛利・友常法律事務所
医薬・ヘルスケア・プラクティス・グループ〔編〕

商事法務

第2版はしがき

　本書初版を平成30年に上梓してから、はや2年の歳月が経った。その間、令和元年には、この分野の基本法たる医薬品、医療機器等の品質、有効性及び安全性の確保等に関する法律（薬機法）の内容が6年振りに見直されたほか、医療分野の研究開発に資するための匿名加工医療情報に関する法律（次世代医療基盤法）に基づく認定匿名加工医療情報作成事業者第1号が認定されるなどの重要な動きがあった。さらに、新型コロナウイルス感染症という未曾有の災害においては、医療やヘルスケアのあり方に対して一般社会から目が向けられる機会も多くなった。そこで、こうした新たな法改正やヘルスケア業界における動きを取り込んで第2版を刊行することとした。

　また、他方で執筆陣である当事務所の医薬・ヘルスケア・プラクティス・グループにおいても、この間に、依然として発展途上ではありながらもさまざまな方面で研究が深化し、人員も順調に拡充を遂げてきた。
　そこで、この第2版に際しては、既存の各節やコラムに上記の薬機法改正などの最新の法律や動向を反映してアップデートするとともに、初版では触れることの叶わなかった遺伝子治療やデジタルヘルスなどのテーマについて、新たな執筆者も加えて7つの節とコラムを追加した。

　この第2版においても、医薬・ヘルスケア業界で法務・知財・規制にかかわる業務に従事されている方のみならず、これから医薬・ヘルスケア業界に参入しようとする事業会社や投資会社の業務に従事されている方も対象として、関連法律を横断的にわかりやすく解説しようとする入門書であろうとする本書の方針は、初版から変わっていない。本書が、初版にも増して、医薬・ヘルスケア業界に関与する読者の皆様の業務の一助となれば幸いである。

令和2年9月

執筆者を代表して
アンダーソン・毛利・友常法律事務所
パートナー弁護士
近藤　純一　城山　康文　石原　坦

初版はしがき

Ⅰ 本書の目的

　AIやビッグデータを用いた製薬や医療に関する技術の発展やわが国の産業構造の変化、急速な少子高齢化の進行によって、医薬・ヘルスケア業界に対する世間の注目が高まっている。

　医薬・ヘルスケア業界においては、医薬品・健康食品・医療等の製品や役務に応じて、それぞれの分野を規制する多数の法令が存在する。

　もっとも、これまでに、医薬・ヘルスケア業界に関連する法令を、横断的に、かつ、素人にもわかりやすく説明した入門書は必ずしも存在しなかった。

　そこで、当事務所の医薬・ヘルスケア・プラクティス・グループの有志にて、この業界になじみがない読者にとっても、どういった法令が、どのような観点から問題になりうるのかをわかりやすく解説した入門書を執筆することとした。

　本書は、すでに医薬・ヘルスケア業界で法務・知財・規制にかかわる業務に従事されている方のみならず、これから医薬・ヘルスケア業界に参入しようとする事業会社や投資会社の業務に従事されている方等も読者層として想定し、これらの読者に最初に関係しそうな法律の概要をつかんでいただくことを目的として執筆されたものである。

　なお、本書を手にとっていただきたい読者層については、序章においてより具体的に記載しているので、序章の記載もご参照いただきたい。

Ⅱ 本書の執筆陣

　本書は、当事務所の医薬・ヘルスケア・プラクティス・グループに所属する弁護士および弁理士によって執筆された。

　弁護士は、主として医薬・ヘルスケア業界に特有の業法規制（レギュレーション）に関する調査・法的助言、共同研究開発やライセンス等の知的財産権が絡む契約書類の作成、知的財産権等をめぐる紛争における法的手続（訴

訟・仲裁等）のサポート、M&A・資金調達等の企業取引に伴う法的調査（デュー・ディリジェンス）・契約交渉・クロージングのサポートといった法律業務を行う。

　一方で、弁理士は、特許等の出願・中間処理の代理を通じた知的財産権ポートフォリオ構築のサポート、他社の知的財産権の調査およびクリアランスのサポートといった業務を、弁護士と密接に協力しながら行っている。

　また、弁護士や弁理士のなかでも、特に、医薬・ヘルスケア業界に特有の業法規制（レギュレーション）に深い知見と経験を有する者、知的財産権が関連する取引や紛争解決を専門とする者、M&A や資金調達といった企業取引（コーポレート・トランザクション）に強みを発揮する者等がいるため、本書においても、当事務所における医薬・ヘルスケア・プラクティス・グループを構成する弁護士や弁理士が、①業法規制（レギュレーション）、②知的財産権、③企業法務（コーポレート）という３つの分野に分かれて、それぞれの分野における専門家が関連するトピックについて執筆するとともに、①については石原坦が、②については城山康文が、③については近藤純一がそれぞれとりまとめを担当した。

　なお、商事法務の担当者である岩佐智樹氏および水石曜一郎氏には、書籍の企画段階から出版まで、さまざまな有益なご示唆をいただくとともに、当事務所の執筆陣を叱咤激励していただいた。この場を借りて厚く御礼申し上げたい。

Ⅲ　本書を利用するにあたっての留意点

　本書においては、医薬・ヘルスケア業界に関する重要な法令をなるべく網羅するようにしたが、本業界に関連する法令は多数にのぼるため、そのすべてにおいて言及することはしていない。

　また、本書でとりあげた法令についても、初心者には不要と思われる規制や例外については省略し、重要な規制を中心に解説することとした。

　さらに、臨床研究法や次世代医療基盤法といった、本年（平成 30 年）に施行された最新の法律についても、現時点において入手可能な情報に基づいて、新法にはじめて触れる読者にも、なるべくわかりやすい解説を心がけた。

もっとも、本書において読者にとってわかりにくい点や疑問が生じる点があれば、読者のご指摘もふまえて改訂していきたい。
　なお、本書に示された見解は、執筆時点における執筆者個人のものであり、アンダーソン・毛利・友常法律事務所の見解ではない。
　最後に、本書が、医薬・ヘルスケア業界に関与する読者の皆様の業務に少しでもお役に立つことができれば、執筆者一同、望外の幸せである。

平成30年9月

執筆者を代表して
アンダーソン・毛利・友常法律事務所
パートナー弁護士

近藤　純一　城山　康文　石原　坦

目次

序章 本書を活用するにあたって

- I 本書を手にとっていただきたい読者層 ———————————— 1
- II 本書の概要 ———————————————————————— 3

第1章 医薬・ヘルスケア業界の業法規制（レギュレーション）

- I 医薬品、医療機器等の品質、有効性及び安全性の確保等に関する法律（薬機法）———————————————————————— 6
  - 1 はじめに 6
    - (1) 薬機法の目的 6
    - (2) 法律の概要 7
  - 2 医薬品に係る規制 7
    - (1) 医薬品とは何か 7
    - (2) 医薬品の承認と許可 8
    - (3) 医薬品の品質・安全性の確保 13
    - (4) 医薬品の表示および添付文書への規制、広告規制 13
    - (5) 医薬品の販売業 14
    - (6) 販売後の調査 14
    - (7) 医薬部外品および化粧品について 16
  - 3 医療機器に係る規制 17
    - (1) 医療機器とは何か 17
    - (2) 医療機器の承認（認証）と許可 18
    - (3) 医療機器の品質・安全性の確保 20
    - (4) 医療機器の表示および添付文書への規制、広告規制 20

(5)　医療機器の販売業・貸与業・修理業　20

　(6)　医療機器の販売後の調査――使用成績評価制度　21

　4　再生医療等製品に係る規制　21

　(1)　再生医療等製品とは何か　21

　(2)　再生医療等製品と許可　21

　(3)　再生医療等製品の販売　23

　(4)　その他の規制　23

　5　希少疾病用の医薬品、医療機器、再生医療等製品　23

　6　薬事監視制度　23

　7　指定薬物制度　24

コラム①：令和元年薬機法改正　24

コラム②：医薬品のインターネット販売　27

Ⅱ　再生医療に関する法規制───────────────29

　1　再生医療に関する3つの主要な法律　29

　2　薬機法における再生医療等製品に関する規制について　30

　(1)　当事者　30

　(2)　再生医療等製品の内容　30

　(3)　製造販売承認　32

　3　安全確保法における再生医療等に関する規制について　35

　(1)　安全確保法における規制の対象　35

　(2)　安全確保法の対象となる「主体」　36

　(3)　安全確保法における手続　40

　(4)　定期報告からみる再生医療等の提供状況　45

　(5)　安全確保法違反による摘発事例と今後の課題　46

コラム③：遺伝子治療および遺伝子治療薬　47

Ⅲ　ライフサイエンス分野のプロモーション規制──────53

　1　ライフサイエンスにおける広告規制　54

　(1)　薬機法　54

　(2)　医薬品等適正広告基準　59

　(3)　薬機法と健康食品　62

　(4)　その他の法令　64

(5) 業界団体による自主規制　65
　2　医療用医薬品の情報提供行為の規制　66
　　(1) 適用対象（情報提供ガイドライン第1の2）　66
　　(2) 販売情報提供活動の原則（情報提供ガイドライン第1の3）　67
　　(3) 医薬品製造販売業者等の責務（情報提供ガイドライン第2）　68
　3　医療関係者に対する利益供与に関する規制　69
　　(1) 総論　69
　　(2) 法律による規制　70
　　(3) 業界団体による自主規制　73

Ⅳ　臨床研究法　76

　1　総説　76
　2　背景　76
　3　臨床研究法の概要　77
　4　臨床研究法の内容　78
　　(1) 臨床研究の範囲　78
　　(2) 特定臨床研究　79
　　(3) 責任主体の整理　81
　　(4) 特定臨床研究実施の手続概要　82
　　(5) 特定臨床研究の利益相反（COI）管理基準　82
　　(6) 特定臨床研究のその他の手続　85
　　(7) 製造販売業者等による資金提供　86

Ⅴ　個人情報保護法（データプロテクション）　88

　1　個人情報保護に関する一般的なルール　88
　　(1) 法律・条例の枠組み　89
　　(2) 事業主体によるルールの差異　90
　　(3) 要配慮個人情報　91
　　(4) 令和2年改正法　92
　　(5) ガイドライン・ガイダンス　92
　2　医療情報安全管理関連ガイドライン（旧称「3省4ガイドライン」）　97
　　(1) 医療情報システムの安全管理に関するガイドライン　98

(2) クラウドサービス事業者が医療情報を取り扱う際の安全管理に関するガイドライン　98
　　(3) 医療情報を受託管理する情報処理事業者における安全管理ガイドライン　99
　　(4) 医療情報を取り扱う情報システム・サービスの提供事業者における安全管理ガイドライン　99
　3　オンライン診療　100
　4　倫理指針（医学研究に関する指針）　101
　5　次世代医療基盤法　103

:::
コラム④：遠隔診療（オンライン診療）の法令上の扱い　　　　　　　　103
:::

Ⅵ　医療分野の研究開発に資するための匿名加工医療情報に関する法律（次世代医療基盤法）―――――――――――――――――――――108
　1　法律の目的　108
　2　法律の概要　109
　3　国の責務・施策、政府の施策（基本方針の策定）　110
　4　法律の対象となる「情報」および「主体」　111
　　(1) 法律の対象となる「情報」　111
　　(2) 法律の対象となる「主体」　114
　5　匿名加工医療情報作成事業者の認定の仕組み　117
　6　医療情報取扱事業者による医療情報の提供に関する規定　118
　7　認定匿名加工医療情報作成事業者による医療情報の提供　119
　8　ビッグデータの利用例　120

:::
コラム⑤：新型インフルエンザ等対策特別措置法　　　　　　　　　　121
:::

第2章　医薬・ヘルスケア業界と知的財産権

Ⅰ　知的財産権による先行者利益の確保と薬機法との交錯――――――124
　1　総論　124
　2　知的財産権の保護対象　125
　　(1) 特許権による発明の保護　125

(2)　意匠権によるデザインの保護　130
　(3)　商標権・不正競争防止法による標章の保護　131
　(4)　著作権による表現の保護　133
3　医薬品に係る特許権の期間延長　133
　(1)　制度趣旨　133
　(2)　延長登録の要件　134
　(3)　延長登録に係る特許権の権利範囲　135
4　先発医薬品の再審査期間と後発医薬品　135
5　パテント・リンケージ　136
6　薬価収載　137
7　まとめ　137
　(1)　仮想事例1　138
　(2)　仮想事例2　139
　(3)　仮想事例3　140

> コラム⑥：米国 ANDA 訴訟　142

Ⅱ　バイオ医薬品関連特許とバイオシミラー────144
1　バイオ医薬品とは　144
　(1)　抗体医薬は大きくて複雑　144
　(2)　抗体医薬は特異性が高い　145
　(3)　抗体医薬は細胞によって作られる　146
2　バイオシミラー　147
　(1)　有効成分の構造等　148
　(2)　安定性　149
　(3)　薬理作用の確認　149
　(4)　薬物の吸収、代謝等　149
　(5)　毒性試験　150
　(6)　臨床試験　150
3　バイオテクノロジー関連特許とバイオシミラー　150
　(1)　基本特許の特徴　151
　(2)　周辺特許の特徴　154
4　おわりに　156

コラム⑦：パテントダンス（米国バイオシミラー申請） 157

Ⅲ 医薬関連発明の新規性・進歩性と記載要件―――――――159
　1 医薬関連発明の特徴　159
　2 新規性・進歩性について　160
　　(1) 「刊行物に記載された発明」について　161
　　(2) 医薬関連発明における進歩性の判断について　164
　　(3) 新規性と進歩性の判断の交錯　168
　　(4) 優先権基礎書類における開示について　169
　3 記載要件について　170
　　(1) 実施可能要件について　170
　　(2) サポート要件について　173
　　(3) 実験データの補充について　173
　　(4) 実施可能要件とサポート要件の関係について　174
　　(5) 明確性要件について　175

Ⅳ 医薬関連特許紛争における法的手続―――――――――――176
　1 医薬関連特許紛争の特殊性および重要性　176
　2 法的紛争（裁判手続）に至る前段階　178
　3 法的手続の種類と選択　179
　　(1) 特許侵害訴訟（本案）　179
　　(2) 仮処分命令申立て　184
　　(3) 税関差止め　186
　　(4) 後発事業者のとりうるアクション　188
　4 その他の手続：判定　191
　5 特許侵害訴訟における先使用権の抗弁　192

Ⅴ 先発・後発事業者間の合意およびその他の知財関連契約と
独占禁止法――――――――――――――――――――――195
　1 知的財産制度と独占禁止法――共通の目的　195
　2 知的財産制度と独占禁止法の交錯　196
　　(1) 交錯の場面（その1）――ライセンス契約　197
　　(2) 交錯の場面（その2）――先発・後発間の合意　198
　3 リバース・ペイメント　199

⑴　リバース・ペイメントとは何か　199
　⑵　リバース・ペイメントの問題が現れる背景——先発・後発のインセンティブ　200
　⑶　米国の規制状況——ハッチ・ワックスマン法　201
　⑷　Actavis 事件米国最高裁判決　202
　⑸　日本への示唆　204

コラム⑧：AI を利用した研究開発と知財　207

第3章　コーポレート分野におけるライフサイエンス

Ⅰ　大学発バイオベンチャーの成功のための「7つの鍵」
——ペプチドリーム社から学ぶ——　209
　1　はじめに　209
　2　ペプチドリーム社の何が「ユニーク」だったのか？＝成功のための「7つの鍵」　210
　3　コアテクノロジーの「生みの親」である研究者の会社経営・ビジネスへの関与のあり方　210
　4　創業時のチーム（メンバー）組成　212
　5　テクノロジー／知財戦略　212
　6　ビジネスモデル　214
　7　創業時の資金調達と活用のあり方　216
　　⑴　ブートストラップ（自己資金による起業）　216
　　⑵　ケチケチ戦略：「ケチは美徳なり」(by 窪田氏)　216
　　⑶　リーマンショック　216
　8　グローバルなマーケティング／事業開発（ビジネスデベロップメント）　217
　9　優秀な R&D 人材への潤沢なアクセス　217
　10　まとめ　218

コラム⑨：ライフサイエンスと産学連携　218

Ⅱ　ベンチャー企業に対する投資　222

1　ライフサイエンス分野のベンチャー企業への投資の近時の傾向
　　　222
　　2　ベンチャー企業への投資の目的　222
　　　(1)　投資家の種類　222
　　　(2)　投資家の目的　223
　　　(3)　ベンチャー企業に対するデュー・ディリジェンス　223
　　3　投資関連契約　224
　　　(1)　投資関連契約の構成　224
　　　(2)　投資契約　226
　　　(3)　株主間契約　232
Ⅲ　医薬品および医療機器業界におけるM&A───────────236
　　1　最近の医薬品および医療機器業界におけるM&A　236
　　2　スキームによる着眼点の違い　237
　　　(1)　対象会社の全事業を買収する場合　238
　　　(2)　対象会社の一部事業を買収する場合　239
　　3　法務DDにおける留意点　240
　　　(1)　法務DDにおいて一般に検討すべき事項　240
　　　(2)　医薬品または医療機器関連の企業の法務DDにおいて特に留意すべき事項　241
　　4　DDにおける発見事項に対する対応（M&A契約における手当て等）
　　　248
　　　(1)　誓約事項・前提条件　249
　　　(2)　表明保証　250
　　　(3)　補償　251
コラム⑩：長期収載品に関する事業承継　251
Ⅳ　医療法人のM&A──────────────────────254
　　1　医療法人のM&Aの増加　254
　　2　医療法人の類型と機関　254
　　3　医療法人のM&Aの方法　257
　　　(1)　合併　258
　　　(2)　分割　259

(3) 事業譲渡　260
　　(4) 社員変更等　260
　4　法務 DD における留意点およびこれに対する対応　263
　　(1) MS 法人その他売主関係者との間の取引　263
　　(2) 医療法等の規則　264
　　(3) その他　265
Ⅴ　導入・導出ライセンス条項の解説と留意点──────266
　1　はじめに　266
　2　主要事項　267
　　(1) 定義規定　267
　　(2) ライセンスの許諾　270
　　(3) ライセンサーによる技術情報の開示　272
　　(4) ガバナンス　274
　　(5) 開発・上市前の規制事項　275
　　(6) 上市後の規制事項　276
　　(7) 商業化・上市　277
　　(8) 支払い　278
　　(9) 供給　279
　　(10) 開発情報　280
　　(11) 副作用情報・品質管理　281
　　(12) 守秘義務　281
　　(13) 表明保証、補償、第三者紛争等　281
　　(14) 競業避止　282
　　(15) 契約の解除事由　283
　　(16) 契約終了の効果　284
　　(17) その他　285
Ⅵ　ヘルスケア業界への参入（医療機器分野を中心として）──286
　1　背景　286
　2　参入形態　287
　　(1) 部品・部材の供給業者としての参入　288
　　(2) 製造業者としての参入　288

(3) 製造販売業者としての参入　288
　3　保険制度　290
　4　福祉用具等　292
　5　製造物責任　294
　　(1) 総論　294
　　(2) 裁判例　295

コラム⑪：医療機器としてのコンピュータープログラム　　　　　300

Ⅶ　デジタルヘルスの展開――――――――――――――――303
　1　総論　303
　2　サービスの医行為該当性　304
　　(1) 遠隔医療に関する指針等　305
　　(2) オンライン受診勧奨と遠隔健康医療相談の区別　307
　　(3) 看護師等による相談の実施　308
　3　ソフトウェア医療機器　310
　4　混合診療　312
　5　ビックデータの活用と個人情報保護　313
　　(1) 第三者提供　313
　　(2) 匿名加工　314

Ⅷ　医薬品・医療機器業界における独占禁止法上の留意点――316
　1　はじめに　316
　2　カルテル・談合　316
　　(1) 概要　316
　　(2) 事例　317
　　(3) 法改正　319
　3　業務提携に関する独占禁止法上の留意点　321
　　(1) 概要　321
　　(2) 物流提携　321
　　(3) 販売提携　324
　4　医療用医薬品の流通に関する独占禁止法上の問題点　326
　　(1) 概要　326
　　(2) 製薬会社による再販売価格拘束　326

⑶　リベート　327
　⑷　先発医薬品メーカーによる後発医薬品についての説明　328
5　私的独占　328
　⑴　概要　328
　⑵　確約手続　329
　⑶　製薬会社による私的独占の疑いのある行為が確約手続により処理された事例　330
6　企業結合　332
　⑴　概要　332
　⑵　医薬品業界における企業結合の審査事例と最近の企業結合ガイドラインの改正　332

凡例

1 法令の略称

薬機法	医薬品、医療機器等の品質、有効性及び安全性の確保等に関する法律
薬機法施行令	医薬品、医療機器等の品質、有効性及び安全性の確保等に関する法律施行令
薬機法施行規則	医薬品、医療機器等の品質、有効性及び安全性の確保等に関する法律施行規則
GCP省令	医薬品の臨床試験の実施の基準に関する省令
GLP省令	医薬品の安全性に関する非臨床試験の実施の基準に関する省令
GMP省令	医薬品及び医薬部外品の製造管理及び品質管理の基準に関する省令
GQP省令	医薬品、医薬部外品、化粧品及び再生医療等製品の品質管理の基準に関する省令
GVP省令	医薬品、医薬部外品、化粧品、医療機器及び再生医療等製品の製造販売後安全管理の基準に関する省令
GPSP省令	医薬品の製造販売後の調査及び試験の実施の基準に関する省令
QMS省令	医療機器及び体外診断用医薬品の製造管理及び品質管理の基準に関する省令
QMS体制省令	医療機器又は体外診断用医薬品の製造管理又は品質管理に係る業務を行う体制の基準に関する省令
GCTP省令	再生医療等製品の製造管理及び品質管理の基準に関する省令
安全確保法	再生医療等の安全性の確保等に関する法律
景品表示法	不当景品類及び不当表示防止法
個人情報保護法	個人情報の保護に関する法律
行政機関個人情報保護法	行政機関の保有する個人情報の保護に関する法律

独立行政法人個人情報保護法	独立行政法人等の保有する個人情報の保護に関する法律
次世代医療基盤法	医療分野の研究開発に資するための匿名加工医療情報に関する法律
独占禁止法	私的独占の禁止及び公正取引の確保に関する法律
外為法	外国為替及び外国貿易法

2　判例誌の略称

民集	最高裁判所民事判例集
判時	判例時報
判タ	判例タイムズ

序章
本書を活用するにあたって

Ⅰ　本書を手にとっていただきたい読者層

　本書が想定する潜在的読者には、大別して2つの層がある。一方は、医薬・ヘルスケア業界で法務・知財・規制に係る業務に関与されており、ご自身で直接担当されている職務分野以外の概要も把握されたいという層であり、他方は、これから医薬・ヘルスケア業界へ参入しようとする事業会社や、医薬・ヘルスケア事業を行う会社への投資をするか、もしくは投資をアシストする業務に関与されている層である。

　前者の層は、ご自身で直接担当されている職務分野に関しては、おそらく法律事務所で執務する弁護士（本書の執筆者を含む）より、よほど詳しいだろう。ここに医薬・ヘルスケア業界の1つの特色がある。法務・知財・規制のいずれの側面でみても、法律を調べるだけでは実務を理解することができず、政省令や通達、場合によっては通達を探しても必ずしもはっきりしない実務慣行を経験し理解し、行政機関への相談や行政機関との交渉の経験を積むことが重要である。ただ、そのことは逆に、自社の業務であっても、自身の担当職務以外のことについては必ずしも明るくない、ということとなるおそれを生む。事業再編やM&Aを通じて、新しい職務に就く可能性もあることからすると、全体についてある程度の知識をもっておくことが望ましい。

　後者の層は、医薬・ヘルスケア業界の法務・知財・規制の独自性について、過剰に警戒心を抱いているかもしれない。しかし、だからといって、それに目をつむるわけにはいかない。医薬・ヘルスケア業界で求められる投資金額は大きく、1つの医薬品等が上市にまでこぎつけられるか、先行者利益をどれだけ確保することができるかは、投資に対するリターンの大

きさとそれを得るまでの時間に決定的に影響する。そこには、法務・知財・規制が大きくかかわっているのであるから、その概要や着眼点をインプットしておくことが必要である。

　本書は、上記の読者層を想定し、網羅性を追求するよりは、医薬・ヘルスケア業界の法務・知財・規制にはどのような特色があるのかということをイメージしやすいよう、なるべく平易に記述することを心がけたものである。

II 本書の概要

　まず、**第1章**において、医薬・ヘルスケア業界の業法規制（レギュレーション）について概説する。医薬・ヘルスケア業界にこれから参入しよう、または医薬・ヘルスケア事業に投資しようとする会社にとって、最初に立ちはだかり、ときに過剰な恐怖心を抱かせるのは、この業法規制（レギュレーション）であろう。ただ、この業法規制は、**第2章**の知的財産権、**第3章**の会社法務にも絡んで影響してくるため、最初に押さえておくことが有用である。

　医薬・ヘルスケア業界の業法規制（レギュレーション）において中心的な役割を果たすのは、医薬品、医療機器、再生医療等製品といった医薬品等の製造・販売等を規制する薬機法である。そこで、Ⅰにおいて、まず薬機法の基本的な内容について概説する。また、Ⅱにおいて、近年脚光を浴びている再生医療に関する法律について説明する。再生医療に関しては、大きく分類して、再生医療等製品に関する薬機法の規制と、再生医療等に関する安全確保法の規制に分けられるため、それぞれの規制の内容について概説する。さらに、医薬・ヘルスケア業界では、プロモーションに関する広告規制に留意する必要があるため、Ⅲとしてライフサイエンスのプロモーション規制について説明する。また、平成30年4月に、臨床研究について規制する新たな法律が施行されたため、Ⅳにおいて、臨床研究法について解説する。最後に、医薬・ヘルスケア業界では、個人情報保護法といったデータ・プロテクションに関する規制にも留意する必要があるため、Ⅴとして個人情報保護法（データ・プロテクション）について、Ⅵとして、平成30年5月に施行された次世代医療基盤法（医療ビッグデータ法）についてそれぞれ概説する。一方で、インターネット等の発達によって新たなビジネス・モデルも登場しているため、遠隔診療や医薬品のインターネット販売について、コラムで記載している。

　続いて、**第2章**において、医薬・ヘルスケア業界の知的財産権について概説する。知的財産権制度はすべての事業分野に横断的なものであり、医薬・ヘルスケア業界に特有の知的財産権が存在するわけではない。しかし、

その実務の運用や着眼点には、医薬・ヘルスケア業界独特のものがある。また、先行者利益の確保に寄与しているのは、知的財産権だけではなく、業法規制もそこに大きく関与している。これらの概要について、Ⅰで概説する。続くⅡでは、近時大きな脚光を浴びているバイオ医薬品およびそれに係る特許権ならびにバイオシミラーについて、その技術的な基礎を交えながら説明する。バイオ医薬品およびバイオシミラーは、従来の（低分子）医薬品と比較して、開発に大きな投資を有するという意味で、投資家にとっても重要な意味をもつ。Ⅲでは、特に医薬関連発明の特許要件について詳しく説明する。特許権の成否は医薬品の収益に直結し、製薬企業がその医薬品をカバーする特許権の成立についてプレス・リリースを行うこともまれではなく、株価にも当然影響する。Ⅳでは、知的財産権を活用する場合の法的手続について概説する。わが国の特許訴訟において、医薬・ヘルスケア関連のものは相当な割合を占めている。最後にⅤでは、独占禁止法への配慮の必要性を述べる。知的財産権は独占権を付与するものであることから、必然的に、その独占が不当なものとして独占禁止法についての懸念を生じさせるおそれをはらんでいる。特に、医薬・ヘルスケア分野では、独占によって得られる利益が多額であることから、その懸念は比較的深刻である。

　最後に、**第3章**においては、上記の**第1章**、**第2章**で述べたような留意点が、具体的なビジネスの局面においてどのように現れ、どのように問題となりうるかを概説する。いわば、応用編にあたるが、**第3章**では、特にビジネスの局面で医薬・ヘルスケア関連の法令が問題となる場合として、さまざまな形での新規参入や、製品の導入・導出、およびビジネス上生じる問題点を論じる。まずⅠにおいては、完全な新規参入として、大学発ベンチャーについての事例について解説する。成功したベンチャーの実例を通じて、研究で得られたシーズが事業化に至るイメージを提示したい。Ⅱ以降では既存の会社による参入を想定する。Ⅱにおいては、既存会社がスタートアップ企業に投資を行う場合について概説する。ベンチャー投資では、その性質上、通常のM&Aではあまりみられないようなさまざまな技法を凝らした投資手段が用いられることが多いため、そのような手法を中

心に述べる。Ⅲでは比較的成熟した、すでにいくつかの製品を上市している企業または事業に対するM&Aを念頭に置いたうえで、M&Aのスキームによって異なる留意点等を概説する。また、Ⅳでは、同じくM&Aであっても医療法人に対するものを論じる。Ⅴでは会社自体の参入ではないが製品の導入・導出のライセンス契約の典型的な条項について、導入・導出両方の立場から解説する。そして、Ⅵでは、他分野における既存のメーカーが自らの技術を応用して、主に医療機器分野に進出することを想定し、その際に留意すべき点を述べる。さらに、医療機器の中でも新しい分野であり、その発展が期待されているデジタルヘルスについて、まずはプログラム医療機器について簡潔にコラムで説明したうえで、Ⅶでは典型的な領域に絞って実務的な問題点を解説する。最後に、Ⅷにおいては、参入という観点からは離れ、営業活動等における独占禁止法上の問題点を述べる。従来ではヘルスケア、特に医薬分野では、公正競争規約等の景品規制以外の分野で独占禁止法が懸念されることは少なかったが、近時の摘発事例等を踏まえれば、ヘルスケア企業にとっても独占禁止法は他人事ではないことは明らかである。いずれも紙幅の関係上論点を絞らざるをえなかったものであるが、医薬・ヘルスケア分野における実際的なガイドとしての役に立つことができれば幸いである。

〔石原坦＝城山康文＝近藤純一〕

第1章
医薬・ヘルスケア業界の業法規制（レギュレーション）

I 医薬品、医療機器等の品質、有効性及び安全性の確保等に関する法律（薬機法）

1 はじめに

　日本における薬品の取扱規制の歴史は古く、徳川吉宗による享保の改革により薬品検査所が設置されたのが、政府による薬品取扱規制の始まりといわれている。薬事の衛生の適正を期し国民体力の向上を図ることを目的として、昭和18年に「薬事法」（昭和18年3月12日法律第48号）が制定され、医薬品の製造業に許可制が導入される等医薬品の品質の適正化が図られた。以降、薬事法はたびかさなる改正により安全対策の見直しが図られてきたが、近年のめざましい医学・薬学の進歩に伴い、医療において利用される医療資材・機器の品質、有効性および安全性を幅広く確保することを企図し、平成25年改正により薬事法は「医薬品、医療機器等の品質、有効性及び安全性の確保等に関する法律」（昭和35年8月10日法律第145号。以下「薬機法」という）として生まれ変わることとなった。

(1) 薬機法の目的
　薬機法は、医薬品、医薬部外品、化粧品、医療機器および再生医療等製品の品質、有効性および安全性を確保し、これらの使用による保健衛生上の危害の発生および拡大の防止のために必要な規制を行うとともに、指定薬物の規制に関する措置や、医療上特にその必要性が高い医薬品、医療機器および再生医療等製品の研究開発の促進のために必要な措置を講ずることにより、保健衛生の向上を図ることを目的としている（薬機法1条参照）。

(2) 法律の概要

図表1-Ⅰ-1：薬機法の構成——薬機法の4つの柱
Ⅰ　医薬品等の品質・有効性および安全性の確保

① 医薬品
② 医薬部外品
③ 化粧品
④ 医療機器
⑤ 再生医療等製品

A　製品そのものに対する規制
B　製品の製造者への規制
C　製品の販売者への規制
D　製品の販売後の安全対策

Ⅱ　希少疾病用医薬品・医療機器・再生医療等製品への規制
Ⅲ　薬事監視制度
Ⅳ　指定薬物制度

　まず、薬機法は医薬品、医薬部外品、化粧品、医療機器および再生医療等製品（以下、総称して「医薬品等」という（薬機法1条））を規制対象としているが、このうち再生医療等製品に関する規制は、平成25年に新たに追加されたものである。こうした医薬品等の品質、有効性および安全性は、あらゆる側面からの規制により確保されている。製品そのものについては治験制度を含め、有効性等の評価制度や承認制度が設けられるとともに、承認後にも再審査や再評価が実施されている。また、製品の製造や販売には許可や届出が必要であり、自由に製品の製造や販売を行うことはできない。このほか、製品の表示や添付文書に関する規制、広告規制等によっても、製品の安全性が確保されている。

　こうした医薬品等への規制に加え、薬機法は、麻薬および向精神薬取締法等で規制対象となっていない薬物（いわゆる「指定薬物」）に関する措置や、医療上特にその必要性の高い医薬品、医療機器、再生医療等製品の開発研究の促進のために必要な措置を定めている。

2　医薬品に係る規制

(1) 医薬品とは何か

　「医薬品」とは、①日本薬局方に収められている物、②人または動物の疾病の診断、治療または予防に使用されることが目的とされている物であって、機械器具等でないもの（医薬部外品および再生医療等製品を除く）、およ

び、③人または動物の身体の構造または機能に影響を及ぼすことが目的とされている物であって機械器具等でないもの（医薬部外品、化粧品および再生医療等製品を除く）をいう（薬機法2条1項）。医薬品には、診断薬（さらに、体外診断薬と、造影剤等の体内診断薬に分かれる）やワクチン等の予防薬も含まれる。

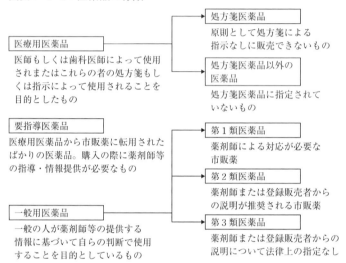

図表1-Ⅰ-2：医薬品の分類

(2) 医薬品の承認と許可

ア 医薬品の製造販売承認（製品に対する規制）

(ア) 医薬品の製造販売承認とは何か

医薬品を製造販売するためには、原則として、医薬品そのものについて製造販売承認を得る必要がある（薬機法14条）。医薬品の製造販売承認は、申請された医薬品の成分・分量、用法・用量、効能・効果、副作用等に関する審査を行ったうえで、品目ごとに与えられる。

(イ) 承認申請

承認申請のために必要な書類は、当該医薬品が医療用医薬品であるか一般用医薬品であるか等によって異なるものの、いずれも非臨床試験および臨床試験の試験成績に関する資料その他の資料を添付する必要がある（薬機法14条3項）。薬機法では添付される試験成績に関する資料の信頼性を

確保するため、当該資料は「医薬品の臨床試験の実施の基準に関する省令」（平成9年3月27日厚生省令第28号、いわゆる「GCP省令」）や「医薬品の安全性に関する非臨床試験の実施の基準に関する省令」（平成9年3月26日厚生省令第21号、いわゆる「GLP省令」）等の定めに従って作成される必要がある（薬機法施行規則43条）。また、その物の製造所における製造管理および品質管理の方法が、「医薬品及び医薬部外品の製造管理及び品質管理の基準に関する省令」（平成16年12月24日厚生労働省令第179号、いわゆる「GMP省令」）に適合している必要がある（薬機法14条6項）。

(ウ) 治験

臨床試験のうち、医薬品の製造販売承認申請に必要な試験成績を集めるために実施されるものは特別に「治験」と定義される（薬機法2条17項）。治験は未承認の医薬品を人体へ投与しその安全性を確認するプロセスを含むものであるため、準備・管理・実施・依頼という4つの側面からその手順がGCP省令により厳格に定められている。ある適応について承認を得ている医薬品であっても、他の適応に使用することを企図する場合には、当該適応に関して改めて承認を得る必要があり、その際にも改めて治験が必須であることに留意が必要である。

治験は、医薬品メーカーまたは医療機関のいずれかの主導で行われることが想定されているが、いずれの場合であっても、治験の開始予定日の遅くとも30日前までに厚生労働大臣に対して治験計画を届け出なければならない（薬機法80条の2第2項）。

このように治験に関してはその準備段階から手順が厳格に定められていることから、治験の進め方や各種書面の作成については、厚生労働省から委託を受けた独立行政法人医薬品医療機器総合機構（いわゆる「PMDA」）が事前相談を受け付けている。また、治験を適正かつ安全に進めるため、医薬品メーカーをサポートするための組織としては開発業務受託機関（いわゆる「CRO」）が、医療機関をサポートするための組織としては治験施設支援機関（いわゆる「SMO」）が整備され、限られたリソースのなかで遅滞なく医薬品の開発を進めることができる体制づくりがめざされている。

(エ) 非臨床試験

上記(ウ)の治験の実施に先がけて、安全性が一定程度確認されている必要

があり、主に動物試験等によって行われる。当該手続の手順等が詳細にGLP省令に定められている。

(オ)　審査手続

上記(イ)で提出された申請書類や製造所の構造等の審査は、PMDAにより行われる。審査の過程で不明点等がある場合には、PMDAが適宜申請者にコンタクトをとり、面接や指示等が行われる。審査が終了すると、PMDAは審査内容を審査報告書としてまとめ、厚生労働大臣に報告し、厚生労働大臣は当該報告事項をふまえて薬事・食品衛生審議会に報告し意見を尋ねる（薬機法14条8項）。厚生労働大臣は、薬事・食品衛生審議会からの意見をふまえて当該医薬品の承認または却下決定を行う。厚生労働省は、医薬品の申請から承認を与える日までの一連の手続に関し、標準的な処理期間を1年としている。

薬機法14条2項によれば、たとえば以下の事情が認められる場合、承認は与えられない。

①　申請者が製造販売業の許可を受けていないとき
②　申請に係る医薬品を製造する製造所が製造業の許可を受けていないとき
③　申請に係る医薬品の名称、成分、分量、用法、用量、効能、効果、副作用その他の品質、有効性および安全性に関する事項の審査の結果、申請に係る効能または効果がないとき
④　申請に係る医薬品の名称、成分、分量、用法、用量、効能、効果、副作用その他の品質、有効性および安全性に関する事項の審査の結果、効能または効果に比して著しく有害な作用を有することにより医薬品としての使用価値がないとき
⑤　政令で定める医薬品について、その製造所における製造管理または品質管理の方法が、厚生労働省令で定める基準に適合していないとき

(カ)　企業再編等の影響

製造販売承認を得た医薬品を製造販売する企業について、合併または分割があった場合には、合併後存続する法人もしくは合併後に設立された法人または分割により当該医薬品に係る資料等を承継した法人が、当該医薬品の製造販売承認の取得者の地位を承継する（薬機法14条の8第1項）。事業譲渡等により、当該医薬品に係る資料等を譲り受けた法人についても同

図表1-Ⅰ-3：新薬を市場に出すための流れ

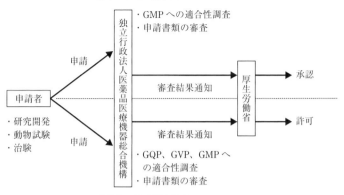

　様に、当該医薬品の製造販売承認の取得者たる地位を承継する（同条2項）。下記イ(イ)の製造販売業許可等については別途手当てする必要があるので注意を要する。
　イ　医薬品の製造販売業、製造業の許可（製造者に対する規制）
　　㋐　製造販売業と製造業の定義
　薬機法において「製造販売」と「製造」は明確に区別されており、「製造販売」とは、医薬品を①自ら製造するか、②他の製造業者に委託して製造させるか、または、③医薬品を輸入して販売することを指し、他から委託を受けて製造をする場合は除かれている（薬機法2条13項）。これは、医薬品の製造販売業者が製造から市販後まで当該医薬品の責任を負うという考え方に基づいている。「製造」は、医薬品を製造する場合を指し、「製造販売」を行う製薬会社自らが製造を行う場合には、製造販売業に加えて製造業の許可を取得する必要がある。また、他からの委託を受けて製造のみを行う場合には、製造業の許可のみを取得すれば足りるが、当該医薬品を市場に供給することはできない。
　　㋑　製造販売業の許可
　医薬品製造販売業は、対象となる医薬品が処方箋医薬品であるか否かにより第1種と第2種に分類されるが、どちらの許可を取得する場合であっても、申請する企業が「医薬品、医薬部外品、化粧品及び再生医療等製品

の品質管理の基準に関する省令」(平成16年9月22日厚生労働省令第136号、いわゆる「GQP省令」)と「医薬品、医薬部外品、化粧品、医療機器及び再生医療等製品の製造販売後安全管理の基準に関する省令」(平成16年9月22日厚生労働省令第135号、いわゆる「GVP省令」)に適合し、かつ、薬機法に定める欠格事由(薬機法12条の2第3号、5条3号)に該当しないことが必要である。

　また、製造販売業者となるためには、品質管理および製造販売後安全管理を行う総括製造販売責任者、品質保証責任者および安全管理責任者(いわゆる「三役」)を設置しなければならない(薬機法17条)。このうち総括製造販売責任者は、品質保証責任者および安全管理責任者を統括することが期待されており、その役割の重大性から資格要件が定められている(薬機法施行規則85条。具体的には薬剤師や、薬学または化学に関する知識経験を十分に有していること等が要請されている)。三役が適切に機能することはGVP省令の遵守等において非常に重要であり、総括製造販売責任者は原則として経営会議等に直接出席する位置づけにあるべきことや、定期的に三役会議を行うこと等が求められる。

　許可権者は、総括製造販売責任者が業務を行う事務所所在地の都道府県知事であり、都道府県が事務所を立入調査し、適当と認められた場合に許可証が交付される。許可の有効期限は5年であり、5年ごとに許可の更新を行わなければならない。

　なお、第1種製造販売業の許可を取得した製造販売業者が、処方箋医薬品以外の医薬品や一般用医薬品を製造販売しようとする場合には、第1種製造販売業の許可に加えて、第2種製造販売業の許可を取得する必要がある点に留意が必要である。

　　(ウ)　製造業の許可

　医薬品製造業の許可は、製造所ごとに取得する必要がある(薬機法13条2項)。有効期限は5年であり、5年ごとに許可の更新を行わなければならない(同条3項、薬機法施行令10条)。申請する製造所は、製造する製品の品目区分ごとに定められる構造設備の基準に適合した構造設備を保有していなければならず(薬機法施行規則26条)、また、製造所における製造管理または品質管理の方法は、GMP省令に適合していなければならない。GMP

省令への適合性調査は PMDA と都道府県により実施されている。

(3) 医薬品の品質・安全性の確保
ア 製品検査

製造された医薬品については、GMP省令に従った品質検査の実施が義務づけられている。これは製造業者自らが実施する出荷前の品質検査であるが、医薬品のなかには国が出荷前に品質検査を実施しているものがある（いわゆる「検定制度」、薬機法43条）。検定制度の対象となる品目としては、ワクチン等の生物学的製剤が指定されている。

イ 日本薬局方、医薬品の基準

日本薬局方とは、医薬品の性状および品質の適正を図るため、厚生労働大臣が薬事・食品衛生審議会の意見をふまえ、一定の医薬品について定めた規格基準書をいう（薬機法41条）。日本薬局方に掲載されている医薬品は、市場で長期間にわたり流通・使用された汎用性の高いものといえる。

他方で、厚生労働大臣は、保健衛生上の危害防止の観点から、保健衛生上特別の注意を要する医薬品について、規格基準を定めることができるとされており（薬機法42条）、現在、ワクチンや血液製剤等の基準が定められている。

(4) 医薬品の表示および添付文書への規制、広告規制
ア 医薬品の表示と添付文書への規制

医薬品の使用者に対して適正かつ正確な情報を提供するため、医薬品を販売する際、当該医薬品の容器・包装、ラベルおよび添付文書にはそれぞれ、薬機法に定められた事項が適切に記載されている必要がある（容器への記載事項として薬機法50条、添付文書の記載事項として薬機法52条）。

イ 広告規制

医薬品の効果や効能等に関し、虚偽または誇大な広告が禁止されていることはもちろん（薬機法66条）、未承認の医薬品に係る広告を行うことは禁止されている（薬機法68条）。ここでいう「未承認」には、製造販売承認を得たことがない医薬品のほか、製造販売承認を得た適応ではない適応への用法をうたうものも含まれることに留意が必要である。

特に、適切に使用されないと危害を生じるおそれが大きい医薬品等、指定された特定疾病用の医薬品については、医薬品関係者以外の一般人を対象とする広告が制限されている（薬機法67条）。また、厚生労働省は、医薬品等適正広告基準により一般用医薬品以外の医薬品について一般人を対象とした広告を禁止するほか、適正と考えられる具体的な広告方法を定めている。なお、広告規制の詳細については、下記Ⅲも参照されたい。

(5) 医薬品の販売業

薬機法24条によれば、薬局開設者または医薬品の販売業の許可を受けたものでなければ、業として医薬品を販売等してはならない。医薬品販売業は、取り扱う医薬品の種類等により、卸売販売業、店舗販売業および配置販売業の3つの許可に区分される（薬機法25条）。卸売販売業は、店舗販売業者および配置販売業者や薬局に加え、病院や医療機関にも医薬品を販売することが想定されており、医療用医薬品も取り扱う。これに対し、店舗販売業者および配置販売業者は小売販売が想定されているため、一般用医薬品のみを取り扱う。

なお、医薬品の製造販売業者が、薬局、他の医薬品製造販売業者、医薬品販売業者、医薬品製造業者に自社製品を販売する行為は、製造販売業許可に含まれており、新たに販売業の許可を取得する必要はない。同様に、医薬品の製造販売業者から委託を受けて医薬品を製造する製造業者が、自ら製造した医薬品を、当該製造販売業者や他の製造業者に販売することも、製造業許可に含まれており、新たに販売業の許可を取得する必要はない。

(6) 販売後の調査

製造販売承認を経て市場に流通することとなった医薬品についても、継続してその安全性を維持・調査するため、副作用・感染症報告制度、再審査制度および再評価制度の3種類の制度が設けられている。

ア 副作用・感染症報告制度

厚生労働省は、医薬品に関する副作用・感染症に関する情報を幅広く収集するため、医薬品の製造販売業者に対して副作用や感染症の発生について厚生労働大臣へ報告することを義務づけている（企業報告制度、薬機法68

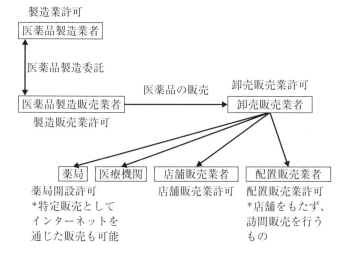

図表1-Ⅰ-4：医薬品の流通経路と要求される業許可

条の10第1項）。また、製造販売業者は常時、自社製品を納入している医療機関や薬局からの副作用等に関する情報を収集することのできる体制を構築しなければならず（薬機法68条の2）、医療機関や薬局等の医薬関係者は医薬品製造販売業者による情報収集に協力する義務がある。このほか、医薬関係者に厚生労働大臣への直接の報告義務を課している医薬品・医療機器等安全性情報報告制度（薬機法68条の10第2項）、国外で使用された場合の副作用についての情報収集を目的としたWHO国際医薬品モニタリング制度、生物由来製品の製造販売業者に義務づけられている感染症定期報告制度等がある。

特に市販直後においては、未知の重篤な副作用に対する警戒として、医療機関に対する適正使用情報の提供や副作用情報の収集強化が要請される（いわゆる市販直後調査、GVP省令10条）。

イ　再審査制度

厳しい製造販売承認申請手続を経た医薬品であっても、医療の現場で使用された段階で重篤な副作用や感染症の発症が報告される等、製造販売承認を見直すべき事例もある。そこで、新しい医薬品については、製造販売承認後一定期間ののちに、再審査が実施される（薬機法14条の4）。再審査では、製造販売業者が「医薬品の製造販売後の調査及び試験の実施の基準

に関する省令」（平成16年12月20日厚生労働省令第171号、いわゆる「GPSP省令」）に従い作成された資料をもとに、医薬品の承認された効能効果が認められるか、その効能効果に比して重篤な副作用がないか、その他医薬品として不適当ではないか、といった観点からの審査がなされる。一部の効能効果が認められない場合には、効能効果が変更されたり、医薬品として不適切であれば製造販売承認自体が取り消されることとなる。

ウ　再評価制度

上記イのとおり再審査制度は新薬を対象としているが、再評価制度は長期にわたり使用されてきた医薬品が、現在の科学技術に照らして有用であるかを改めて評価することを目的とした制度である。再評価制度は、再評価を受けるべきであると厚生労働大臣が公示した医薬品につき実施される（薬機法14条の6）。

(7)　医薬部外品および化粧品について

ア　医薬部外品

「医薬部外品」とは、人体に対する作用が緩和であり、薬機法2条2項に掲げられたものおよび厚生労働大臣が別途指定するものをいう。医薬部外品にも医薬品に準じて品目ごとの製造販売承認制度が存在し、製造・販売には製造販売業や製造業の許可を取得する必要があり、GQP省令、GVP省令、GMP省令の適用もある。また、医薬部外品に対しても広告の規制が適用される。これは上記のとおり、一般的な消費者用製品と比べて非常に厳格な規制であるため注意が必要である。他方で、販売業許可制度の適用はなく、一般の小売店でも自由に販売することができる。

イ　化粧品

「化粧品」とは、人の身体を清潔にし、美化し、魅力を増し、容貌を変え、または皮膚もしくは毛髪を健やかに保つために、身体に塗擦、散布その他これらに類似する方法で使用されることが目的とされているもので、人体に対する作用が緩和なものをいう（薬機法2条3項）。化粧品に関しては規制が大幅に緩和されており、一部の製品についてのみ製造販売承認の対象となっている。ただし、化粧品を製造販売するためには、製造販売業許可や製造業の許可を取得する必要があり、GQP省令やGVP省令の適用もあ

図表1-Ⅰ-5：医薬部外品一覧表

薬機法2条2項	1号	イ 吐き気その他の不快感または口臭もしくは体臭の防止	口臭防止スプレー、うがい薬等
		ロ あせも、ただれ等の防止	あせも用スプレー、ただれ防止クリーム等
		ハ 脱毛の防止、育毛または除毛	育毛剤、発毛剤、除毛クリーム等
	2号	ねずみ、はえ、蚊、のみその他これらに類する生物の防除の目的のために使用されるもの	殺虫剤、防虫剤等
	3号	病気の診断、治療または予防に使用されることが目的とされている（薬機法2条1項2号）または身体の構造または機能に影響を及ぼすことが目的とされている（同項3号）物のうち、厚生労働大臣が指定するもの	「医薬品、医療機器等の品質、有効性及び安全性の確保等に関する法律第2条第2項第3号の規定に基づき厚生労働大臣が指定する医薬部外品」（平成21年2月6日厚生労働省告示第25号）参照 一部の例としては…… ・ コンタクトレンズ装着薬 ・ 瀉下薬 ・ 消化薬 ・ 滋養強壮、虚弱体質改善および栄養補給が目的とされているもの ・ 整腸薬

るが、GMP省令は適用されない。なお、広告の規制が適用されることは、医薬部外品と同様であり、注意を要する。

3 医療機器に係る規制

(1) 医療機器とは何か

「医療機器」とは、人もしくは動物の疾病の診断、治療もしくは予防に使用され、または人もしくは動物の身体の構造もしくは機能に影響を及ぼすことが目的とされている機械器具等であって、政令で定められるものとさ

れており(薬機法2条4項)、その人体へ及ぼしうるリスクに応じて高度管理医療機器、管理医療機器および一般医療機器の3種に分類されている(同条5項~7項)。

図表1-Ⅰ-6:医療機器の分類等

	リスク・クラス	製品の製造承認	製造販売	販売・貸与	例
高度管理医療機器	高~クラスⅣ	製造販売承認	第一種医療機器製造販売業許可	販売業・貸与業許可	クラスⅣ:ペースメーカー、人工血管、中心静脈カテーテル
	中~高クラスⅢ	製造販売承認または第三者認証			クラスⅢ:人工透析器、硬膜外用カテーテル、輸血ポンプ
管理医療機器	低~中クラスⅡ	製造販売承認または第三者認証	第二種医療機器製造販売業許可	販売、貸与についての届出	クラスⅡ:X線撮影装置、心電計、超音波診断装置、注射針
一般医療機器	~低クラスⅠ	不要	第三種医療機器製造販売業許可	不要	クラスⅠ:X線フィルム、手術用不織布、経腸栄養注入セット

(2) **医療機器の承認(認証)と許可**

ア 医療機器の製造販売承認(製品に対する規制)

医療機器はその種類により、医薬品と同様、品目ごとに承認が必要な場合(薬機法23条の2の5)と、登録認証機関による認証で足りる場合(薬機法23条の2の23)、そして、PMDAへの届出で足りる場合(薬機法23条の2の12)に分かれる。

(ア) 製造販売の承認審査

医療機器の製造販売承認審査はPMDAで実施される(薬機法23条の2の7)。申請者は、当該医療機器の製造販売業許可を取得し、当該医療機器の

製造所について登録を受けていなければならない。また、当該医療機器に関して品質、有効性および安全性に関する基準を満たしていることを示す資料を添付する必要がある。医薬品と同様、安全性に関するGLP省令およびGCP省令を遵守しなければならない。さらに、一定の医療機器に関しては、「医療機器及び体外診断用医薬品の製造管理及び品質管理の基準に関する省令」（平成16年12月17日厚生労働省令第169号、いわゆる「QMS省令」）への適合性も要求される。

　承認が得られない具体的事由については、上記2(2)ア(オ)を参照されたい。
　　(イ)　登録認証機関による認証
　厚生労働大臣が基準を定めて指定する高度管理医療機器または管理医療機器（以下「指定高度管理医療機器等」という）については、厚生労働大臣による承認ではなく、登録認証機関の認証を受ければ足る。登録認証機関は、当該医療機器が、厚生労働大臣が定めた認証基準（平成17年3月25日厚生労働省告示第112号（最終改正：平成30年7月10日厚生労働省告示第267号））に適合しているかどうかを審査する。
　　(ウ)　製造販売届出制度
　一般医療機器については、原則として、上記(ア)および(イ)で述べた承認または認証が不要であり、品目ごとにPMDAに届け出ることで製造販売が可能となる。
　イ　医療機器の製造販売業の許可、製造業の登録（製造者に対する規制）
　医薬品における規制と同様に、医療機器を製造・販売する場合には、製造する医療機器の種類に応じた製造販売業許可を取得する必要がある（薬機法23条の2）。「製造販売業」の定義については上記2(2)イ(ア)を参照されたい。
　　(ア)　製造販売業の許可基準
　申請者は、「医療機器又は体外診断用医薬品の製造管理又は品質管理に係る業務を行う体制の基準に関する省令」（平成26年8月6日厚生労働省令第94号、いわゆる「QMS体制省令」）を満たす体制を有し、製造販売後安全管理の方法がGVP基準を満たしており、その他法令で定める欠格事由に該当しないことが必要である（薬機法23条の2の2）。
　　(イ)　製造業の登録
　医薬品の場合と異なり、医療機器の製造を行うものは、許可の取得は不

要であるものの、厚生労働省に備えられている製造業者台帳への登録を受けなければならない（薬機法23条の2の3）。医療機器は複数の部品で構成されることが想定されており、当該部品が異なる製造所で製造される場合を考慮し、このような登録を受けるべき製造所は、医療機器または体外診断用医薬品の製造工程のうち、設計、組み立て、除菌その他厚生労働省令で定めるものに限る、とされている（薬機法施行規則114条の8参照）。

(3) 医療機器の品質・安全性の確保

医療機器の品質や性能を担保するため、各製造所においては、QMS省令に定められた基準が適切に実施され、運用される必要があり、製造販売業者はQMS省令を満たした体制の整備を行う義務がある。

また、QMS省令を満たすものであるかは、上記(2)(ア)のとおり医療機器の製造販売承認を得る際の審査対象となっているが、承認後も、製造販売業の更新期間である5年ごとに適合性調査を受けることが義務づけられている（薬機法23条の2の5）。調査の結果、QMS省令に適合していることが認められたときは、厚生労働大臣から「基準適合証」が交付される（薬機法23条の2の6）。

(4) 医療機器の表示および添付文書への規制、広告規制

医薬品と同様、使用者に対して適切かつ安全な利用を行わせるため、薬機法は医療機器の本体、容器、被包および添付文書に記載すべき事項が定められている（本体または容器の記載事項については薬機法63条、添付文書への記載事項については薬機法63条の2、平成26年10月2日薬食安発1002第5号および平成26年10月2日薬食発1002第8号）。

添付文書のうち、使用上の注意や取扱上の注意については医療機器の製造販売承認申請の際に厚生労働大臣に提出し、また、承認取得後は製造販売業者がインターネット等で公表しなければならない（薬機法63条の3）。広告規制に関しては上記2(4)イを参照されたい。

(5) 医療機器の販売業・貸与業・修理業

医療機器の種類は多様であり、大きさ、リスクや管理方法も多種多様で

あるため、クラス分類により異なる販売規制が課せられている。また、大型の医療機器についてはリースによるケースも多いため貸与業に関する規制が、長期間の使用を前提としている医療機器を念頭に置いて修理業に関する規制が整備されている（図1-Ⅰ-6参照）。

(6) 医療機器の販売後の調査──使用成績評価制度

医療機器についても医薬品と同様に、副作用等が発生した場合に製造販売業者や医療機関から厚生労働大臣に対する報告義務が定められている（薬機法68条の10）。また、市販後の医療機器の安全性や性能を担保するため、使用成績評価制度が設けられている（薬機法23条の2の9）。使用成績評価制度では、医療機器の特性に応じて設定された期間ごとにその製品の有効性や安全性がPMDAにより確認される。成績評価制度により医療機器として不適当であると認められた場合には、製造販売承認が取り消されたり、効果や性能の一部に不適当なものが認められた場合には、承認事項の一部の変更がなされる。

4 再生医療等製品に係る規制

(1) 再生医療等製品とは何か

再生医療等製品とは、①ⅰ人または動物の身体の構造または機能の再建、修復または形成、もしくは、ⅱ人または動物の疾病の治療または予防のための医療または獣医療に使用されることが目的とされているもののうち、人または動物の細胞に培養その他の加工を施したものであって、薬機法施行令で定めるもの、または、②人または動物の疾病の治療に使用されることが目的とされているもののうち、人または動物の細胞に導入され、これらの体内で発現する遺伝子を含有させたものであって、薬機法施行令で定めるものをいう（薬機法2条9項）。

(2) 再生医療等製品と許可

ア 再生医療等製品の製造販売承認（製品に対する規制）

再生医療等製品を製造販売するためには、品目ごとに承認を受ける必要がある（薬機法23条の25）。承認申請の際に必要な書類は医薬品に係る規

制と同様だが、再生医療等製品が、人または動物の細胞を加工した製品であるという特性にかんがみ、申請に際して留意すべき事項が2つの行政通達にまとめられている（「再生医療等製品の製造販売承認申請に際し留意すべき事項について」（平成26年8月12日薬食機参発0812第5号）、「再生医療等製品の製造販売承認申請について」（平成26年8月12日薬食発0812第30号））。また、再生医療等製品に関しても、非臨床試験の実施に係るGLP省令および臨床試験の実施に係るGCP省令が整備されている。さらに、医薬品におけるGMP省令と同様に、「再生医療等製品の製造管理及び品質管理に関する基準に関する省令」（平成26年8月6日厚生労働省令第93号、いわゆる「GCTP省令」）も整備されている。

　再生医療等製品は人や動物の細胞加工製品であるという特性上、製品化されたものであってもその品質は必ずしも均質ではなく、効能、効果、性能が一定でない場合がある。こうした再生医療等製品の特性にかんがみ、①申請に係る再生医療等製品が均質ではないものの、②申請に係る効能、効果または性能を有すると推定され、③申請に係る効能、効果または性能に比して著しく有害な作用を有することにより使用価値がないと推定されるものではない場合には、7年を超えない範囲内での期限を付した、条件・期限付承認を付与することが認められている（薬機法23条の26）。この条件および期限付承認は、医薬品や医療機器にはない定めである。この条件および期限付承認を受けた再生医療等製品については、1年ごとに使用成績調査を実施し、報告することが義務づけられており（薬機法施行規則137条の35）、また、定められた期間内に再度承認申請をして審査を受けなければならない。

　イ　再生医療等製品の製造販売業の許可（製造者に対する規制）
　医薬品と同様、再生医療等製品を製造・販売するには、製造販売業の許可（薬機法23条の20）や製造業の許可を取得しなければならない（薬機法23条の22）。製造販売業および製造業の定義については上記2(2)イ(ア)を参照されたい。製造販売業の取得のために申請者がGQP省令やGVP省令等を満たしており、再生医療等製品総括製造販売責任者等の三役の設置義務がある点も、医薬品や医療機器の製造販売の場合と同様である。

(3) 再生医療等製品の販売

再生医療等製品についてもその販売を行うためには販売業許可を取得する必要があるが、販売業許可を取得しても一般消費者向けに販売することはできず、他の製造販売業者、販売業者、病院、診療所、もしくは飼育動物診療施設の開設者等への販売のみが想定されている（薬機法68条の2）。再生医療等製品の販売業許可は、営業所単位で、都道府県知事により付与される（薬機法40条の5）。

(4) その他の規制

再生医療等製品についても医薬品と同様、直接の容器や包装等への記載事項および添付文書等への記載事項が薬機法に定められている（薬機法65条の2、65条の3）。広告規制、販売後の安全対策、承認後の再審査および再評価制度に係る規制については、医薬品と同様である。

再生医療等製品特有の規制としては、再生医療等製品の流通経路を追跡することができるよう、販売記録の作成および保存の義務が製造販売承認取得者および販売業者に課されていることがあげられる（薬機法68条の7）。なお、再生医療等製品に関する規制については、下記Ⅱ2も参照されたい。

5　希少疾病用の医薬品、医療機器、再生医療等製品

薬機法は、医療上特にその必要性が高い医薬品、医療機器および再生医療等製品の研究開発の促進のために必要な措置として、医薬品、医療機器または再生医療等製品に関し、「希少疾病用」と指定することができる制度を採用している（薬機法77条の2）。「希少疾病用」とは、①当該疾病の罹患者が5万人以下であり、②当該用途について特に優れた使用価値を有することとなるものをいう（同条、薬機法施行規則251条）。

希少疾病用医薬品等に指定された場合には、優先審査、助成金の交付、税制優遇措置、再審査期間の延長といった優遇措置を受けることができる。

6　薬事監視制度

上記2ないし5で述べた一連の製造販売承認制度、製造販売業等の業許可、安全対策等が適切に運用されるよう、薬機法では薬事監視員制度が設

けられている。薬事監視員は、厚生労働大臣、都道府県知事、保健所を設置する市の市長または特別区の区長が、それぞれに所属する職員のなかから命じ（薬機法76条の3）、製造所や事務所等への立ち入り検査や、薬機法に違反する医薬品等の破棄や回収、下記7で述べる指定薬物の取締り等を実施している。

7　指定薬物制度

　幻覚や興奮の作用を有し、人体に使用された場合に危害を発生するおそれのある薬物については、麻薬および向精神薬取締法や覚せい剤取締法等による規制がなされている。しかし、これらの法律は問題となった薬物につき幻覚、興奮、耽溺等の作用を有するものであることが確認された後に、当該薬物を化学式によって特定し、規制対象とするものであるため、酩酊、幻覚といった同様の作用をもつ薬物であっても、化学式の一部が異なる場合には規制対象とすることができない結果、いわゆる「合法ドラッグ」と称する薬物の乱用について別途規制する必要が生じた。

　こうした事態に対応するため、平成18年から、薬機法により、中枢神経系の興奮もしくは抑制または幻覚の作用を有する蓋然性が高く、かつ人の身体に使用された場合に保健衛生上の危害を発生するおそれのあるものを「指定薬物」とし規制が行われることとなった（薬機法2条15項）。指定薬物については、「正規の用途」以外の用途のため、製造、輸入、販売、授与、所持、購入、譲受けおよび使用が禁止されている（薬機法76条の4）。

〔近藤純一＝池田彩穂里〕

コラム①：令和元年薬機法改正

　前回の（名称変更を含む）薬事法改正・施行から5年が経過して医薬品・医療機器等を取り巻く状況が変化している中、薬機法の一部改正法が令和元年11月27日に成立し、以下のとおり3回に分けて施行される。

　改正内容は非常に多岐にわたるが、本稿では主要な分野ごとに概説する。

　なお、本コラムで引用している条文番号は各改正の施行時点のものである。

図表①：薬機法の一部改正法の施行スケジュール

令和2年9月1日	新しい承認制度の創設、オンライン服薬指導の導入
令和3年8月1日	信頼確保のための法令遵守体制の整備、課徴金制度の導入、添付文書の電子的な方法による提供の原則化、品質管理手法の国際的整合性の整備、地域連携薬局と専門医療機関連携薬局の認定制度の創設
令和4年12月1日	医薬品等の包装等へのバーコード表示の義務化

1　新しい承認制度の創設

医薬品、医療機器、再生医療等製品について、これまで通知に基づいて運用されていた柔軟な承認制度を法律上規定するとともに、技術発展に対応するための新しい承認制度を創設した。

(1)　条件付き早期承認制度

厚生労働大臣は、医薬品、医療機器等が①医療上特にその必要性が高いと認められ、かつ②検証的臨床試験の実施が困難であるときには、使用の成績に関する調査の実施、適正な使用の確保のために必要な措置の実施その他の条件を付すことで、申請書に添付する臨床試験の試験成績に関する資料の一部を添付不要とし、条件付き承認をすることができる（薬機法14条5項・12項、23条の2の5第5項・12項）。従来は通知に基づいて行われていた制度が法制化されたものである。

製造販売業者等は、承認後に当該医薬品、医療機器等の使用の成績に関する資料その他の資料を厚生労働大臣に提出して、その品質、有効性および安全性に関する調査を受けなければならない（薬機法14条12項、23条の2の5第12項）。

(2)　先駆的医薬品、先駆的医療機器、先駆的再生医療等製品

厚生労働大臣は、①日本または外国においてすでに製造販売の承認を与えられている医薬品、医療機器、再生医療等製品と作用機序・原理が明らかに異なり、かつ②その用途に関し、特に優れた使用価値を有する医薬品、医療機器、再生医療等製品を先駆的医薬品、先駆的医療機器、先駆的再生医療等製品として指定することができ、指定された医薬品、医療機器、再生医療等製品は他の製品に優先して審査または調査を受けることができる（薬機法77条の2第2項、14条10項、23条の2の5第10項、23条の25第7項）。これも、従来は通知に基づいて行われていた制度が法制化されたものである。

(3)　特定用途医薬品、特定用途医療機器、特定用途再生医療等製品

厚生労働大臣は、①その用途が、厚生労働大臣が定める区分に属する疾病

の診断、治療または予防であって、②当該用途に係る医薬品、医療機器、再生医療等製品に対する需要が著しく充足しておらず、かつ③その用途に関し、特に優れた使用価値を有する医薬品、医療機器、再生医療等製品を特定用途医薬品、特定用途医療機器、特定用途再生医療等製品として指定することができ、指定された医薬品、医療機器、再生医療等製品は他の製品に優先して審査または調査を受けることができる（薬機法77条の2第3項、14条10項、23条の2の5第10項、23条の25第7項）。

(4) 継続的な改善・改良が行われる医療機器の承認制度

AI技術を用いた医療機器等、継続的に性能等が改良される製品について、改良の都度一部変更承認等を受ける必要がなくなるよう新たな制度が創設された。

この制度の下では、承認事項のうち性能、製造方法等の変更に関する計画（変更計画）についてあらかじめ厚生労働大臣の確認を受けておくことで、事前の届出のみで当該変更計画に従った変更を行うことができる（薬機法23条の2の10の2第1項・6項）。

2 信頼確保のための法令遵守体制の整備

従来から製造販売業者等に対しては、いわゆる「三役」の設置が義務付けられており、その要件等については厚労省の通知に規定されていたが、近年の薬機法違反事案において製造販売業者の経営陣が現場における法令遵守上の問題点を把握していないことなどが指摘されていた。法令遵守の徹底のため、医薬品、医療機器等の製造販売業者等に対して、薬事に関する業務に責任を有する役員の設置、許可申請書への記載、従業員に対する法令遵守のための指針の提示、法令遵守体制の整備等のほか、総括製造販売責任者、製造管理者等の選任要件を見直している。なお、薬事に関する業務に責任を有する役員の要件は法律には規定されておらず、総括製造販売責任者および製造管理者の要件についても（薬剤師の資格要件のほかは）厚生労働省令で定める業務を遂行し、厚生労働省令で定める事項を遵守するのに必要な能力を有する者とされており、その具体的内容は厚生労働省令の改正を待たなければならない。また、総括製造販売責任者、製造管理者等は必要があれば製造販売業者等に対して意見を申述する義務を負い、製造販売業者等はこれを尊重し、必要に応じて措置を講じる義務を負う。（薬機法17条1項・3項・5項・7項、18条2項・4項、18条の2、23条の2の14第1項・3項・5項・7項、23条の2の15第2項・4項ほか）

3 課徴金制度の導入

虚偽・誇大広告の抑止のため、医薬品、医療機器等に関する虚偽・誇大広告を行った者に対する課徴金制度が導入された。違反行為を行っていた期間中における対象商品の売上の4.5％の課徴金が課せられることになる（薬機

法75条の5の2第1項)。
4　その他の改正
　その他、添付文書の電子的な方法による提供の原則化、医薬品等の包装等へのバーコード表示の義務化、品質管理手法の国際的整合性の整備、地域連携薬局と専門医療機関連携薬局の認定制度の創設、オンライン服薬指導の導入（**コラム②：医薬品のインターネット販売**参照）等がなされた。

〔近藤純一＝淺井茉里菜〕

コラム②：医薬品のインターネット販売

　平成21年の薬事法（当時の名称。以下同様）施行規則の改正により、一般用医薬品は第1類から第3類までに分類された。そして、第1類と第2類については、店舗における対面販売が義務づけられ、インターネット販売が許されなくなった。

　こうした規制の導入に対して、医薬品のインターネット販売大手事業者が、平成21年改正後の薬事法施行規則は、法律の委任の範囲を超える規制であって、違法無効であると主張して訴訟を提起した。第1審（東京地判平成22年3月30日判時2096号9頁）は、この規制が一般用医薬品の適切な選択および適正な使用を確保し、一般用医薬品の副作用による健康被害を防止するとの目的達成に必要かつ合理的なものであると判断した。しかし、第2審（東京高判平成24年4月26日判タ1381号105頁）および最高裁（最判平成25年1月11日民67巻1号1頁）は、平成21年改正施行規則は、薬事法の趣旨を超えてインターネット販売を過度に規制するものであり、違法だと判断した。

　この最高裁判決を受けて、平成26年の薬事法の改正では、スイッチ直後品目（医療用医薬品から一般用医薬品に移行して間がなく、一般用医薬品としてのリスクが確定していないとされる医薬品）を要指導医薬品とし、それ以外の第1類から第3類までの一般用医薬品はすべてインターネット販売を可能とした。

　また、インターネット販売が可能な場合でも、その方法については、たとえば、薬局・薬店の許可を取得した有形の店舗が必要である等のルールが課されている。

　令和2年6月末現在、これらのルールを満たしてインターネット販売を行っている販売サイトは、1929件にのぼっている（厚生労働省「一般用医薬品の販売サイト一覧」）。このように医薬品のインターネット販売サイトが増加した背景として、必ずしも、実際に店舗での販売を行うことを想定したよ

うな店舗の作りになっていなくても薬局・薬店の許可が与えられていたことがあげられる。たとえば、雑居ビルの一室に、形だけショーケースを設けたような店舗を設けることでも、薬店の開設許可が出ていたのである。ところが、近時では、県によっては、実際に店舗での販売を想定した薬局・薬店でなければ許可を与えないという運用がなされている。医薬品のインターネット販売については、当面、行政の動向を注視する必要がある。

なお、従来、医師から処方された医薬品は、薬局で対面での服薬指導を受けなければ購入できなかったが、令和元年改正薬機法（令和2年9月1日施行部分）により、医療用医薬品についてもオンライン服薬指導が導入された。オンライン服薬指導を利用すれば、患者は処方された医療用医薬品を、薬局に出向くことなく購入することができる。

ただし、改正薬機法に基づくオンライン服薬指導を実施するにあたっては、以下の3要件を充足する必要がある。

図表②：オンライン服薬指導実施の3要件

① あらかじめ対面による服薬指導を行っていること。
② 服薬指導計画に従って実施すること。
③ オンライン診療または訪問診療に基づく処方箋により調剤されること。

①のとおり、オンライン服薬指導は、一度は対面での服薬指導を行ったことがある薬局が行う必要があり、患者の自宅やかかりつけ病院の近くの薬局が行うこととなる。したがって、薬局が患者の行動圏内に存在することが事実上必要といえる。また、③のとおり、オンライン服薬指導はオンライン診療または訪問診療が前提となっている。新型コロナウイルス感染症の感染拡大防止策として、オンライン診療の要件が時限的に緩和されているが、オンライン診療の今後の動向にも注意が必要である。

〔木川和広＝大出萌〕

Ⅱ　再生医療に関する法規制

1　再生医療に関する3つの主要な法律

　再生医療とは、一般的に、患者自身または他者の細胞・組織を培養等加工したものを用いて、組織や臓器を修復・再生する医療を意味する。

　再生医療は、疾患を根治する治療法の開発や、これまで有効な治療法のなかった疾患の治療等、国民の期待が高い一方、新しい医療技術であることから、安全面および倫理面より十分な配慮が必要である。したがって、これらの点に留意しつつ、迅速に実用化を進めるための枠組みを整備することが必要と考えられている（平成26年11月25日閣議決定「再生医療の迅速かつ安全な研究開発及び提供並びに普及の促進に関する基本的な方針」）。

　このような取組みを推進するため、平成25年4月26日、「再生医療を国民が迅速かつ安全に受けられるようにするための施策の総合的な推進に関する法律」（平成25年5月10日法律第13号）が成立し、平成25年5月10日に公布および施行された。

　また、再生医療の実用化に対応できるよう、薬事法等の一部を改正する法律（平成25年11月27日法律第84号）が平成25年11月20日に成立し、薬事法（昭和35年8月10日法律第145号）に規定されていた「医薬品」や「医療機器」というカテゴリーに加えて、「再生医療等製品」というカテゴリーが新たに設けられるとともに、再生医療等製品の特徴をふまえた承認および許可制度が新設された。また、法律の名称も、新たに「再生医療等製品」が加わったこと等により、「薬事法」から「医薬品、医療機器等の品質、有効性及び安全性の確保等に関する法律」（以下「薬機法」という）に変更され、平成26年11月25日に施行された。

　さらに、再生医療等の安全性の確保等を図るため、「再生医療等の安全性の確保等に関する法律」（平成25年11月27日法律第85号。以下「安全確保法」という）が平成25年11月20日に成立し、平成26年11月25日に施行された。安全確保法は、再生医療等を提供しようとする者が講ずべき措置を明らかにするとともに、再生医療等の迅速かつ安全な提供および普及の

促進を図り、もって医療の質および保健衛生の向上に寄与することを目的とする（安全確保法1条）。

「薬機法」が「再生医療等製品」という「製品」に関する規制であるのに対して、「安全確保法」は「再生医療等」という「医療」に関する規制である。

以下、それぞれの法律について、主たる規制の内容について説明する。

2 薬機法における再生医療等製品に関する規制について

(1) 当事者

薬機法上、再生医療等製品は、厚生労働大臣の許可を受けた者でなければ、業として、製造販売をしてはならない（薬機法23条の20第1項）。ここで、「製造販売」とは、その製造（他に委託して製造をする場合を含み、他から委託を受けて製造をする場合を除く）をし、または輸入をした再生医療等製品を、それぞれ販売し、貸与し、もしくは授与することをいう（薬機法2条13項）。当該許可を受けた者を再生医療等製品の製造販売業者という。また、再生医療等製品の製造業の許可を受けた者でなければ、業として、再生医療等製品の製造をしてはならない（薬機法23条の22第1項）。当該許可を受けた者を再生医療等製品の製造業者という。製造販売および製造について、許可が必要となる点は、医薬品と同一である。また、薬機法40条の5以降では、再生医療等製品の販売業者に関する義務が規定されている。さらには、再生医療等製品を取り扱う医師その他の医療関係者に対して、再生医療等製品について使用の対象者に対して適切な説明を行い、同意を得る努力義務（薬機法68条の4）等が課されている。

(2) 再生医療等製品の内容

ア　定義

再生医療等製品とは、次の①②に掲げる物（医薬部外品および化粧品を除く）であって、政令で定めるものをいう（薬機法2条9項）。

> ①　次に掲げる医療または獣医療に使用されることが目的とされている物のうち、人または動物の細胞に培養その他の加工を施したもの

> ⅰ　人または動物の身体の構造または機能の再建、修復または形成
> ⅱ　人または動物の疾病の治療または予防
> ②　人または動物の疾病の治療に使用されることが目的とされている物のうち、人または動物の細胞に導入され、これらの体内で発現する遺伝子を含有させたもの

　上記の薬機法の規定をふまえて、薬機法施行令では、再生医療等製品を次のとおり規定している（薬機法施行令1条の2、別表第二）。

> ①　ヒト細胞加工製品
> 　ⅰ　ヒト体細胞加工製品（ⅱおよびⅳに掲げる物を除く）
> 　ⅱ　ヒト体性幹細胞加工製品（ⅳに掲げる物を除く）
> 　ⅲ　ヒト胚性幹細胞加工製品
> 　ⅳ　ヒト人工多能性幹細胞加工製品
> ②　動物細胞加工製品
> 　ⅰ　動物体細胞加工製品（ⅱおよびⅳに掲げる物を除く）
> 　ⅱ　動物体性幹細胞加工製品（ⅳに掲げる物を除く）
> 　ⅲ　動物胚性幹細胞加工製品
> 　ⅳ　動物人工多能性幹細胞加工製品
> ③　遺伝子治療用製品
> 　ⅰ　プラスミドベクター製品
> 　ⅱ　ウイルスベクター製品
> 　ⅲ　遺伝子発現治療製品（ⅰおよびⅱに掲げる物を除く）

　再生医療等製品の具体例として、下表（**図表1-Ⅱ-1参照**）に記載された7品目が製造販売承認を受けている。

図表1-Ⅱ-1：「再生医療等製品」の具体例

販売名	一般的名称	製造販売業者
ジェイス	ヒト（自己）表皮由来細胞シート	株式会社ジャパン・ティッシュ・エンジニアリング
ジャック	ヒト（自己）軟骨由来組織	株式会社ジャパン・ティッシュ・エンジニアリング
テムセルHS注	ヒト（同種）骨髄由来間葉系幹細胞	JCRファーマ株式会社
ハートシート	ヒト（自己）骨格筋由来細胞シート	テルモ株式会社

ステミラック注	ヒト（自己）骨髄由来間葉系幹細胞	ニプロ株式会社
キムリア点滴静注	チサゲンレクルユーセル	ノバルティスファーマ株式会社
コラテジェン筋注用 4 mg	ベペルミノゲン　ペルプラスミド	アンジェス株式会社

イ　再生医療等製品の特徴

再生医療等製品は、革新的な医療として実用化に向けた国民の期待が高く、いまだ満たされていない医療ニーズ（アンメット・メディカルニーズ）に対応することが期待されている。一方で、安全面や倫理面等の課題がある。

また、再生医療等製品の治験・審査に関しては、①治験に登録できる患者数に制限が生じる、②医薬品における治験で実施されるような、対照群を置いた比較試験が難しい、③原材料の細胞の品質が不均一であることにより、評価が困難である、といった特徴がある。

したがって、従来の医薬品に関する規制をそのまま適用した場合、再生医療等製品に関する治験および審査が長期化するリスクがある。

このような再生医療等製品の特徴をふまえて、再生医療等製品については、条件および期限付承認の制度が設けられている（薬機法23条の26。当該条件および期限付承認の制度の内容については、下記(3)イ参照）。

(3)　製造販売承認

ア　製造販売承認の要件

再生医療等製品の製造販売をしようとする者は、品目ごとにその製造販売についての厚生労働大臣の承認（以下「製造販売承認」という）を受けなければならない（薬機法23条の25第1項）。製造販売承認がなければ、製造販売をすることができない点は、医薬品と同一である。また、製造販売業者が次のいずれかの事由に該当するときは、製造販売承認は、付与されない（同条2項）。

① 申請者が、再生医療等製品の製造販売業の許可（薬機法23条の20第1項）を受けていないとき

② 申請に係る再生医療等製品を製造する製造所が、再生医療等製品の製造業許可（薬機法23条の22第1項。許可申請をした品目について製造ができる区分に係るものに限る）または再生医療等製品外国製造業者の認定（薬機法23条の24第1項。申請をした品目について製造ができる区分に係るものに限る）を受けていないとき
③ 申請に係る再生医療等製品の名称、構成細胞、導入遺伝子、構造、用法、用量、使用方法、効能、効果、性能、副作用その他の品質、有効性および安全性に関する事項の審査の結果、その物が次のⅰからⅲまでのいずれかに該当するとき
　ⅰ　申請に係る効能、効果または性能を有すると認められないとき
　ⅱ　申請に係る効能、効果または性能に比して著しく有害な作用を有することにより、再生医療等製品として使用価値がないと認められるとき
　ⅲ　ⅰまたはⅱに掲げる場合のほか、再生医療等製品として不適当なものとして厚生労働省令で定める場合に該当するとき
④ 申請に係る再生医療等製品の製造所における製造管理または品質管理の方法が、厚生労働省令で定める基準に適合していると認められないとき

　また、厚生労働大臣は、再生医療等製品であって本邦に輸出されるものにつき、外国においてその製造等をする者から申請があったときは、品目ごとに、製造販売に係る承認を与えることができる（外国特例承認。薬機法23条の37第1項）。この場合、当該承認を受けようとする者は、本邦内において当該承認に係る再生医療等製品による保健衛生上の危害の発生の防止に必要な措置をとらせるため、再生医療等製品の製造販売業者を当該承認の申請の際選任しなければならない（同条3項）。

　イ　条件および期限付承認

　再生医療等製品の製造販売承認の申請者が、製造販売をしようとする物が、次の①ないし③のいずれにも該当する再生医療等製品である場合には、厚生労働大臣は、薬事・食品衛生審議会の意見を聴いて、その適正な使用の確保のために必要な条件および7年を超えない範囲内の期限を付してその品目に係る製造販売承認（以下「条件および期限付承認」という）を与えることができる（薬機法23条の26第1項）。

① 申請に係る再生医療等製品が均質でないこと
② 申請に係る効能、効果または性能を有すると推定されるものであること

> ③ 申請に係る効能、効果または性能に比して著しく有害な作用を有することにより再生医療等製品として使用価値がないと推定されるものでないこと

このような条件および期限付承認は、医薬品については薬機法の法文上存在しない制度である。再生医療等製品は、上記(2)イで記載したとおり、①治験に登録できる患者数に制限が生じる、②医薬品における治験で実施されるような、対照群を置いた比較試験が難しい、③原材料の細胞の品質が不均一であることにより、評価が困難である、といった特徴がある。このような再生医療等製品の特徴をふまえて、製造販売をしようとする物について、有効性が推定され、安全性が確認されれば、条件および期限付きで製造販売承認が付与されることを認めたものである。この制度により、再生医療等製品が早期に上市されることが期待されている（**図表1-Ⅱ-2**参照）。

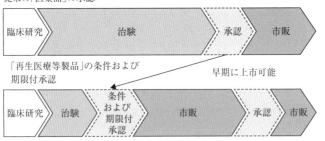

図表1-Ⅱ-2：「再生医療等製品」の条件および期限付承認について

参考：厚生労働省「薬事法等の一部を改正する法律の概要（平成25年11月27日法律第84号）」12頁。

条件および期限付承認を受けた者は、その品目について、当該承認の期限内に、改めて製造販売承認（薬機法23条の25第1項）の申請をしなければならない（薬機法23条の26第5項）。

また、厚生労働大臣は、当該条件および期限付承認後に行う再度の申請に係る再生医療等製品の名称、構成細胞、導入遺伝子、構造、用法、用量、使用方法、効能、効果、性能、副作用その他の品質、有効性および安全性に関する事項の審査（薬機法23条の25第2項3号）を適正に行うため特に

必要があると認めるときは、薬事・食品衛生審議会の意見を聴いて、条件および期限付承認に係る期限を、3年を超えない範囲内において延長することができる（薬機法23条の26第2項）。この場合、延長後の期限内に、改めて製造販売承認の申請をしなければならない（同条5項かっこ書）。

　条件および期限付承認を受けた者は厚生労働省令で定めるところにより、当該再生医療等製品の使用の成績に関する調査その他厚生労働省令で定める調査を行い、その結果を厚生労働大臣に報告しなければならない（薬機法23条の26第3項）。

　なお、上記2(2)ア記載の各製品はいずれも承認条件および／または期限が付されている。

3　安全確保法における再生医療等に関する規制について

(1)　安全確保法における規制の対象
ア　「再生医療等」および「再生医療等技術」

「安全確保法」は「再生医療等」について規制するものであるが、この規制の対象となる「再生医療等」とは、「再生医療等技術」を用いて行われる医療（薬機法80条の2第2項に規定する治験に該当するものを除く）をいう（安全確保法2条1項、**図表1-Ⅱ-3**参照）。

図表1-Ⅱ-3：「再生医療等」の要件

参考：「『再生医療等の安全性の確保等に関する法律』、『再生医療等の安全性の確保等に関する法律施行令』及び『再生医療等の安全性の確保等に関する法律施行規則』の取扱いについて」（平成26年10月31日医政研発1031第1号）2頁の図1。

　そして「再生医療等技術」とは、①人の身体の構造または機能の再建、修復もしくは形成、または、②人の疾病の治療または予防を目的とし、細

胞加工物を用いる医療技術をいう（安全確保法 2 条 2 項）。ただし、次のものは原則として適用対象から除外されている。

① 細胞加工物として再生医療等製品（薬機法 23 条の 25 または 23 条の 37 の承認を受けた再生医療等製品をいう）のみを当該承認の内容に従い用いるもの（安全確保法 2 条 2 項柱書かっこ書）
② 細胞加工物を用いる輸血（「再生医療等の安全性の確保等に関する法律施行令」（平成 26 年 8 月 8 日政令第 278 号。以下「政令」という）1 条 1 号）
③ 「移植に用いる造血幹細胞の適切な提供の推進に関する法律」（平成 24 年 9 月 12 日法律第 90 号）2 条 2 項に規定する造血幹細胞移植（政令 1 条 2 号）
④ 人の精子または未受精卵に培養その他の加工を施したものを用いる医療技術（政令 1 条 3 号）

イ 「細胞加工物」および「特定細胞加工物」

「細胞加工物」とは、人または動物の細胞に培養その他の「加工」を施したものをいう（安全確保法 2 条 4 項）。「加工」とは、「『再生医療等の安全性の確保等に関する法律』、『再生医療等の安全性の確保等に関する法律施行令』及び『再生医療等の安全性の確保等に関する法律施行規則』の取扱いについて」（平成 26 年 10 月 31 日医政研発 1031 第 1 号）によれば、細胞・組織の人為的な増殖・分化、細胞の株化、細胞の活性化等を目的とした薬剤処理、生物学的特性改変、非細胞成分との組合せまたは遺伝子工学的改変等を施すことをいう。なお、組織の分離、組織の細切、細胞の分離、特定細胞の単離（薬剤等による生物学的・化学的な処理により単離するものを除く）、抗生物質による処理、洗浄、ガンマ線等による滅菌、冷凍、解凍等は「加工」とみなさない（ただし、本来の細胞と異なる構造・機能を発揮することを目的として細胞を使用するものについてはこの限りでない）。

また、「特定細胞加工物」とは、再生医療等に用いられる細胞加工物のうち再生医療等製品であるもの以外のものをいう（安全確保法 2 条 4 項）。

(2) **安全確保法の対象となる「主体」**

安全確保法では、法律の対象となる主体として、主に「再生医療等提供機関」、「認定再生医療等委員会」、「特定認定再生医療等委員会」、「特定細

胞加工物製造事業者」を掲げている（**図表1-Ⅱ-4**参照）。

　ア　「再生医療等提供機関」

　「再生医療等提供機関」とは、安全確保法により提出された再生医療等提供計画に係る病院または診療所をいい（安全確保法6条）、いわゆる医療機関である。なお、安全確保法は医療機関の管理者を名宛人とする規定や、再生医療等を実施する医師または歯科医師を名宛人とする規定も設けている。

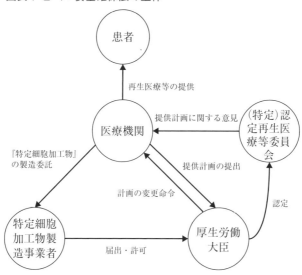

図表1-Ⅱ-4：安全確保法の主体

　イ　「認定再生医療等委員会」および「特定認定再生医療等委員会」

　「認定再生医療等委員会」とは、病院もしくは診療所の開設者または医学医術に関する学術団体その他の厚生労働省令で定める団体（法人でない団体にあっては、代表者または管理人の定めのあるものに限る）が設置する委員会であって、当該委員会が一定の要件に適合していることについて、厚生労働大臣の認定を受けたものをいう（安全確保法4条1項7号、26条5項2号・4項・1項参照。なお、厚生労働省令につき、「再生医療等の安全性の確保等に関する法律施行規則」（平成26年9月26日厚生労働省令第110号。以下「規則」という）42条参照）。具体的には、下記の要件に適合している必要がある。

① 第一種再生医療等提供計画、第二種再生医療等提供計画および第三種再生医療等提供計画について、第一種再生医療等、第二種再生医療等および第三種再生医療等のそれぞれの再生医療等提供基準に照らして審査等業務を適切に実施する能力を有する者として医学または法律学の専門家その他の厚生労働省令で定める者から構成されるものであること（厚生労働省令につき、規則44条、45条参照）
② その委員の構成が、審査等業務の公正な実施に支障を及ぼすおそれがないものとして厚生労働省令で定める基準に適合すること（厚生労働省令につき、規則46条、47条参照）
③ 審査等業務の実施の方法、審査等業務に関して知りえた情報の管理および秘密の保持の方法その他の審査等業務を適切に実施するための体制が整備されていること
④ 審査等業務に関し手数料を徴収する場合にあっては、当該手数料の算定の基準が審査等業務に要する費用に照らし、合理的なものとして厚生労働省令で定める基準に適合するものであること（厚生労働省令につき、規則48条参照）
⑤ ①ないし④に掲げるもののほか、審査等業務の適切な実施のために必要なものとして厚生労働省令で定める基準に適合するものであること（厚生労働省令につき、規則49条参照。安全確保法26条4項各号）
　再生医療等委員会が第三種再生医療等提供計画のみに係る審査等業務を行う場合には、上記①の要件（第三種再生医療等提供計画に係る部分を除く）を満たす必要はない（安全確保法26条1項、規則47条参照）。

　「特定認定再生医療等委員会」は、認定再生医療等委員会であって、安全確保法26条4項各号に掲げる要件（上記①ないし⑤の要件のすべて）のいずれにも適合するものをいう（安全確保法7条参照）。

　特定認定再生医療等委員会のみが、第一種再生医療等提供計画および第二種再生医療等提供計画に係る審査等業務を行う。

　認定再生医療等委員会および特定認定再生医療等委員会は、再生医療等提供計画に対して審査を行い、意見を述べることを主要な業務とする。

　ウ　「特定細胞加工物製造事業者」
　　㈦　「特定細胞加工物製造事業者」とは
　「特定細胞加工物製造事業者」とは、特定細胞加工物（再生医療等に用いられる細胞加工物のうち再生医療等製品であるもの以外のもの。安全確保法2条4

項参照）の製造（人または動物の細胞に培養その他の加工を施すこと。同項参照）について、厚生労働大臣の許可・認定を受けた者または厚生労働大臣に届出をした者をいう（同条8項参照）。

　安全確保法上、「特定細胞加工物製造事業者」として、次の者が規定されている（安全確保法2条8項）。

> ①　特定細胞加工物の製造をしようとする者（安全確保法40条1項の規定に該当する者を除く）のうち、細胞培養加工施設ごとに、厚生労働大臣の許可を受けた者（安全確保法35条1項）
> ②　外国において、本邦において行われる再生医療等に用いられる特定細胞加工物の製造をしようとする者のうち、細胞培養加工施設ごとに、厚生労働大臣の認定を受けた者（安全確保法39条1項）
> ③　細胞培養加工施設（病院もしくは診療所に設置されるもの、薬機法23条の22第1項の許可（厚生労働省令で定める区分に該当するものに限る）を受けた製造所に該当するものまたは移植に用いる造血幹細胞の適切な提供の推進に関する法律30条1項の臍帯血供給事業の許可を受けた者が臍帯血供給事業の用に供するものに限る）において特定細胞加工物の製造をしようとする者のうち、細胞培養加工施設ごとに、必要事項を厚生労働大臣に届け出た者（安全確保法40条1項）
> 　なお、「細胞培養加工施設」とは、特定細胞加工物の製造をする施設をいう（安全確保法2条4項）。

　(イ)　特定細胞加工物製造事業者の遵守事項

　細胞培養加工施設の構造設備は、厚生労働省令で定める基準に適合したものでなければならない（安全確保法42条）。厚生労働省令によれば、細胞培養加工施設の構造、作業所、作業室または作業管理区域、清浄度管理区域、無菌操作等区域、貯蔵設備、試験検査等について定められている（規則89条参照）。また、細胞培養加工施設ごとに、特定細胞加工物に係る生物学的知識を有する者等を置かなければならない（安全確保法43条）。

　厚生労働大臣は、厚生労働省令で、細胞培養加工施設における特定細胞加工物の製造および品質管理の方法、試験検査の実施方法、保管の方法ならびに輸送の方法その他特定細胞加工物製造事業者がその業務に関し遵守すべき事項を定めることができるとされているところ（安全確保法44条）、規則によれば、品質リスクマネジメント、製造部門および品質部門、施設

管理者等、特定細胞加工物標準書、手順書等、特定細胞加工物の内容に応じた構造設備、製造管理、品質管理に関する事項が定められている（規則92条〜100条）。

　(ウ)　製造委託の趣旨

　医療機関は、安全確保法が制定される以前から、自身の施設において自ら細胞の加工や培養といった製造を行うことはできた。しかし、医療機関が、製造に必要な専門的な人員や施設の確保を当該医療機関限りで行わなければならないとすると、多大なコストがかかるため、非効率的であった。

　そこで、医療機関の負担を減らして、製造の迅速化を図るため、安全確保法は、医療機関が特定細胞加工物の製造を外部に委託できるような新しい仕組みを設けたのである（安全確保法12条参照）。

(3)　**安全確保法における手続**

　ア　再生医療等の分類

　安全確保法は、再生医療等について、人の生命および健康に与える影響の程度に応じて、「第一種再生医療等」、「第二種再生医療等」、「第三種再生医療等」の3つに分類し、それぞれ必要な手続を定めている（**図表1-Ⅱ-5**参照）。

図表1-Ⅱ-5：安全確保法における手続

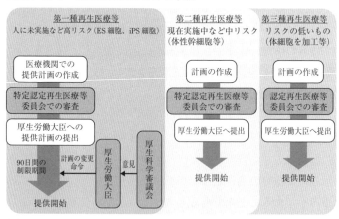

参考：厚生労働省「再生医療等の安全性の確保等に関する法律について」5頁。

「第一種再生医療等」とは、「第一種再生医療等技術」を用いて行われる再生医療等をいう。「第一種再生医療等技術」とは、人の生命および健康に与える影響が明らかでないまたは相当の注意をしても人の生命および健康に重大な影響を与えるおそれがあることから、その安全性の確保等に関する措置その他のこの法律で定める措置を講ずることが必要なものとして厚生労働省令で定める再生医療等技術をいう（安全確保法2条5項）。具体的には、人の胚性幹細胞、人工多能性幹細胞または人工多能性幹細胞様細胞に培養その他の加工を施したものを用いる医療技術、遺伝子を導入もしくは改変する操作を行った細胞または当該細胞に培養その他の加工を施したものを用いる医療技術、動物の細胞に培養その他の加工を施したものを用いる医療技術、投与を受ける者以外の人の細胞に培養その他の加工を施したものを用いる医療技術がある（規則2条）。

　「第二種再生医療等」とは、「第二種再生医療等技術」を用いて行われる再生医療等をいう。「第二種再生医療等技術」とは、相当の注意をしても人の生命および健康に影響を与えるおそれがあることから、その安全性の確保等に関する措置その他のこの法律で定める措置を講ずることが必要なものとして厚生労働省令で定める再生医療等技術（第一種再生医療等技術に該当するものを除く）をいう（安全確保法2条6項）。具体的には、培養した幹細胞または当該細胞に培養その他の加工を施したものを用いる医療技術、培養した細胞または当該細胞に培養その他の加工を施したものを用いる医療技術のうち人の身体の構造または機能の再建、修復または形成を目的とする医療技術、細胞の相同利用ではない医療技術がある（規則3条）。なお、「相同利用」とは、採取した細胞が再生医療等を受ける者の再生医療等の対象となる部位の細胞と同様の機能をもつ細胞の投与方法をいう（規則1条4号）。

　「第三種再生医療等」とは、第三種再生医療等技術を用いて行われる再生医療等をいう。第三種再生医療等技術とは、第一種再生医療等技術および第二種再生医療等技術以外の再生医療等技術をいう（安全確保法2条7項）。具体的には、体細胞を用いるもので相同利用の医療技術等がある。

イ　再生医療等の提供の手続
　(ア)　概要

　再生医療等を提供しようとする医療機関は、再生医療等提供計画を作成し、同計画について、認定再生医療等委員会ないし特定認定再生医療等委員会の意見を聴いたうえで、厚生労働大臣に提出しなければならない。

　(イ)　再生医療等提供基準の策定

　厚生労働大臣は、厚生労働省令で、再生医療等の提供に関する基準（以下「再生医療等提供基準」という）を定めている（安全確保法3条）。再生医療等は、再生医療等提供計画および再生医療等提供基準に従って実施される。再生医療等提供基準の内容は、主に次のとおりである。

> ①　再生医療等を提供する病院または診療所の人員および構造設備その他の施設に関する事項（第一種再生医療等および第二種再生医療等の場合のみ。規則5条、6条）
> ②　細胞の入手方法ならびに特定細胞加工物の製造および品質管理の方法に関する事項（規則7条、8条）
> ③　再生医療等を行う際の責務（規則10条～12条）
> ④　再生医療等を受ける者に対する説明および同意・個人情報の取扱い（規則13条、14条、23条、26条の3第6項）
> ⑤　健康被害の補償に関する事項（規則22条）
> ⑥　その他再生医療等の提供に関し必要な事項（規則15条～20条、25条、26条）

　(ウ)　第一種再生医療等の場合

　第一種再生医療等を実施する場合、再生医療等を提供しようとする病院または診療所の管理者は、再生医療等提供計画を作成し、同計画について、特定認定再生医療等委員会の意見を聴いたうえで、厚生労働大臣に提出しなければならない（安全確保法4条1項柱書・2項、7条）。

　再生医療等提供計画には、次の事項を記載しなければならない（安全確保法4条1項各号）。

> ①　再生医療等を提供しようとする病院または診療所の名称および住所ならびに管理者の氏名

② 提供しようとする再生医療等およびその内容
③ ②に掲げる再生医療等について当該病院または診療所の有する人員および構造設備その他の施設
④ ②に掲げる再生医療等に用いる細胞の入手の方法ならびに当該再生医療等に用いる特定細胞加工物の製造および品質管理の方法（特定細胞加工物の製造を委託する場合にあっては、委託先の名称および委託の内容）
⑤ ③④に掲げるもののほか、②に掲げる再生医療等に用いる再生医療等技術の安全性の確保等に関する措置
⑥ ②に掲げる再生医療等に用いる細胞を提供する者および当該再生医療等（研究として行われる場合その他の厚生労働省令で定める場合に係るものに限る）を受ける者に対する健康被害の補償の方法
⑦ 特定認定再生医療等委員会の名称および委員の構成
⑧ その他厚生労働省令で定める事項

⑧号について、規則27条6項では、特定認定再生医療等委員会の認定番号および再生医療等提供計画の審査に関する事項（規則27条6項1号）、個人情報の取扱いの方法（同項2号）、教育または研修の方法（同項3号）、苦情および問合せへの対応に関する体制の整備状況（同項4号）、その他再生医療等を提供するに当たって留意すべき事項（同項5号）が掲げられている。

再生医療等提供計画には、特定認定再生医療等委員会の意見の内容を記載した書類、その他厚生労働省令で定める書類の添付が求められている（安全確保法4条3項）。

厚生労働大臣は、当該計画に記載された第一種再生医療等が再生医療等提供基準に適合していないと認めるときは、提出日から起算して90日以内に限り、当該計画に係る再生医療等提供機関の管理者に対し、当該計画の変更その他必要な措置をとるべきことを命ずることができる（安全確保法8条1項。期間について、合理的な理由があれば延長でき（同条2項）、再生医療等提供基準の適合が認められるときは短縮することができる（同条3項））。この命令をしようとするときは、あらかじめ、厚生科学審議会の意見を聴かなければならない（安全確保法55条4号）。

再生医療等提供機関の管理者は、上記90日を経過した後でないと、当該計画に記載された第一種再生医療等を提供してはならず（安全確保法9条）、

提供する際は、再生医療等提供基準に従わなければならない（安全確保法3条3項）。

なお、再生医療等提供計画を提出せずに第一種再生医療等を提供した場合、罰則の適用がある（1年以下の懲役または100万円以下の罰金。安全確保法60条1号、64条）。

　㈣　第二種再生医療等の場合

第二種再生医療等を実施する場合も、第一種再生医療等の場合と同様の事項について記載した再生医療等提供計画と添付書類を作成し、同計画について、特定認定再生医療等委員会の意見を聴いたうえで、厚生労働大臣に提出しなければならない（安全確保法4条1項柱書・2項・3項、7条、11条）。もっとも、第一種再生医療等を実施する場合と異なり、90日を経過するまで再生医療等の実施を制限する規定は設けられていない。

なお、再生医療等提供計画を提出せずに第二種再生医療等を提供した場合、罰則の適用がある（50万円以下の罰金。安全確保法62条1号、64条）。

　㈤　第三種再生医療等の場合

第三種再生医療等を実施する場合は、第一種再生医療等の場合と同様の事項（ただし、上記㈢③に関する事項は除く）について記載した再生医療等提供計画と添付書類を作成し、同計画について、認定再生医療等委員会の意見を聴いたうえで、厚生労働大臣に提出しなければならない（安全確保法4条1項柱書・2項・3項）。

なお、再生医療等提供計画を提出せずに第三種再生医療等を提供した場合、罰則の適用がある（50万円以下の罰金。安全確保法62条1号、64条）。

ウ　再生医療等提供計画に基づく提供

再生医療等提供計画に基づく提供を行う際には、次の措置を講ずるものとされている。

① 医師または歯科医師による再生医療等提供計画の確認（安全確保法13条）
② 医師または歯科医師による、再生医療等を受ける者に対して行う説明および同意（安全確保法14条1項）
③ 医師または歯科医師による、再生医療等に用いる細胞を提供する者に対して行う説明および同意（安全確保法14条2項）

④ 再生医療等提供機関の管理者による再生医療等に関する個人情報の保護、再生医療等に関する記録および保存（安全確保法15条、16条）
⑤ 再生医療等提供機関の管理者による認定再生医療等委員会、厚生労働大臣への疾病等の報告（安全確保法17条、18条）
⑥ 再生医療等提供機関の管理者による認定再生医療等委員会および厚生労働大臣への定期報告（安全確保法20条、21条）

なお、厚生労働大臣は、一定の場合には下記の措置を講じることができる。

① 厚生労働大臣による緊急命令（安全確保法22条）
② 厚生労働大臣による改善命令等（安全確保法23条）
③ 厚生労働大臣による立入検査等（安全確保法24条）

(4) 定期報告からみる再生医療等の提供状況

　安全確保法21条1項は、再生医療等提供機関の管理者に対して、再生医療等提供計画に記載された再生医療等の提供の状況について、厚生労働大臣への定期報告を義務づけている。定期報告は、再生医療等提供計画を厚生労働大臣に提出した日から起算して、1年ごとに当該期間満了後90日以内に行わなければならない（規則38条4項）。
　令和2年6月11日に厚生労働省ホームページにおいて掲載された、厚生労働省医政局研究開発振興課作成の「再生医療等の安全性の確保等に関する法律第21条第2項の規定に基づく再生医療等の提供状況に係る定期報告のとりまとめの概要」によれば、令和2年3月31日時点において、定期報告の総数は、2984件であった。
　内訳は、第一種再生医療等に係る定期報告が14件、第二種再生医療等のものが248件、第三種再生医療等のものが2722件であった。再生医療等の数としては、第三種再生医療等の数が圧倒的に多いことがわかる。
　また、第一種再生医療等については、14件すべてが研究であるのに対し、第二種再生医療等では、207件（83.5％）が治療、41件（16.5％）が研究、第三種再生医療等では、2684件（98.6％）が治療、38件（1.4％）が研究であったという報告がなされている。このように、第一種再生医療等がもっ

ぱら研究のために行われているのに対して、第三種再生医療等は主に治療のために行われていることがわかる。

(5) 安全確保法違反による摘発事例と今後の課題

安全確保法の施行以来、安全確保法違反による摘発事例が報告されており、刑事事件として裁判も行われている。

その一例として、第一種再生医療等提供計画の提出を行わないまま、アンチエイジング等の目的で臍帯血移植を実施したクリニックの管理者が、同法違反で摘発された事例がある（松山地判平成29年12月21日公刊物未登載（平成29年(わ)第313号））。これは、安全確保法施行以前から実施してきた当クリニックの臍帯血移植の治療が、安全確保法の施行により罰則適用の対象となったため、厚生労働省から、ただちに治療の提供を中止し、安全確保法の手続を履践するよう行政指導がなされたにもかかわらず、違法な臍帯血移植を続けたというものである。

また、厚生労働省が公表した「法第22条又は第23条に基づく命令の一覧」によれば、平成31年2月26日時点において、15件の緊急命令および1件の改善命令の措置が講じられている。各事案の概要は下表のとおりである。

図表1-Ⅱ-6：緊急命令および改善命令の過去事案の一覧

種別	件数	法律違反の内容
緊急命令	13件	・第一種再生医療等提供計画を提出せず、他人の臍帯血を用いた第一種再生医療等を提供していたこと（安全確保法4条1項違反）
	1件	・再生医療等提供計画の変更の届出を行うことなく再生医療等の提供を行っていたこと（安全確保法5条1項違反） ・特定細胞加工物製造事業者でない者に対して特定細胞加工物の製造を委託していたこと（安全確保法12条違反） ・特定細胞加工物の製造の許可を得ることなく特定細胞加工物の製造を行っていたこと（安全確保法35条1項違反）

	1件	・ 細胞培養加工施設の構造設備の基準を満たしていなかったこと（安全確保法42条違反）
	1件	・ 再生医療等提供計画を提出せず、第三種再生医療等（LAK細胞を混合した樹状細胞ワクチンの投与）を提供していたこと（安全確保法4条1項違反）
改善命令	1件	・ 再生医療等に用いられる特定細胞加工物の製造が、許可を受けていない施設で行われていたため、当該再生医療等提供機関の管理者が特定細胞加工物製造事業者に対し、安全確保法に従って特定細胞加工物の製造及び品質管理を行わせるよう、改善を命じた。

　再生医療は、新しい医療であり国民の期待が大きい一方、上記のような摘発事例が存在することも事実であり、成熟した医療分野に成長させていくためには解決すべき課題も多い。

〔石原坦＝松尾朝子＝橋本裕里〕

> **コラム③：遺伝子治療および遺伝子治療薬**
> **1　遺伝子治療とは**
> 　一口に「遺伝子治療」といっても、その用語の使われ方は、様々であり、その意義・射程については、注意を要する。「遺伝子治療」は、端的には、遺伝子を用いて、疾病を治療する技術をいう。たとえば、免疫不全症のアデノシンデアミナーゼ（ADA）欠損症のような代謝性疾患では、従来、足りない酵素を直接補うため、患者にタンパク製剤を注射して補充する治療が行われてきたが、タンパク製剤の代わりに、患者の体内に遺伝子を導入することで、足りなくなっている酵素（タンパク質）を作らせようとするのが遺伝子治療である。
> 　わが国では、「遺伝子治療」は、厚生労働省が、臨床研究法及び再生医療等の安全性の確保等に関する法律を受けて、平成31年2月28日付けで定めた「遺伝子治療等臨床研究に関する指針」において定義されており、この指針では、疾病の治療または予防を目的とした次のいずれかに該当する行為をいうとされている。
> 　① 遺伝子又は遺伝子を導入した細胞を人の体内に投与すること
> 　② 特定の塩基配列を標的として人の遺伝子を改変すること
> 　③ 遺伝子を改変した細胞を人の体内に投与すること
> 　従来、上記①のみが、遺伝子治療と呼ばれていたが、近年、いわゆる「ゲ

ノム編集」技術（下記3⑵参照）の進歩により、かかる技術を用いた臨床研究、治験が多数行われるようになったため、「遺伝子治療」という用語の定義も改められている。上記指針に従うと、遺伝子治療は、細胞を人の体内に投与、人の遺伝子の改変、改変した細胞を人の体内に投与するといった行為を含むが、これらの行為は、わが国では、安全確保法の「再生医療等」（安全確保法2条1項・2項）として、同法の規制対象とされる（本書**第1章Ⅱ**参照）。さらに、遺伝子治療を用いた臨床研究は、臨床研究法（臨床研究法2条1項）の規制対象とされるほか（本書**第1章Ⅳ**参照）、上記指針の適用を受けることになる。加えて、遺伝子治療を用いた臨床研究は、いわゆる遺伝子組換え生物等の使用等の規制による生物の多様性の確保に関する法律（カルタヘナ法）に基づく規制を受け得る。

2　遺伝子治療薬とは

「遺伝子治療」という用語と同様に、「遺伝子治療薬」や「遺伝子治療製品」という用語も、様々な使われ方をするが、本コラムでは、遺伝子治療の目的に使用される医薬品をとりあげる。かかる製品は、一般的に、遺伝子をコードするDNA等そのものを主成分とし、投与したものが体内でタンパク質を発現することで効果を示す。このような製品は、薬機法の「再生医療等製品」（薬機法2条9項）に該当するところ、かかる「再生医療等製品」のうち遺伝子治療用製品及び遺伝子導入細胞からなるヒト細胞加工製品（治験製品を含む）は、令和元年7月9日付の薬生機審発0709第2号にかかる「遺伝子治療用製品等の品質及び安全性の確保に関する指針」において、「遺伝子治療用製品等」と定義されている。この指針は、遺伝子治療用製品等の品質および安全性確保のための基本的要件について定めている。

なお、遺伝子治療薬と似て非なるものとして、核酸医薬がある。核酸医薬は、DNAやRNAといった遺伝情報を司る物質（核酸）を主成分とするものの、タンパク質の発現を介さずに直接標的に化合物として作用するものであり、薬機法上、核酸医薬は、「医薬品」（薬機法2条1項）に該当するが、遺伝子治療薬と関連が深いので、本コラムであわせてとりあげる（医薬品や食品の品質、安全性及び有効性を正しく評価するための試験・研究等を行う国立医薬品食品衛生研究所（NIHS）においても、核酸医薬は、遺伝子医薬部に属している（同部第2室））。

3　遺伝子治療の現状と課題

⑴　遺伝子治療の歴史

遺伝子治療は、1990年代に米国で、ADA欠損症についてベクターを用いて正常遺伝子を体内に導入する遺伝子治療が行われ、世界的な広がりを見せたが、2000年前後に、遺伝子治療の副作用による治療事故が発生し、停滞した。その後2010年頃から遺伝子治療の有効性、安全性に問題がない事例が相

次いで報告され、欧米を中心に、遺伝子治療技術、遺伝子治療製品の研究開発が進展し、近年に至り、海外では遺伝子治療薬が次々に承認、上市されている。わが国でも、近年、研究開発事例は増加し、**図表③**のとおり、2019年には遺伝子治療製品が承認されており、今後、事例は増加していくことが予想される。

(2) **遺伝子治療技術の概要**

遺伝子治療法では遺伝子を導入するためにウイルスベクターを用いるが、直接体内に投与する in vivo 法と、取り出した細胞にウイルスベクターで遺伝子を導入し体内に戻す ex vivo 法とがある。in vivo 法では筋肉注射や脳室内投与、最近では静脈投与で全身に遺伝子を届ける。他方、ex vivo 法は特に血液疾患で行われ、取り出した造血幹細胞に体外でウイルスベクターにより遺伝子を導入し体内に戻す。

もっとも、ウイルスベクターを用いる治療法の副作用として、白血病の発症が問題となった。レトロウイルスやレンチウイルスベクターはゲノムDNA上のランダムな部位に組み込まれ、特にレトロウイルスベクターはヒトの遺伝子の近傍に入りやすく、がん関連遺伝子の活性化による白血病の問題が起きた。ウイルスによる副作用の影響は治療数年後や次世代で起こる可能性も考えられ、その安全性は懸念される点が多い。そのため、原因遺伝子に狙いを付けて破壊もしくは修復するゲノム編集が行われ始めている。

(3) **遺伝子治療薬および核酸医薬の製品化の状況**

遺伝子治療の主な対象疾患は、がんおよび遺伝性疾患である。2020年5月の時点で、遺伝子治療薬は、海外で少なくとも7製品、日本で3製品が承認され、製品化されている。遺伝子治療薬の製品化に向けた臨床試験は、海外では2500件以上、わが国では40件以上行われている模様である。

これに対し、核酸医薬は、海外で約10製品が承認・製品化されており、日本では3製品が承認され、2製品がすでに製品化されている。核酸医薬の製品化に向けた臨床試験は、海外では140件以上、わが国では10件程度行われている。

わが国において製品化された遺伝子治療薬と核酸医薬をまとめると、次のとおりである。

図表③:わが国において製品化された遺伝子治療薬と核酸医薬

医薬品名（一般名称）[遺伝子治療薬・核酸医薬の別]	会社名	製造承認時期	薬価（当初の薬価収載時のもの。1万円未満切捨て）	備考（効能その他特記事項）
マクジェン（ペガプタニブナトリウム）[核酸医薬]	ファイザー（後にボシュロム・ジャパン）	2008年	12万円／筒	・加齢黄斑変性症（AMD）治療剤 ・日本で初めて承認された核酸医薬（アプタマー医薬品） ・2020年2月に販売中止
スピンラザ（ヌシネルセン）[核酸医薬]	バイオジェン・ジャパン	2017年9月22日（効能追加）	949万円／瓶	・脊髄性筋委縮症の治療 ・国内初のアンチセンス核酸医薬品 ・指定難病
キムリア（チサゲンレクルユーセル）[遺伝子治療薬]	ノバルティス	2019年3月	3349万円／1患者	・再発または難治性のCD19陽性のB細胞性急性リンパ芽球性白血病等 ・CAR-T細胞療法 ・PMDAの承認は、「再生医療等製品」としてされた ・米国では、5000万円を超える薬価がついた
コラテジェン（ベペルミノゲンペルプラスミド）[遺伝子治療薬]	アンジェス（大阪大学）	2019年3月	60万円／1回	・重症虚血肢を対象としたヒト肝細胞増殖因子（HGF）遺伝子治療用製品 ・HGFを産生・分泌し、虚血状態を改善させる。

オンパットロ（パチシラン）[核酸医薬]	アルナイラム・ジャパン	2019年6月	100万円／瓶	・トランスサイレチン型家族性アミロイドポリニューロパチー治療薬 ・希少疾病用医薬品
ゾルゲンスマ（オナセムノゲンアベパルボベク）[遺伝子治療薬]	ノバルティス	2020年3月	1億6707万円／1患者	・脊髄性筋委縮症の治療 ・遺伝子治療用ベクター製品 ・先駆け審査指定制度
ビルテプソ（ビルトラルセン）[核酸医薬]	日本新薬	2020年3月	9万円／瓶	・アンチセンス核酸医薬品 ・先駆け審査指定制度 ・条件付き早期承認制度

4　遺伝子治療と知的財産権

　遺伝子治療に関しては、生体内の遺伝子機能の解明を研究対象とする基礎研究レベルの研究成果から、製品化過程における有効成分の選択・最適化まで様々な特許が関連し、多くの特許出願がされている。なお、遺伝子そのものについては、そもそも特許の対象になるか（特許適格性）が問題とされており、米国においては、特許適格性がないとされ、日欧では、特許適格性自体は認められる点に留意が必要である。他方、ヒトの治療方法については、米国では、特許の対象たり得るとされているが、日欧では、特許の対象たり得ないとされている。

　遺伝子治療については、特許による保護のほか、端的に、データが必要である面に着目して保護され得る。わが国では、平成30年に改正された不正競争防止法上の「限定提供データ」として保護を図ることが考えられる。

　遺伝子治療を商業化しようとする場合、多様かつ多数の特許が存在することから、他者の特許を侵害しないかについての、いわゆるクリアランス（FTO（Freedom to Operate）調査ともいわれる）が重要である。しかるに、研究開発の進展に伴い、考慮すべき分野が拡大し、万全な調査をしようとすると、莫大なコストがかかることになり、費用対効果のバランスをいかにとるかが

容易でなく、より経験とスキルを求められるようになっている。

5　まとめ（遺伝子治療の課題）

　遺伝子治療薬、核酸医薬ともに、わが国では、欧米等の諸外国に比べて、承認件数、研究数は限られているが、法制度の整備は進んでおり、今後、件数は増加すると思われる。他方で、上述したとおり、遺伝子治療分野については、関連法規が多い上に、屋上屋を架すような規制が存在し、コンプライアンスには細心の注意が求められる。今後、副作用等の安全性の問題、倫理面の問題、そして、特許侵害紛争といった知的財産権の問題が増加することが予想されるが、そういった問題に、患者の安全、福利厚生を最大限尊重しつつ、対処していくことが重要である。

〔岩瀬吉和＝川嵜洋祐＝徳備隆太〕

Ⅲ ライフサイエンス分野のプロモーション規制

　ライフサイエンス企業においても、製品の効率的なプロモーションは、きわめて重要な課題である。しかし、医薬品や医療機器は、その使用にあたって国民の保健衛生上の危険が生じるおそれを伴っているため、他の商品と比べてより厳しい規制が法令および業界団体の自主規制として設けられており、法令違反に対する取締当局の執行も活発である。

　ライフサイエンス分野におけるプロモーションの問題は、大きく分けて、①医薬品、医療機器等の広告宣伝に関するもの、②医療用医薬品の情報提供行為に関するものと、③医療関係者に対する利益供与に関するものがある（**図表1-Ⅲ-1**参照）。

　広告宣伝に関するライフサイエンス分野固有の規制としては、薬機法に基づく誇大広告規制、未承認医薬品・医療機器の広告規制、健康増進法に基づく誇大広告規制がある。また、一般法である景品表示法の不当表示規制がライフサイエンス分野の製品に適用されることもある。

　さらに、広告規制の対象とはならない医療用医薬品の情報提供行為についても、新たに厚生労働省によりガイドラインが策定された。

　医療関係者に対する利益供与については、刑法の一般的な贈収賄罪のほか、医療関係の特別法に規定された特別賄賂罪が適用されることがある。

　こうした法令や行政のガイドラインによる規制に加えて、業界団体が策

図表1-Ⅲ-1：医薬品・医療機器のプロモーションに関する規制の概要

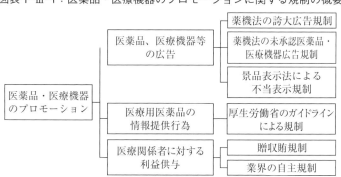

定した公正競争規約やプロモーションコードにおいても、ライフサイエンス企業のプロモーション活動に関する規制が数多く定められている。

本項では、ライフサイエンス企業のプロモーション活動をめぐる規制について、大まかな整理を提供することとしたい。

1 ライフサイエンスにおける広告規制

(1) 薬機法

ア 薬機法による規制の全体像

薬機法66条から68条において、医薬品等に関する広告について、**図表1-Ⅲ-2**のような規制が設けられている。

図表1-Ⅲ-2：薬機法の広告規制の条文一覧

66条	1項	医薬品等の虚偽・誇大広告の禁止
	2項	医師等が保証したものと誤解されるおそれのある記事に関する虚偽・誇大広告のみなし規定
	3項	堕胎を暗示し、またはわいせつにわたる文書・図画の使用禁止
67条		特定疾病用の医薬品等の広告の制限
68条		未承認医薬品等の広告の禁止

なお、薬機法では以下の3要件を満たす場合が広告に該当するとされている(「薬事法における医薬品等の広告の該当性について」(平成10年9月29日医薬監第148号))。

① 顧客を誘引する(顧客の購入意欲を昂進させる)意図が明確であること(誘引性)
② 特定医薬品等の商品名が明らかにされていること(特定性)
③ 一般人が認知できる状態であること(認知性)

イ 虚偽・誇大広告の禁止

薬機法は、医薬品等について虚偽または誇大な広告をすることを禁じている(薬機法66条1項)。医薬品等には、医薬品のほか、医薬部外品や化粧品も含まれる。また、禁止される誇大広告の主体は限定されないので、製造販売業者のみならず、そこから委託を受けて広告を掲載するメディアも、

誇大広告を掲載すれば同法に違反する。この規定に違反した場合、2年以下の懲役または200万円以下の罰金が科される（薬機法85条4号）。

また、令和元年の改正薬機法により、医薬品等の虚偽・誇大広告が、厚生労働大臣または都道府県知事による措置命令等（薬機法72条の5第1項）の対象となり、違反行為の中止、再発防止措置の実施、それらの実施に関連する公示についても命令の対象となる（令和3年8月1日施行）。

さらに、令和元年改正薬機法により、虚偽・誇大広告に対する課徴金制度（令和元年改正薬機法75条の5の2）が導入される（令和3年8月1日施行）。景品表示法にはすでに課徴金制度が導入されている（景品表示法8条）が、その違いを以下詳述する（**図表 1-Ⅲ-3** 参照）。

㋐　課徴金の対象行為

薬機法の課徴金の対象行為は、虚偽・誇大広告規制（薬機法66条1項）の違反のみである。一方、景品表示法の対象行為は優良誤認表示（商品等の品質等が実際よりも著しく優良であると示し、または事実に相違して他の事業者が供給するものよりも著しく優良であるであると示す表示。景品表示法5条1号）および有利誤認表示（商品等の取引条件が他の事業者よりも著しく有利であると示す表示。景品表示法5条2号）である。薬機法は医薬品等の「名称、製造方法、効能、効果又は性能」に関する広告が対象だが、景品表示法は、医薬品等に限らず、商品・サービス全般が対象とされ、それらの「品質、規格その他の内容」に関する表示が問題とされる。薬機法では、「規格」が虚偽・誇大の対象に含まれないが、規格に関する虚偽・誇大広告は、同時に効能、効果または性能に関する虚偽・誇大広告になる場合が多いと思われるので、医薬品等に関して、薬機法と景品表示法の課徴金の対象は大部分が重なっているといえる。他方、医薬品の価格やキャンペーン対象期間などの取引条件に関する虚偽・誇大広告は、有利誤認表示として景品表示法の規制対象にはなるが、薬機法の規制対象にはならない。

㋑　課徴金の対象者

課徴金の対象者は、薬機法は「何人も」と規定しているため、条文上は、広告代理店やメディアも該当し得る。一方、景品表示法は、「事業者は、自己の供給する商品又は役務の取引について」不当表示をしてはならないと規定しているため、商品・サービスの供給者（広告主）だけが対象となる。

(ウ) 課徴金の額及び減額規定

　景品表示法の課徴金は対象商品の最大3年間の売上額の3%であるのに対し、薬機法の課徴金は売上額の4.5%である。ただし、景品表示法の課徴金納付命令に重ねて薬機法の課徴金納付命令が行われる場合等には、薬機法の課徴金から3%分が差し引かれる（改正薬機法75条の5の3）。

　また、薬機法、景品表示法いずれも、課徴金対象行為者が調査開始前に自主的に違反を報告した場合には、課徴金額が半額となる（改正薬機法75条の5の4、景品表示法9条）。他方、景品表示法では消費者への返金措置を講じた場合、その返金額を課徴金納付金額から差し引く規定がある（景品表示法10条）が、薬機法ではかかる減額措置は導入されていない。

(エ) 課徴金の適用除外規定

　薬機法、景品表示法いずれも、売上額が5000万円未満である場合には課徴金の対象とならない（改正薬機法75条の5の2第4項、景品表示法8条1項）。薬機法では、①業務改善命令または措置命令を行う場合（保健衛生上の影響が軽微な場合に限る）、②対象事業者の医薬品販売業等の業許可の取消しまたは業務停止命令を行う場合には、厚生労働大臣の裁量により、課徴金の納付を命じないことができる（薬機法75条の5の2第3項）。もっとも、このような行政処分が行われるほど悪質な事案で、裁量により課徴金の納付を命じない場合は想定しがたいようにも思われる。景品表示法では、不当表示について「知らないことにつき相当の注意を怠った者でない」ときには課徴金を課すことができないという規定（景品表示法8条1項ただし書）があるが、薬機法では導入されていない。

(オ) 不実証広告規制

　なお、景品表示法の課徴金では広告に記載された効果・性能の有無に関する立証責任を事業者側に転換する制度（不実証広告規制）が設けられているが、薬機法の課徴金にはこのような制度がない。そのため、行政側の課徴金制度の運用は承認された効能効果を超えた事例に限定する等、抑制的なものとなるか、それとも後述の医薬品等適正広告基準に記載された誇大広告の具体例に該当するものについて、積極的に運用されるか、動向を見守る必要がある。ただし、後者の場合には、医薬品等適正広告基準の内容が、巨額の課徴金を課すための根拠として妥当性があるものか、詳しく吟

味する必要がある。

図表1-Ⅲ-3：薬機法と景品表示法の課徴金制度の比較

		薬機法	景品表示法
対象行為		虚偽・誇大広告（66条1項）	優良誤認表示（5条1号） 有利誤認表示（5条2号）
	優良誤認表示の重複部分	医薬品等の名称、製造方法、効能効果または性能に関する表示	商品・サービス全般の品質、規格その他の内容に関する表示
対象者		「何人も」（広告会社や媒体も含まれ得る）	商品・サービスの供給者（広告主）に限定
課徴金額		対象商品の売上（最大3年間）の4.5%	対象商品の売上（最大3年間）の3%
除外規定	売上要件	課徴金額225万円未満の場合課徴金を課さない（売上5000万円未満）	課徴金額150万円未満の場合課徴金を課さない（売上5000万円未満）
	行政処分時の裁量的除外規定	業務改善命令等を行う場合等（保健衛生上の影響が軽微な場合に限る）、厚生労働大臣は課徴金を課さないことができる	なし
	不当表示と知らず、かつ知らないことにつき相当な注意を行ったものでない場合	なし	課徴金を課さない
減額規定	自主申告	調査開始前の申告で課徴金額が半額となる	調査開始前の申告で課徴金額が半額となる
	返金措置	なし	返金額を課徴金額から差し引く

課徴金額の調整規定	以下の場合、3％を差し引く ① 景品表示法による課徴金納付命令が行われた場合 ② 景品表示法11条の規定により課徴金納付を命じないこととなる場合	なし
不実証広告規定	なし	優良誤認表示とみなす、または推定される

ウ 医師等が保証したものと誤解されるおそれのある広告

医薬品等の効能効果について、医師等が保証したものと誤解されるおそれがある広告は、薬機法66条1項の誇大広告とみなされる（薬機法66条2項）。なお、後述のとおり、医薬品等適正広告基準第4の10でも、医薬関係者等が推薦している旨の広告を行ってはならないとされているが、これは厚生労働省として好ましくないと考える広告を示したものである。厳密にいえば、「効能、効果又は性能に関する保証」と「推薦」は異なる概念であり、医薬関係者が推薦することはただちに法令で禁止されるものではない。

エ 特定疾病用の医薬品および再生医療等製品の広告の制限

特定疾病用の医薬品および再生医療等製品については、省令でその広告方法について別途制限される（薬機法67条）。なお、特定疾病とは、がん、肉腫および白血病である（薬機法施行令64条）。

それらの広告は、医薬関係者向けの新聞または雑誌による場合その他主として医薬関係者を対象として行う場合のほかは行ってはならないとされ、医薬関係者以外の一般人に対する広告が禁止されている（薬機法施行規則228条の10第2項）。この規定に違反した場合、1年以下の懲役または100万円以下の罰金が科される。なお、後述の医薬品等適正広告基準第4の5では（特定疾病用に限定せず）、医療用医薬品等の一般人に対する広告が禁止されており、法律で禁止された広告以外であっても、厚生労働省が不適切だと考える広告があることに留意する必要がある。

オ　未承認医薬品等の広告の禁止

　承認を受けていない医薬品等については、その名称、製造方法、効能、効果または性能に関する広告が禁止される（薬機法68条）。

　この規定に違反した場合、2年以下の懲役または200万円以下の罰金（薬機法85条5号）が科される。また、厚生労働大臣または都道府県知事による中止命令等（薬機法72条の5第1項）の対象ともなる。なお、令和元年改正薬機法（令和3年8月1日施行部分）により、行為の中止だけでなく、再発防止措置の実施や関連する公示も命じることができるようになる。

(2)　医薬品等適正広告基準

　厚生労働省は、医薬品や医療機器に関する取締りの際の基準として、各地方自治体の長にあてて、「医薬品等適正広告基準」（以下「広告基準」という）を通知している。同基準の第4では、医薬品や医療機器に関する違法または不適切な広告を14項目に分けて列挙している。このうち、第4の1から3までは薬機法66条1項の誇大広告の解釈を示したものであり、これにあたる広告を行えば、違法な誇大広告として罰則や行政処分の対象となる。一方、その他の項目には、上述の、医薬関係者等が推薦している旨の広告の禁止（広告基準第4の10）や、過量消費または乱用助長を促すおそれのある広告の禁止（広告基準第4の4）、医療用医薬品等の広告を医薬関係者以外に行うことの禁止（広告基準第4の5）等があるが、これらは違法とまではいえないが不適切な広告の例示である。なお、ここで不適切とされる広告は、そのほとんどが自主規制でも禁止されている。

　以下、誇大広告にあたる広告基準第4の1から3について詳述する（許容される表現と許容されない表現の具体例については**図表1-Ⅲ-4参照**）。

ア　名称関係（広告基準第4の1）

　承認または認証を要する医薬品等の場合、原則として、承認等を得た名称および一般的名称以外を使用してはならない。また、承認等を要しない医薬品等の場合も、原則として届け出た名称以外を使用してはならない。例外として、医薬品等の同一性を誤認させるおそれがない範囲で、略称の使用やふりがなの併記等が認められている。

　医薬品および再生医療等製品については、愛称を使用することは許され

ない。その他の医薬部外品等については、商品の同一性を誤認させるおそれがない範囲で、愛称を使用することが認められている。ただし、略称や愛称を使用する場合には、販売名を付記しなければならない。

　イ　製造方法（広告基準第4の2）
　医薬品等の製造方法について実際の製造方法と異なる表現またはその優秀性について事実に反する認識を得させるおそれのある表現をしてはならない。

　ウ　効能効果、性能および安全性関係（広告基準第4の3）
　　㈜　効能効果または性能（効能効果等）
　承認または認証を要する医薬品等の場合、承認等を受けた効能効果等の範囲を超えた表現をしてはならない。承認等を要しない医薬品等の場合は、医学、薬学上認められている範囲を超えてはならない。

　未承認等の効能効果等の広告は、仮に追加申請すれば実際に承認等がされる場合でも、禁じられている。外国での承認と使用実績があったとしても、それを考慮することはできない。つまり、適応外使用（オフラベルユース）の広告は、全面的に禁止されている。

　承認された効能効果等に一定の条件（しばり表現）がある場合、そのしばり表現を正確に付記、付言しなければならず、紙面が狭い等の理由で省略することはできない。

　　㈼　医薬品等の成分
　成分については、承認書等への記載の有無にかかわらず、虚偽の表現、不正確な表現等を用い効能効果等または安全性について事実に反する認識を得させるおそれのある広告をしてはならない。「医薬品等適正広告基準の解説及び留意事項等」では、配合成分の表現について詳細に例示されているので、具体的な表現を検討する際の参考となる。

　　㈽　用法用量
　用法用量について、承認等または医学、薬学上認められている範囲を超えた表現をしてはならない。

　　㈾　保証表現の禁止
　医薬品等の効能効果等または安全性について、具体的効能効果等または安全性を摘示して、それが確実である保証をするような表現をしてはなら

ない。

　愛用者の感謝の言葉等、使用者の体験談による広告は、消費者に誤解を与えるおそれがあるとして、原則的に禁止されている。例外として許容されるのは、①目薬、外皮用剤および化粧品等の広告で使用感を説明する場合および、②タレントが単に製品の説明や呈示を行う場合にとどまる。

　図面、写真、アニメーション等の使用は、禁止されてはいないものの、身体に浸透する場面等を表現したり、疾病部分の炎症等が消える場面等を表現したりする場合、効能効果の保証的な表現とならないように注意すべきとされている。

　　(オ)　本来の効果効能と認められない表現の禁止

　医薬品等の本来の効能効果等と認められないものを誤認させるおそれのある広告は禁止されている。未承認の効能効果等の表現で、薬理学的に医薬品等の作用と認められないものは、これにあたる。

図表1-Ⅲ-4：許容される表現と許容されない表現の具体例

基準の概要		許容される表現	許容されない表現
名称関係		・販売名の共通部分（ブランド名等）のみを用いた略称	・漢字で承認を受けた名称をすべてかなやアルファベットに置き換えること
製造方法関係		・製造ライン等の写真を広告の題材として、単に事実を描写したもの	・「最高の技術」、「最先端の製造方法」等の最大級の表現 ・「家伝の秘法により作られた」等の誇張表現
効能効果、性能および安全性関係	効能効果等	・「解熱鎮痛消炎剤」等、薬効分類として認められた「○○剤」等、特定の1つの効能効果等を広告すること	・「食欲増進剤」等、薬効分類として認められていない「○○剤」の表現 ・「○○専門薬」との表現
	成分等	・配合されている成分名を具体的にすべてあげること ・「10種のビタミンを配合」等事実として配合されている成分数をあげること	・「各種ビタミンを配合した」、「数種のアミノ酸配合」等、複数の成分が配合されていることはわかるが、具体的な配合がわからない表現

用法用量	・ 併用を承認された医薬品等についての併用に関する表現 ・ 化粧品等を順次使用することの表現	・ 併用に関する表現 ・ 「いくら飲んでも副作用がない」等の表現
保証表現	・ 「創業○○年」、「△△(商品名)販売○○周年」等を、単なる事実として記載すること ・ 使用体験談等のうち、①目薬、外皮用剤および化粧品等の広告で、使用感を説明するもの、②タレントが単に製品の説明をするだけのもの	・ 「全快する」、「副作用の心配はない」等、効能効果や安全性を保証する表現 ・ 「△△(商品名)は○○年の歴史を持っているからよく効くのです」等、歴史を安全性、優秀性の保証とする表現 ・ 臨床データや実験例の記載 ・ 「私も使っています」等の使用経験または体験談
最大級の表現	・ 製品発売後12か月程度の間、「新発売」、「新しい」等の表現を用いること	・ 「最高のききめ」、「売上げNo.1」等、効能効果、売上、安全性等について最大級を用いて表現すること
速効性持続性	・ 承認された範囲内で、解熱鎮痛消炎剤等に関して速効性を示すこと	・ 左記以外で、「すぐ効く」、「飲めばききめが3日は続く」等、速効性・持続性についての表現
本来の効能効果以外	該当なし	・ 頭痛薬について「受験合格」、ホルモン剤について「夜を楽しむ」等、本来の効能効果とはいえない表現はできない。

(3) 薬機法と健康食品

ア 医薬品としての承認を受けていない食品

医薬品として必要な承認を受けていない食品に、医薬品的な効能効果を表示して販売すると、その食品が医薬品と扱われる。その結果、医薬品の販売業の許可を受けていない場合には医薬品の無許可販売(薬機法24条違反)となり、医薬品の販売業の許可を受けている場合であっても、未承認医薬品の広告禁止規定(薬機法68条)の違反となる

平成20年には、ホームセンターを展開する企業が、「血糖値上昇の抑制に効く」等とうたってミネラルウォーターを販売したとして、書類送検されている。

　イ　「広告」該当性

　実務では、製品名を記載せずに成分の効能効果だけを記載したものが薬機法上の「広告」にあたるのかという点について事業者と当局との間でしばしば問題となる。一般に、新聞や雑誌の広告やウェブページであれば、広告3要件のうち、①誘引性と③認知性の要件を満たすことは比較的明らかなので、問題になるのは②特定性である。

　たとえば、1つのウェブページのなかに、ある成分の効能効果の記述とその成分を使ったサプリメントの商品名が記載されていれば、このページは①から③のすべての要件を満たすので、未承認医薬品の広告に該当する。一方、成分の効能効果の記述とサプリメントの商品名が別のページに記載されていれば、②の特定性を欠くので、原則として、未承認医薬品の広告には該当しない。しかし、効能効果が記述されたページに商品ページへのリンクが張られているような場合は、それぞれのページが一体のものとして、未承認医薬品の広告とみなされる。

　要するに、医薬品的な効能効果の記述とサプリメントの商品名が、客観的にみてどの程度つながっているかによって、②の「特定医薬品等の商品名が明らかにされていること」という要件の成否が判断されることになる。

　㈎　摘発事例①——プロポリス事件

　この事件では、無料の医療情報誌でプロポリスがガンに効くという効能効果を紹介し、同じ情報誌の数ページ隔てた別のページでプロポリス配合の商品を紹介していた。

　これは、成分の効能効果の記載と商品名の記載を切り離すことで、②特定性の認定を回避しようとしたものであるが、1冊の雑誌のなかに両方の記載がある以上、両者は一体のものとして特定性を満たし、薬機法上の「広告」にあたるとされた。

　㈏　摘発事例②——強命水事件

　この事件では、飲料水の販売会社のウェブサイトには飲用水の効能効果を記載せずに、「『○○』と検索してください」と表示し、そのとおりにイ

ンターネットで検索してたどりつく飲料水の研究会のウェブサイトに、飲料水が末期ガンに効果があるという体験談を掲載するという手法がとられていた(**図表1-Ⅲ-5参照**)。この事件では、ウェブ検索を誘導することによって商品の紹介ページと効能効果のページが結びつけられていたことから、販売会社のウェブサイトと研究会のウェブサイトが一体のものとして特定性の要件を満たし、薬機法上の「広告」にあたるとされた。

図表1-Ⅲ-5：検索誘導のイメージ図

(4) その他の法令

ア 健康増進法

健康増進法は、食品として販売するものに関して、誇大表示を禁止している(健康増進法65条)。一定の医薬品的効能効果の表示が認められる特定保健用食品、栄養機能食品、機能性表示食品(これらの3つの制度に基づく食品を総称して「保健機能食品」という)だけでなく、一般の健康食品についても、健康増進法の誇大表示規制の対象となる。

これに違反して誇大表示を行った場合には、勧告の対象となることがあり(健康増進法66条1項)、勧告に従わない場合、措置命令が出される(同条2項)。さらに、その命令に従わない場合には、6月以下の懲役または100万円以下の罰金が科される。

平成28年には、大手食品メーカーが、「血圧が高めの方に適した食品」という表示が許可された特定保健用食品について、血圧を低下させる作用を表示したり、高血圧薬に頼らずに高血圧を改善できるかのように表示したりしたことについて、消費者庁から勧告を受けている。

イ 景品表示法

景品表示法は、医薬品に限らず、広く商品やサービスについての不当な表示を禁止している。医薬品の効能効果に関して虚偽・誇大な表示が行わ

れた場合、景品表示法上の優良誤認表示として、措置命令（景品表示法7条）や課徴金納付命令（景品表示法8条）の対象となる。

また、消費者庁長官が認定する適格消費者団体が景品表示法違反行為に対する事業者への差止請求権を有しており、差止請求訴訟を提起される可能性もある（景品表示法30条）。

措置命令および課徴金納付命令の事例は、消費者庁ホームページに掲載されている。保健機能食品や一般健康食品で、表示された効能効果が優良誤認表示にあたるとして、措置命令や課徴金納付命令の対象となった事例は枚挙にいとまがない。

(5) 業界団体による自主規制

法令による規制に加えて、日本製薬工業協会（以下「製薬協」という）が設定する自主規制として、医療用医薬品プロモーションコード（以下「プロモーションコード」という）が制定されている。

ア　プロモーションコードとは

プロモーションコードとは製薬協コード・オブ・プラクティスの一部であり、製薬協の会員会社（医薬品を対象とした研究開発志向型の製薬企業）がプロモーションを行ううえでの自主基準として定められている。プロモーションコードの適用対象は、会員会社のすべての役員および従業員と、研究者、医療関係者および患者団体等との間の交流である。

イ　広告に関する規制内容

㋐　MR（医薬情報担当者）の行動基準

製薬会社のプロモーションにおけるMRの重要性にかんがみ、MR自身も医療の一端を担う者として行動基準が定められている。具体的には、効能効果、用法用量等の情報は、承認の範囲内で、有効性と安全性に偏りなく公平に提供すること、医薬情報の収集と伝達を的確かつ迅速に行うこと、他社および他社品を中傷・誹謗しないこと等である。

㋑　プロモーション用資材等の作成と使用

会員会社が作成するプロモーション用資材は、科学的根拠に基づく正確かつ客観的で公平な情報の記載をしなければならない。広告基準で不適当とされる広告がここでも禁止されている。

プロモーションコードではより実際的に、プロモーション用資材としてビジュアルエイドやタブレット型端末用デジタルコンテンツ等の新たな機材の使用や、インターネットを介しての情報提供も想定されている。

なお、プロモーションコードにおいても、MR は未承認薬や未承認の効能効果の情報は取り扱えないこととされており、適応外使用のプロモーションは許されない。日本製薬医学会の MSL 認定制度による MSL（メディカル・サイエンス・リエゾン）は未承認薬、未承認の効能効果の情報を扱うことができるが、あくまでこれは営業部門とは独立した職種であり、プロモーションにおいてこれらの情報を扱うことができないことに変わりはない。

(ウ) 違反事例

大手製薬会社が学会発表時のデータを転用してプロモーションを実施した事例では、そうした行為がプロモーションコードの「最新のデータに基づくもの」を提供しなければならないという規定 (1.(3)) に違反したとされている。

プロモーションコードの違反については、製薬協コード・オブ・プラクティス違反措置規定により改善措置等が行われる。また、上記の件では、製薬会社が記者会見を開いて謝罪する等、社会的な責任を問われることとなった。

2 医療用医薬品の情報提供行為の規制

厚生労働省は、販売情報提供活動においては、証拠が残りにくい行為（口頭説明等）、明確な虚偽誇大とまではいえないものの不適正使用を助長すると考えられる行為、企業側の関与が直ちに判別しにくく広告該当性の判断が難しいもの（研究論文等）を提供する行為等が行われ、医療用医薬品の適正使用に影響を及ぼすおそれがあるとして、「医療用医薬品の販売情報提供活動に関するガイドライン」（平成 30 年 9 月 25 日。以下「情報提供ガイドライン」という）を策定した。

(1) 適用対象（情報提供ガイドライン第 1 の 2）

情報提供ガイドラインは、医薬品製造販売業者、その販売情報提供活動の委託先・提携先企業（いわゆるコ・プロモーションの相手先企業を含む）お

よび医薬品卸売販売業者（これらを「医薬品製造販売業者等」という）が医療用医薬品について行う全ての販売情報提供活動が、適用対象となる。

販売情報提供活動とは、医薬品製造販売業者等が、特定の医療用医薬品の名称または有効性・安全性の認知の向上等による販売促進を期待して、当該医療用医薬品に関する情報を提供することをいう。医療用医薬品の効能・効果に係る疾患を啓発することも含まれ、啓発については一般人を対象とするものも含む。

また、情報提供ガイドラインは、MR（医薬情報担当者）、MSL（メディカル・サイエンス・リエゾン）等の名称や所属部門にかかわらず、医薬品製造販売業者等が雇用する全ての者に対して適用される。したがって、これら全ての者が、情報提供ガイドラインを遵守して販売情報提供活動を行い、また、販売情報提供活動に関連する業務を行わねばならない。

(2) **販売情報提供活動の原則（情報提供ガイドライン第1の3）**

薬機法上、医薬品等の製造販売業者等は、医療用医薬品の適正使用のために必要な情報を提供するよう努めることとされている（薬機法68条の2）。情報提供ガイドラインは、同条に基づき情報提供を適切に実施すべきであるとした上、遵守事項・禁止事項・推奨事項を列挙している（**図表1-Ⅲ-6**）。

なお、未承認薬・適応外薬および国内では認められていない用法・用量に関する情報提供は、原則としてできないが、情報提供につき医療関係者から求めがあった場合で、情報提供ガイドラインに掲げられた条件を満たす場合に限って、提供することが認められる（情報提供ガイドライン第4の3）。

図表1-Ⅲ-6：遵守事項・禁止事項・推奨事項

遵守事項	① 提供する医療用医薬品の効能・効果、用法・用量等の情報は承認された範囲内のものであること ② 医療用医薬品の有効性のみではなく、副作用を含む安全性等の必要な情報についても提供し、提供する情報を恣意的に選択しないこと ③ 提供する情報は、科学的および客観的な根拠に基づくものであり、その根拠を示すことができる正確な内容のものであること。その科学的根拠は、元データを含め、第三者による客観的評価および検証が可能なも

	の、または第三者による適正性の審査（論文の査読等）を経たもの（承認審査に用いられた評価資料や審査報告書を含む。）であること ④ 販売情報提供活動の資材等に引用される情報は、その引用元が明記されたものであること。また、社外の調査研究について、その調査研究の実施や論文等の作成に関して医薬品製造販売業者等による物品、金銭、労務等の提供があった場合には、その具体的内容も明記されたものであること。なお、社外の調査研究については、臨床研究法、人を対象とする医学系研究に関する倫理指針その他これらに準ずる指針等を遵守したもののみを使用すること
禁止事項	① 虚偽、誇大な表現、誤認を誘発させるような表現の使用その他広告規制において禁じられている行為をすること ② 承認された効能・効果、用法・用量等以外の使用方法を推奨すること。なお、外国において承認等を得ている場合であっても同様であること ③ 科学的または客観的な根拠なく恣意的に、特定の医療用医薬品の処方、使用等に誘引すること ④ 他社製品を誹謗、中傷すること等により、自社製品を優れたものと訴えること ⑤ 疾患の罹患や疾病の症状を過度に強調し、不安を煽ること ⑥ 一般人向けの疾患啓発において、医療用医薬品による治療（診断および予防を含む）のみを推奨するなど、医療用医薬品による治療以外に治療の手段がないかのように誤認させること ⑦ その他医療用医薬品の不適正使用または誤使用を誘発させるおそれのある表現を行うこと
推奨事項	① 試験研究の結果に加えてその試験方法も示すなど、正確な理解を促すために必要な情報を提供すること ② 比較試験では、優越性試験、非劣性試験等の試験の設計およびそれに基づく結果を正確に明示すること。また、優位性を示せなかったことなど、医療用医薬品の品質・有効性・安全性に関し、ネガティブな情報についても提供すること ③ 厚生労働省やPMDAから要求された事項（副作用の発生率の調査等）に関する情報を提供すること

(3) 医薬品製造販売業者等の責務（情報提供ガイドライン第2）

医薬品製造販売業者等の経営陣は、自社のあらゆる従業員の販売情報提供活動に関する業務上の行動に対して責任を負うものであると明記され、

適切な販売情報提供活動を実施するためのリーダーシップを発揮する責務を負う（情報提供ガイドライン第2の1）。

具体的には、経営陣は、販売情報提供活動の資材等や販売情報提供活動自体の適切性等をモニタリングする部門（販売情報提供活動監督部門）を、販売情報提供活動の担当部門から独立した形で社内に設け、その責任者を明確化するとともに、販売情報提供活動の担当部門・担当者に対して必要なモニタリング等の監督指導権限を付与することとされている（情報提供ガイドライン第2の2）。販売情報提供活動監督部門は、販売情報提供活動の担当部門・担当者が適切な販売情報提供活動を行っているか、定期的にモニタリングを行うとともに、担当部門・担当者に対して必要な監督指導を行う（情報提供ガイドライン第2の5）。

また、経営陣は、自社からの独立性を有する者が含まれる審査・監督委員会を設け、販売情報提供活動監督部門の活動について、その責任者に対して必要な助言を行わせることとされている（情報提供ガイドライン第2の2）。審査・監督委員会は、販売情報提供活動の実施状況の報告を販売情報提供活動監督部門から定期的に受けるとともに、販売情報提供活動監督部門に対して、必要な助言を行う（情報提供ガイドライン第2の5）。販売情報提供活動の資材等については、その使用前に審査・監督委員会の審査を受ける必要がある（情報提供ガイドライン第2の3）。

さらに、経営陣は、役員・従業員が適切な販売情報提供活動を行ったかおよび行わせたかを人事評価に適切に反映すること（情報提供ガイドライン第2の4）、販売情報提供活動の担当部門・担当者に、業務を適切に行うために必要な手順書を作成させるとともに、業務記録（口頭で説明等を行った内容の記録を含む）を作成させ、当該業務記録を適切に保管させること（情報提供ガイドライン第2の6）等の責務を負う。

3　医療関係者に対する利益供与に関する規制

(1)　総論

医療関係者に対する利益供与に関する規制にも、法律による規制と業界団体による自主規制とがある。

このうち法律による規制は、各種の賄賂罪として規定されており、業界

団体による自主規制は、医療用医薬品製造販売業における景品類の提供の制限に関する公正競争規約（以下「公正競争規約」という）とプロモーションコードがある。

(2) **法律による規制**

医療関係者に対する利益供与の場面で問題となる法規制は、主に①刑法における贈賄罪、②医療法における社会医療法人の役員等の贈賄罪である。

ア　刑法における贈賄罪

(ｱ)　賄賂とは

刑法では197条以下で賄賂の罪が定められている。

賄賂とは、公務員の職務に対する不法な報酬としての利益のことをいう。

この報酬には、金銭や不動産はもちろん、接待やきょう応等の財産上の利益のほか、異性間の情交等の非財産的利益を含む一切の利益も含まれる。

(ｲ)　贈収賄罪の種類

公務員が、その職務に関し、賄賂を収受し、またはその要求もしくは約束をしたときには単純収賄罪（刑法197条1項前段）が成立する。

このほかに、その際に賄賂を交付した側が、公務員に対し、職務に関して一定の行為を行うことを依頼した場合に成立する受託収賄罪（刑法197条1項後段）等、状況に応じて賄賂を収受した側に成立する犯罪は異なるが、賄賂を交付した側には、一律に贈賄罪が成立する。贈賄罪の法定刑は、3年以下の懲役または250万円以下の罰金である（刑法198条）。

(ｳ)　公務員とは

刑法7条1項は「この法律において『公務員』とは、国または地方公共団体の職員その他法令により公務に従事する議員、委員その他の職員をいう」と規定し、刑法上の「公務員」を定義している。

これに加え、刑法以外の法律のなかに、一定の者を公務員とみなすとの規定を置くものがある。このように刑法以外の法律で公務員とみなされている者を「みなし公務員」という。

図表1-Ⅲ-7：職員等がみなし公務員とされる医療関連施設

法令	該当施設
高度専門医療に関する研究等を行う国立研究開発法人に関する法律12条	国立がん研究センター 国立循環器病研究センター 国立精神・神経医療研究センター 国立国際医療研究センター 国立成育医療研究センター 国立長寿医療研究センター
国立大学法人法19条	国立大学付属病院等
地方独立行政法人法58条	公立大学付属病院等
独立行政法人国立病院機構法14条	国立病院等

(エ) 贈収賄罪の成立が認められた例

医療関係者に対する利益供与について裁判で贈収賄罪の成立が認められた事例には**図表1-Ⅲ-8**記載のようなものがある。

図表1-Ⅲ-8：贈収賄罪の成立が認められた裁判例

	贈賄者	収賄者	賄賂の対象行為	報酬の内容
①	医療・理化学機器等の販売業者	国立大学教授	一般競争入札における競業他社の提示価格の教示、購入希望情報の優先的提供等	① クレジットカードの交付・私的利用（約500万円相当） ② 海外旅行代金送金（約150万円） ③ 新幹線回数券（約190万円相当） ④ 商品券（約110万円相当）
②	医科器械販売業者	国立大学准教授	随意契約における購入希望情報の優先的提供等	① キャリーバッグ ② 手提げかばん ③ 防湿庫　　等 （合計約95万円相当）

③	情報システム開発業者	国立大学病院情報マネジメント室長	同上	現金（約300万円）
④	医科機械器具製造販売業者	公立病院臨床工学技士	一般競争入札における業者間の調整等	パーソナルコンピュータ等 （合計約81万円相当）
⑤	医療機器販売業者	地方独立行政法人病院薬剤部部長	一般競争入札における仕様書案への有利な文言盛り込み等	パーソナルコンピュータ等 （合計約240万円相当）

イ　医療法における社会医療法人の役員等の贈賄罪

社会医療法人とは、医療法人のうち救急医療等の特に地域で行う必要が高い業務を行う等の一定の要件に該当し、都道府県知事の認定を受けたものをいう（医療法42条の2第1項）。医療法では81条で社会医療法人の役員等に対する贈収賄罪が定められている。これは、社会医療法人が一般の民間医療法人に比して公益性が高い業務を行っていることに着目した規定である。

社会医療法人の役員等に対して、その職務に関し、不正な請託をして財産上の利益を供与する等した場合に、医療法81条の贈賄罪が成立する（同条2項）。

刑法における贈収賄と比べると、「請託」が「不正な請託」に限られている点と「賄賂」が「財産上の利益」に限られている点で、要件が厳格化されている。

図表1-Ⅲ-9：法律による規制まとめ

	贈賄罪（刑法）	社会医療法人役員等の贈賄罪
相手方	公務員（みなし公務員を含む）	社会医療法人の役員等
罰則	3年以下の懲役 OR 250万円以下の罰金	3年以下の懲役 OR 300万円以下の罰金

(3) 業界団体による自主規制

ア 公正競争規約

(ア) 公正競争規約とは

医療用医薬品製造販売業公正取引協議会（以下「公正取引協議会」という）は、景品表示法31条1項に基づいて公正競争規約を設定し、公正取引委員会等の認定を受けている。公正競争規約は、医薬品製造販売業における不当な景品類の提供を規制した自主規制である。

(イ) 規制内容

公正競争規約3条で、医療用医薬品製造販売業者は、医療機関等に対し、医療用医薬品の取引を不当に誘引する手段として、景品類を提供してはならないとされている。

これに対して公正競争規約4条と5条で、それぞれ提供が制限される例と制限されない例が示されている（**図表1-Ⅲ-10、1-Ⅲ-11参照**）。

図表1-Ⅲ-10：公正競争規約4条

提供が禁止される場合
・ 医療機関等に所属する医師、歯科医師その他の医療担当者に対し、医療用医薬品の選択または購入を誘引する手段として提供する金品、旅行、きょう応等
・ 医療機関等に対し、医療用医薬品の選択または購入を誘引する手段として無償で提供する医療用医薬品

図表1-Ⅲ-11：公正競争規約5条

提供が禁止されない場合
医療機関等における自社の医療用医薬品の使用に際して必要な物品もしくはサービスまたはその効用、便益を高めるような物品もしくはサービスの提供
・ 医療用医薬品に関する医学・薬学的情報その他自社の医療用医薬品に関する資料、説明用資材等の提供
・ 施行規則で定める基準による試薬医療品の提供

- 医療機関等に依頼した医療用医薬品の製造販売後の調査・試験等、治験その他医学、薬学的調査・研究の報酬および費用の支払い
- 医療機関等を対象として行う自社医薬品の講演会等に際して提供する華美、過大にわたらない物品もしくはサービスの提供または出席費用の負担

(ウ) 違反に対する制裁

事業者が公正競争規約に違反した場合、公正取引協議会は、当該事業者に対して排除措置や再犯防止措置に関する警告をすることができ、この警告に従わない場合、100万円以下の違約金や、除名処分の対象となる（公正競争規約10条）。

(エ) 違反事例

図表1-Ⅲ-12：公正競争規約違反事例（薬事日報（平成22年5月24日、平成23年5月20日））

違反内容	措置内容
会合における役割のない参加医師への謝金の支払い等4件の金銭提供等	厳重警告
自社医薬品説明会後の飲食代・タクシー代提供	指導
公務員の医療担当者に対する飲食接待	注意

イ　プロモーションコード

医療関係者に対する利益供与に関する規制は、プロモーションコードでも定められている。

(ア) 営業活動に関する規制の内容

プロモーションコードでは**図表1-Ⅲ-13**のように医療関係者に対する利益供与が生じうる場面ごとにこれを禁止している。

図表1-Ⅲ-13：プロモーションコードの規制内容

場面	禁止行為の例
業務委託	業務内容に比して著しく高額な報酬、費用の支払い
製造販売後安全管理業務および製造販売後調査等の実施	これらの業務等の結果を販売促進の手段に用いること
試用医薬品の提供と管理	目的外での提供および使用、必要最小限度を超えた量の提供
講演会等の実施	・承認外使用の推奨や他社および他社品の誹謗中傷を内容とするもの ・随行者の旅費支払いや懇親行事への参加 ・出席者の費用の肩代わり
物品の提供	医薬品の適正使用に影響を与えるおそれのある物品や医薬品の品位を汚すような物品の提供
金銭類の提供	医薬品の適正使用に影響を与えるおそれのある金銭類の提供

(イ) 違反に対する制裁

プロモーションコードに違反した場合、製薬協コード・オブ・プラクティス違反措置規程に基づき、「指導」や「警告」等の措置がとられる。

また、公正競争規約に違反して同規約違反の厳重注意を受けた会社に対し、プロモーションコード違反として製薬協の会員資格停止措置をとった例もある。

(ウ) 公正競争規約とプロモーションコードの関係

プロモーションコードでは、公正競争規約を順守することも定められている。

つまり、プロモーションコードは、公正競争規約で規制されていない行為についても、より幅広く規制の対象としていることに留意が必要である。

〔木川和広＝大出萌〕

Ⅳ 臨床研究法

1 総説

　臨床研究法は、人に対する臨床試験を総合的に規制することを目的に、平成29年4月に公布され、平成30年4月から施行された。

　臨床研究法は臨床研究を実施する研究者に対する規制という面が色濃いが、当然ながら研究開発を行う医薬関連企業としても、意識しておく必要がある。

2 背景

　平成25年から平成27年ころにかけて、製薬業界と研究機関を巻き込んだ臨床研究に関する不適正事案が複数生じ、臨床研究に関する規制のあり方が議論されることとなった。

　臨床研究法の制定以前においては、臨床研究を総合的に規制する法的枠組みは存在しなかった。

　医薬品・医療機器の承認申請を目的とする臨床試験（いわゆる「治験」）に対しては、薬機法およびGCP省令において詳細に規定されている。しかし、それ以外の臨床研究については法令上の規制はかけられておらず、平成14年制定・平成19年全部改正の「疫学研究に関する倫理指針」（平成19年8月16日文部科学省・厚生労働省告示第1号）および平成15年制定・平成20年全部改正の「臨床研究に関する倫理指針」（平成20年7月31日厚生労働省告示第415号）が制定されているにとどまっていた。

　上記の不適正事案の発生を受けて、臨床研究に係る制度のあり方について法制度を含めた検討を進めるという方針が、高血圧症治療薬の臨床研究事案に関する検討委員会および健康・医療戦略において提唱・支持された。

　これらの動きは、まずは上記の各指針を統合し、内容をアップデートした新たな指針の制定という形で結実することとなった（「人を対象とする医学系研究に関する倫理指針」（平成26年12月22日文部科学省・厚生労働省告示第3号（最終改正：平成29年2月28日文部科学省・厚生労働省告示第1号）。以下「倫理指針」という）。改正された倫理指針においては、研究の質の確保と

被験者の保護に加えて、研究機関と製薬企業間の透明性の確保のために、以下のような内容が盛り込まれた。

> ① 倫理審査委員会の機能強化と審査の透明性確保のための規定の充実
> ② 研究責任者の責務の明確化、教育・研究の規定の充実
> ③ データ改ざん防止のためのモニタリング・監査の規定の新設
> ④ 試料・情報の保存に関する規定の新設
> ⑤ 利益相反に関する規定の新設

　厚生労働省での検討において、臨床研究に参加する被験者のリスクと、研究結果が医療現場の治療方針に与える影響の度合等の社会的リスクを勘案して、法規制の範囲としては未承認または適応外の医薬品・医療機器等を用いた臨床研究と、医薬品・医療機器等の広告に用いられることが想定される臨床研究とすることが提言された。また、行政による研究計画の事前審査等については、学問の自由、医療現場の負担や当局の体制等をふまえた実効性の観点から、慎重な姿勢が示された。

3　臨床研究法の概要

　臨床研究法は、法の目的として、臨床研究の対象者をはじめとする国民の臨床研究に対する信頼の確保を図ることを通じてその実施を推進し、保健衛生の向上に寄与することを掲げ、この目的のために臨床研究の実施の手続、認定臨床研究審査委員会による審査意見業務の適切な実施のための措置、臨床研究に関する資金等の提供に関する情報の公表の制度等を定めることを宣言している（臨床研究法1条）。

　具体的な規制は、定義された特定臨床研究とそれ以外の臨床研究とで、態様が大きく異なる。

　特定臨床研究に対しては、実施する者に対して、モニタリング・監査の実施、利益相反の管理等の実施基準の遵守およびインフォームドコンセントの取得、個人情報の保護、記録の保存等が義務づけられる。さらに、特定臨床研究を実施する者は、実施計画について厚生労働大臣の認定を受けた認定臨床研究審査委員会の意見を聴いたうえで、実施計画を厚生労働大臣に提出しなければならない。特定臨床研究以外の臨床研究の場合には、

上記はいずれも努力義務に軽減されている。

　特定臨床研究に起因すると疑われる疾病等が発生した場合には、特定臨床研究を実施する者は、認定臨床研究審査委員会に報告して意見を聴くとともに、厚生労働大臣に報告しなければならない。

　上記の実施基準違反が生じた場合には、厚生労働大臣は改善命令を行い、これに従わない場合には特定臨床研究の停止等を命じることができる。さらに、厚生労働大臣は、保健衛生上の危害の発生・拡大防止のために必要な場合には、改善命令を経ずに特定臨床研究の停止等を命じることができる。

　製薬企業等は、当該企業等の医薬品等の臨床研究に対して資金を提供する際には、契約を締結しなければならず、一定の情報を公表しなければならない。

　下記4において、臨床研究法の詳細を説明する。

4　臨床研究法の内容

(1)　臨床研究の範囲

　臨床研究法の適用範囲を定め、また規制の内容を決するうえで重要となる概念が、臨床研究および特定臨床研究である。

　まず、臨床研究とは、薬機法に規定する医薬品、医療機器または再生医療等製品（臨床研究法2条3項において「医薬品等」と定義される。ただし、医薬品のなかでも体外診断用医薬品は除外されている）を人に対して用いることにより、当該医薬品等の有効性または安全性を明らかにする研究と定義される（同条1項）。ここで医薬品等を「人に対して用いる」とは、医薬品等を人に対して投与・使用する行為のうち、医行為に該当するものを行う場合に限られる。臨床研究への該当性は、侵襲性の高低にはかかわらない。

　医薬品等の有効性または安全性（医療機器における性能を含む）を明らかにすることを目的にする研究に限られるという点では、医薬品や医療機器について、いわゆる使用感の聞き取り調査等を行う場合は臨床研究には該当しない。また、医薬品等の有効性・安全性の評価を目的としない、手術や手技に関する臨床研究は、法の対象となる臨床研究には該当しないが、特に医療機器は手術や手技と密接に関連することが多いので、判断が難し

いことも多い。あくまで手術や手技の研究であるとしても、当該手術・手技の成立・達成に対する医療機器等の寄与が高い場合には実質的に当該医療機器の性能を明らかにする研究とみなされることもあることから、認定委員会（後述）の判断を受けることが推奨される。

以下の2類型は、明文で臨床研究の範囲から除外されている（臨床研究法施行規則2条各号）。

> ① 研究の目的で検査、投薬その他の診断または治療のための医療行為の有無および程度を制御することなく、患者のために最も適切な医療を提供した結果としての診療情報または試料を利用する研究
> ② 薬機法に基づいてGCP省令等の遵守が義務づけられている試験

上記①により、いわゆる観察研究が除外されることとなる。ただし、観察研究に該当するためには、あらかじめ研究のために医薬品の投与等の有無、頻度または用量等を割付けしたものであってはならない。EU臨床試験指令（Directive 2001/20/EC）におけるnon-interventional studyの定義と同様の考え方といえる。また、この除外の範囲は、倫理指針上の「非介入研究」とは異なることに注意が必要である。たとえば、診療を担当する医師の判断に基づいて、患者にとって適切な医療として医薬品の投与や検査等を行うことに加えて、アウトカム評価のために採血等の検査を追加する場合、倫理指針においては（軽微な侵襲または侵襲を伴う）非介入研究に分類されるといえるが、臨床研究への該当性を判断するに際しては、当該追加の検査（および、必要な場合には追加の来院）によって患者の身体および精神に生じる傷害および負担が小さいものである必要がある。患者の身体および精神に生じる傷害および負担が小さいかが不明確な場合には、認定委員会の意見を聴くことが推奨される。

上記②として除外されるものには、医薬品等の再審査、再評価、使用成績評価のために行われる製造販売後臨床試験や、生物学的同等性を確認する治験等が含まれる。

(2) 特定臨床研究

臨床研究のなかで以下のいずれかを満たすものは、特定臨床研究に該当

する。

> ①　医薬品等製造販売業者またはその子会社から研究資金等の提供を受けて実施する臨床研究（臨床研究法2条2項1号）
> ②　未承認または適応外の医薬品等を用いる臨床研究（臨床研究法2条2項2号）

　上記①の「子会社」は、法文上は「特殊関係者」と規定され、「特殊関係者」の具体的範囲は省令で定めるものとされているが、現在のところは臨床研究法施行規則3条において、会社法に定義する「子会社等」の範囲に限定されており、親会社や兄弟会社等は含まれない。したがって、医薬品等製造販売業者の上に持株会社がある場合の持株会社や、外資系企業の場合の外国親会社等が研究資金等を提供した場合には、現時点では特定臨床研究には該当しないこととなる。

　なお、財団等を経由して臨床研究を実施する機関が受領しているような場合には、当該資金の流れにおける財団等の独立性や、資金提供に際する契約の内容等によっては特定臨床研究に該当する可能性がありうる。もっとも、財団が資金を公募する等して独自の活動を行っており、その公募に対して資金が提供されるような場合には、その資金が最終的には臨床研究を実施する機関に提供されたとしても、それをもって特定臨床研究には該当しないと解するのが相当といえよう。

　また、上記①の「研究資金等」とは、これも法文上は臨床研究の実施のための資金とされるが、同時に省令で定める利益を含むとされている。臨床研究法施行規則では「臨床研究の実施に係る人件費、実施医療機関の賃借料その他臨床研究の実施に必要な費用に充てられることが確実であると認められる資金」と規定されている（臨床研究法施行規則4条）。いずれにせよ資金の提供であることは必須なので、それ以外の、たとえば薬剤や医療機器の無償提供や労務の提供のみにとどまる場合には、特定臨床研究には該当しないこととなる。

　なお、実際の臨床研究においては、研究の発案やプロトコル作成等を研究者が行うか、企業が行うか等によって研究者主導研究、企業主導研究、共同研究などの区別があるが、いずれであっても上記の臨床研究の定義に

該当すれば臨床研究法の適用を受け、さらに上記の研究資金提供を伴うなどの要件を満たせば特定臨床研究としての規制を受けることには留意が必要である。

(3) 責任主体の整理

　臨床研究法において課される義務の多くは、臨床研究の実施主体に対して課されている。そのうち、臨床研究を実施する医療機関は「実施医療機関」と定義されるが（臨床研究法施行規則1条1号）、中心的な義務主体は、むしろ研究者個人である。

　臨床研究法における主要な義務は、特定臨床研究を実施する者（実施計画の提出後は臨床研究法6条により、「特定臨床研究実施者」と呼ばれる）に課される（臨床研究法5条～10条、12条～14条等）。臨床研究法施行規則1条においては医師等の役割が細分化して規定されており、臨床研究ごとに、1つの実施医療機関において臨床研究に係る業務を統括する医師または歯科医師を「研究責任医師」、その指導のもとに臨床研究の業務を分担する医師または歯科医師を「研究分担医師」という。なお、工学部の教授が開発した新規の医療機器を用いて臨床研究を行うような場合であっても、臨床研究法の対象とする臨床研究は医行為を伴うことを要件としており、医師または歯科医師を研究責任医師等として配置する必要がある。もっとも、医師以外に臨床研究を総括する者を置くことは可能である。また多施設共同研究（実施計画に基づいて複数の実施医療機関において実施される臨床研究をいう）の場合には、各実施医療機関の研究責任医師のなかから、研究責任医師を代表する者が選任される（研究代表医師）。

図表1-Ⅳ-1：多施設共同研究の際の構造

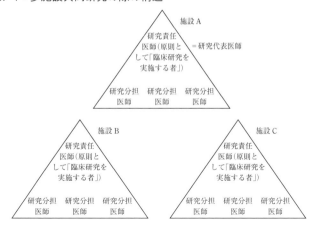

(4) 特定臨床研究実施の手続概要

　特定臨床研究を実施しようとする者は一定の事項を記載した特定臨床研究の実施に関する計画（「実施計画」、臨床研究法5条1項）を作成し、下記(5)ウの認定臨床研究審査委員会に実施計画と研究計画書（プロトコル）を提出して意見を聴かなければならない（同条3項）。そのうえで、実施計画を厚生労働大臣に提出する必要がある（同条1項）。特定臨床研究を変更する場合も、軽微な変更を除いて同様である（臨床研究法6条）。

(5) 特定臨床研究の利益相反（COI）管理基準
　ア　概要
　認定臨床研究審査委員会への実施計画の提出時には利益相反（COI）管理基準（以下「COI管理基準」という）をあわせて提出する必要がある。
　COI管理基準は、研究責任医師が作成して、当該研究に関係する企業を確認したうえで、当該企業との間のCOI状況を自らと研究分担医師等について確認し、所属機関に提出する。所属機関は事実関係を確認のうえで必要に応じて助言・勧告を行い、研究責任医師に報告する。これを受けて研究責任医師はCOI管理計画を作成して、認定臨床研究審査委員会の審査を受けることとなる。
　COI管理基準の内容は、上記のとおり研究責任医師の決定するところに

よるが、その標準的な内容は厚生労働省が発表しており（「臨床研究法における臨床研究の利益相反管理について」（平成30年3月2日医政研発0302第1号）。以下「COI管理通知」という）、実務上もこれに沿った内容となることが想定される。

イ　研究責任医師の欠格事由等

COI管理通知においては、以下のいずれかに該当する者は原則として研究責任医師から外れるものとし、研究責任医師となる場合にはデータ管理（効果安全性評価委員会への参画を含む。以下同様）、モニタリングおよび統計・解析に関与する業務からは外れるとともに研究期間中に監査を受けるものとされている。

---

① 当該臨床研究にかかわる医薬品等製造販売業者の寄付講座に所属し、かつその支出した資金で給与を得ている。
② 当該臨床研究にかかわる医薬品等製造販売業者から当該年度および前年度に年間合計250万円以上の個人的利益（給与、講演料、原稿執筆料、コンサルティング料、接遇等）を得ている。
③ 当該臨床研究にかかわる医薬品等製造販売業者の役員に就任している。
④ 当該臨床研究にかかわる医薬品等製造販売業者の株式等を保有している（公開株式は5％以上、未公開株式は1株以上、新株予約権は1個以上）。
⑤ 当該臨床研究にかかわる医薬品等に関係する特許権を保有または特許を申請している（特許権を譲渡したが当該特許に基づいて相当の対価を受ける権利を保有している場合を含む）。

また、ⅰ研究分担医師が上記の①ないし⑤に該当する場合の当該研究分担医師、または、ⅱ研究責任医師と生計を一にする配偶者もしくは一親等の親族が上記の②ないし⑤のいずれかに該当する場合の研究責任医師は、データ管理、モニタリングおよび統計・解析に関与する業務には従事しない。

当該臨床研究にかかわる医薬品等製造販売業者の研究者が研究に関与する場合には、原則として当該研究者は被験者のリクルート、データ管理、モニタリングおよび統計・解析に関与する業務には従事させない。ただし、共同研究の場合等、当該研究者をデータ管理（効果安全性評価委員会への参画を含まない）、モニタリングおよび統計・解析に関与する業務に従事させ

る必要がある場合には、研究期間中に監査を受ける必要がある。

　ウ　臨床研究に対する企業の関与の報告

　COI管理通知に基づき、研究責任医師は、COIの報告にあたって以下の事項の該当の有無と該当する場合の企業を確認する必要がある。

> ①　医薬品等製造販売業者が製造販売する医薬品等を用いるか。
> ②　臨床研究において医薬品等製造販売業者等から研究資金等が提供されるか。
> ③　臨床研究に使用する物品（医薬品等を含む）、施設等につき、医薬品等製造販売業者等から無償または相当程度に安価での提供または貸与を受けるか。
> ④　医薬品等製造販売業者等から無償または相当程度に安価での役務提供を受けるか。
> ⑤　医薬品等製造販売業者等に在籍している者および過去2年間在籍していた者が、当該臨床研究に関与するか。

　特定臨床研究の範囲の要件とは異なり、資金提供だけでなく物品・役務提供も報告対象であることには留意する必要がある。

　エ　臨床研究に関する各医師等と企業の関与

　また、COI管理通知に基づき、各研究責任医師・研究分担医師等は、以下のいずれかに該当する場合には、臨床研究の実施年度および前年度の状況について以下の事項を確認し、該当事項を申告しなければならない。

> ①　申告者が実質的に使途を決定しうる寄付金を、当該臨床研究にかかわる医薬品等製造販売業者から総額年間200万円を超えて得ている。
> ②　当該臨床研究にかかわる医薬品等製造販売業者が提供する寄付講座に所属している。
> ③　当該臨床研究にかかわる医薬品等製造販売業者との間に、申告者本人または申告者と生計を一にする配偶者もしくは一親等の親族が、年間合計100万円以上の個人的利益関係を有する。
> ④　申告者本人または申告者と生計を一にする配偶者もしくは一親等の親族が、当該臨床研究にかかわる医薬品等製造販売業者の役員に就任している。
> ⑤　申告者本人または申告者と生計を一にする配偶者もしくは一親等の親族が、当該臨床研究にかかわる医薬品等製造販売業者の株式等を保有している（公開株式は5％以上、未公開株式は1株以上、新株予約権は1個以上）。

性質上、上記イの研究責任医師の欠格事由と似た事項も多いが、異なる点も多いので、注意が必要である。

(6) 特定臨床研究のその他の手続
　ア　情報の公表

研究責任医師（多施設共同研究の場合は研究代表医師）は、臨床研究の実施に先立って、当該臨床研究に関する一定の内容を公表しなければならない。また、主たる評価項目に係るデータの収集期間の終了とすべての評価項目に係るデータの収集期間の終了からそれぞれ1年以内に、主要評価項目報告書と、総括報告書・概要書を、それぞれ作成し、実施医療機関の管理者に提出するとともに、公表しなければならない（臨床研究法施行規則24条）。この目的で、認定臨床研究審査委員会申請・情報公開システム（jRCT）が立ち上げられている。

　イ　対象者等の同意の取得

特定臨床研究の実施にあたっては、当然ながら対象者からインフォームドコンセントを得る必要がある（臨床研究法9条）。同意取得時の説明事項の内容は、ほぼ倫理指針と同様であるが、臨床研究法においては、資金提供を受ける場合の契約内容や、当該特定臨床研究に係る認定臨床研究審査委員会に関する事項等が含まれる（同条、臨床研究法施行規則46条）。

　ウ　認定臨床研究審査委員会

認定臨床研究審査委員会は、治験における治験審査委員会に相当し、特定臨床研究の適正を確保するために非常に大きな役割を担うもので、臨床研究法23条から31条までが充てられている。

　エ　補償

研究責任医師は、臨床研究の実施にあたっては、あらかじめ、当該臨床研究の実施に伴って生じた健康被害の補償および医療の提供のために、保険への加入、医療を提供する体制の確保その他の必要な措置を講じておく必要がある（臨床研究法3条2項4号、5条1項6号、臨床研究法施行規則20条）。

保険における補償金、医療費・医療手当に関しては、治験に関するものではあるが、医薬品企業法務研究会の「被験者の健康被害補償に関するガ

イドライン（ver.3.2）」（平成30年版）が参考となる。もっとも、損害保険会社数社から、治験における賠償責任保険に準じた保険が発売されており、実務的にはそのような保険によって手当てすることになるものと考えられる。

(7) 製造販売業者等による資金提供
ア　契約の締結
　医薬品等製造販売業者等が特定臨床研究について研究資金等を提供するときは、一定の項目を含む契約を締結すべきことが規定されている（臨床研究法32条）。

　契約に含まれるべき項目は、特定臨床研究の内容や研究資金支払いに関連する項目のほか、資金提供に関する情報の公表に関する事項、研究成果の取扱いに関する事項、厚生労働省が整備するデータベースへの登録による公表に関する事項、対象者に健康被害が生じた場合の補償および医療の提供に関する事項等、多岐にわたる（臨床研究法施行規則88条）。

　この点に関しては、医薬品企業法務研究会においてモデル契約が作成・公表されており、その規定が参考となろう。

イ　公表
　医薬品等製造販売業者等は、特定臨床研究についての、それを実施する者に対する研究資金等の提供に関する情報に加えて、特定臨床研究を実施する者またはその者と特殊の関係にある者に対する金銭その他の利益の提供についても、一定の範囲において公表しなければならない（臨床研究法33条）。

　公表対象の資金等の提供について、特定臨床研究を実施する者だけでなく、その者と特殊の関係のある者に拡張されている点に留意する必要がある。ここにいう特殊の関係にある者とは、研究責任医師が所属する医療機関、大学等の団体（臨床研究法施行規則89条1号）と、研究の管理等を行う団体（同条2号）が該当する。公表内容は、研究資金等、寄附金、原稿執筆・講演の報酬その他の業務に要する費用の区別に従って、それぞれ列挙される（臨床研究法施行規則90条）。

　医薬品等製造販売業者またはその子会社が、研究責任者の所属大学や所

属の医療機関等に支払った寄附金等が公表対象となるほか、研究の管理をする財団等に資金提供がなされた後に当該財団等から医療機関・参加施設等になされる資金提供も、公表の対象となる。

　公表方法はインターネットによらなければならず、閲覧しにくい方法（あらかじめ閲覧申請を要する方法や、印刷禁止等）は認められず、また公表情報についての検索を可能にする方法が望ましいものとされる。透明性ガイドラインに基づく公表情報と一元化することは可能であるが、この場合であっても臨床研究法に基づく情報のみを閲覧することも可能となるよう、研究責任医師の氏名等の必要情報を公表して検索可能としたうえで、かつ臨床研究法に基づく情報のみを検索して閲覧できることを明記する必要がある。子会社が支払いを行った場合には、医薬品等製造販売業者のウェブサイト上で、当該子会社が支払ったことを明記したうえで公表することが望ましいとされる。

〔近藤純一〕

Ⅴ　個人情報保護法（データプロテクション）

　ライフサイエンスの分野における個人情報保護については、2つの特徴があることを押さえておく必要がある。1つ目は、取り扱われる個人情報が医療情報・遺伝情報といったセンシティブなものであり、慎重な取扱いが要求されること、2つ目は、参照すべきルールが多岐にわたることである。この参照すべきルールは、主だったものだけでも、①個人情報に関する一般的なルールである、個人情報保護法およびそれぞれのガイドライン・ガイダンスにとどまらず、②技術の発展に伴い重要性が増している、医療情報の情報管理に関して定めている、「医療情報安全管理関連ガイドライン」（いわゆる旧称「3省4ガイドライン」）、③オンライン診療に関して定めている、「オンライン診療の適切な実施に関する指針」、④医学研究について、医学研究とは切っても切り離せない倫理の観点から情報の取扱いを定めている各倫理指針、および⑤医学研究の発展に必要な医療情報の幅広い集積を目指した、いわゆる次世代医療基盤法をあげることができる。③については、下記コラム④：遠隔診療（オンライン診療）の法令上の扱いで、⑤次世代医療基盤法については、下記Ⅵで、それぞれ独立したトピックとしてとりあげるため、本項では概略のみ説明するにとどめる。

1　個人情報保護に関する一般的なルール

　個人情報保護に関する一般的なルールは、法令レベル（法律（中央）・条例（地方））とガイドラインレベルに大きく分けることができる。また、法律レベルにおいても、適用される事業主体の法的性格（国の機関か独立行政法人か、民間事業者か）によって、適用される法律が異なり、それらのルールの内容は個人情報の定義や重要な概念について差異がある。さらに条例に関しては、長らく「個人情報保護法制『2000個問題』」が指摘されてきたところであり、これが個人情報保護のデータ活用の側面に影を落としてきたのは否定しがたいところである。他方、ガイドラインレベルにおいては、平成29年5月の平成27年改正個人情報保護法の全面施行に際して、多数あったガイドラインが大幅に整理された影響を確認する必要がある。なお、

個人情報保護法については、令和 2 年に一部が改正されたため、このうち、ヘルスケア関連データの実務への影響が想定される事項についても紹介する（以下本項では、平成 29 年 5 月に施行された平成 27 年改正個人情報保護法を「平成 27 年改正法」、令和 2 年に成立した改正個人情報保護法を「令和 2 年改正法」という）。

(1) 法律・条例の枠組み

ヘルスケア分野の事業主体に適用される個人情報保護に関する一般的なルールは**図表 1-Ⅴ-1** のように整理できる。

図表 1-Ⅴ-1：事業主体による個人情報保護ルールの分類

ヘルスケア分野の事業主体	適用される法律・条例
民間事業者（製薬会社、私立病院、私立大学、私立研究所、学会）	個人情報保護法
国の行政機関、国立研究所等	行政機関個人情報保護法
独立行政法人、国立大学等	独立行政法人等個人情報保護法
地方公共団体、公立大学、公立研究機関、公立医療機関等	各地方自治体の個人情報保護条例（個人情報保護法制「2000 個問題」）

　民間の事業主体には、個人情報保護法が適用される。この事業主体は、営利目的であるか非営利目的であるかは問われないため、大学や研究所、学会や NPO 等の非営利団体も幅広く含まれる。ただし、個人情報保護法が適用される場合でも、大学その他の学術研究を目的とする機関もしくは団体またはそれらに属する者に関しては、個人情報保護法の主な規律の適用対象外とされている（個人情報保護法 76 条 1 項 3 号）。具体的には、私立大学、研究所、1 つの主体とみなすことができる共同研究、学会等の学術研究を目的とする機関・団体およびそれらに属する者が学術研究目的で個人情報を取り扱う場合が、適用除外の対象となる。注意が必要なのは、「学術研究を目的とする機関又は団体」の範囲である。新しい法則や原理の発見、分析や方法論の確立、新しい知識やその応用方法の体系化、先端的な学問領域の開拓等を主たる目的とする機関または団体をいうのであって、単に

製品開発を目的としているものについては、学術研究を主たる目的として活動しているものとはいえないと判断される。たとえば新薬開発を目的とする研究所については、学術研究を主たる目的としているとはいえないため、適用除外の対象とはならないと考えられる。また、学術研究を主たる目的としない団体付属の研究機関も適用除外の対象に含まれないので、注意が必要である。

国の行政機関、国立研究所等は、国の機関であるため、行政機関の保有する個人情報の保護に関する法律（いわゆる「行政機関個人情報保護法」）が適用される。

独立行政法人、国立大学等は、独立行政法人として、独立行政法人等の保有する個人情報の保護に関する法律（いわゆる「独立行政法人等個人情報保護法」）が適用される。法律名に「独立行政法人『等』」とあるように、独立行政法人のほかに、日本銀行や日本中央競馬会等さまざまな性格の公的法人が適用対象として定められている。ヘルスケア分野の関係では、国立大学法人をあげることができる。

各地方自治体の個人情報保護条例は、おおむねその内容は似かよってはいるものの、まったく同一というわけではもちろんない。このため、たとえば地方の公立病院の個人情報の取扱いのルールは、地方自治体ごとに確認する必要がある。これが「個人情報保護法制『2000個問題』」を生み出している。

(2) 事業主体によるルールの差異

個人情報保護法と、行政機関個人情報保護法・独立行政法人等個人情報保護法は、適用対象が異なるのはもちろんだが、その他にも、個人情報の定義を含む重要な差異がある。下記 4 で後述するように、倫理指針はこの差異を埋めるという目的もある。

ここでは、個人情報の定義の比較を通じて、どのような差異があるのかを紹介する。両者の定義は、**図表 1-Ⅴ-2** のように整理できる。

図表1-V-2：個人情報の定義の比較

個人情報保護法	行政機関個人情報保護法・独立行政法人等個人情報保護法
生存する個人に関する情報であって、当該情報に含まれる氏名、生年月日その他の記述等により特定の個人を識別することができるもの（他の情報と<u>容易に</u>照合することができ、それにより特定の個人を識別することができることとなるものを含む）	生存する個人に関する情報であって、当該情報に含まれる氏名、生年月日その他の記述等により特定の個人を識別することができるもの（他の情報と照合することができ、それにより特定の個人を識別することができることとなるものを含む）
個人識別符号（例：DNAを構成する塩基の配列、保険証番号）が含まれるもの	

図表1-V-2に示したとおり、両者の個人情報の定義の差異は「容易に」という3文字のみであるが、この影響は小さくはない。法律の制定の順番は、行政機関個人情報保護法等が先行、続いて、個人情報保護法が制定されたのだが（平成27年の全面改正では逆に個人情報保護法の改正が先行した）、個人情報保護法の国会提出時の法案では「容易に」の文言は含まれていなかった。しかし「他の情報と照合することができ、それにより特定の個人を識別することができる」という要件を無限定に広く理解すれば、コストを度外視し、時間をかければ、他の情報と照合して特定の個人を識別できる場合は少なくない。そのような場合にまで、照合できるから個人情報として取り扱わなければならないとしてしまうと、民間の事業主体に過度な負担が生じかねない。このため、国会審議の過程で、民間の事業主体への配慮から、文言「容易に」が追加されたという経緯がある。このため、行政機関・独立行政法人等と比較して、民間事業主体が、個人情報として取り扱わなければならない範囲は、一定程度限定されることになる。

(3) 要配慮個人情報

平成27年改正法では、新たな概念として「要配慮個人情報」（本人の人種、信条、社会的身分、病歴、犯罪の経歴、犯罪により害を被った事実その他本人に対する不当な差別、偏見その他の不利益が生じないようにその取扱いに特に配慮を要するものとして政令で定める記述等が含まれる個人情報）が導入された。

ヘルスケア分野では病歴および次の各項目を意味する。

> ① 身体障害、知的障害、精神障害（発達障害を含む）その他の個人情報保護委員会規則で定める心身の機能の障害があること
> ② 本人に対して医師その他医療に関連する職務に従事する者により行われた疾病の予防および早期発見のための健康診断その他の検査の結果
> ③ 健康診断その他の検査の結果に基づき、または疾病、負傷その他の心身の変化を理由として、本人に対して医師その他医療に関連する職務に従事する者により心身の状態の改善のための指導または診療もしくは調剤が行われたこと

　個人情報保護法においては、要配慮個人情報を取得および第三者提供する場合には、原則として本人の同意を得ることが義務化された（個人情報保護法17条2項、23条1項・2項）。

(4) 令和2年改正法

　令和2年改正法では、これまで規制の対象外であった「生存する個人に関する情報であって、個人情報、仮名加工情報及び匿名加工情報のいずれにも該当しないもの」を「個人関連情報」と定義する（令和2年改正法26条の2）。本来であれば、個人情報ではないので第三者提供の規制が適用されないところ、提供先の第三者が個人データとして取得することが想定されるときは、提供先が個人データとして取得することについて、提供先が本人から同意を得ているか、個人関連情報取扱事業者自身が、あらかじめ確認する義務を負うと定められた。条件を充足すれば、ヘルスケアデータにも適用される改正事項であるため、注意が必要である。

(5) ガイドライン・ガイダンス

　これまで個人情報保護法のガイドラインは業界ごとに監督官庁が作成し、結果として多数のガイドラインが存在していた。平成29年5月の平成27年改正法の全面施行に際して、これらの多くは整理されて業界を問わない汎用的なガイドラインに集約されたが、金融・放送通信・ヘルスケア等の特殊性の強い業界のみ、業界特有のガイドライン・ガイダンスが残された。

また、業界を問わず、雇用主と従業員の関係については、雇用管理分野における個人情報のうち健康情報を取り扱うにあたっての留意事項が定められている。倫理指針の対象となる研究分野については、下記4でまとめて記述する。

ア　医療分野
(ア)　適用される事業者

ヘルスケア分野のうち、医療分野の事業主体に適用される主なガイドライン・ガイダンスは**図表1-Ⅴ-3**のとおりである。

図表1-Ⅴ-3：医療分野に適用される主なガイドライン・ガイダンス

所管官庁	対象事業者	ガイドライン・ガイダンス名
厚生労働省	医療機関等、介護関係事業者	医療・介護関係事業者における個人情報の適切な取扱いのためのガイダンス（平成29年4月14日）
		医療情報システムの安全管理に関するガイドライン（平成29年5月（第5版））[注]
	健康保険組合等	健康保険組合等における個人情報の適切な取扱いのためのガイダンス（平成29年4月14日）
		国民健康保険組合における個人情報の適切な取扱いのためのガイダンス（平成29年4月14日）
		国民健康保険団体連合会等における個人情報の適切な取扱いのためのガイダンス（平成29年4月14日）

注：令和2年8月時点で5.1版の改定素案が作成されている状況である。

医療・介護関係事業者における個人情報の適切な取扱いのためのガイダンスの典型的な適用事業者として想定されているのは、①病院、診療所、助産所、薬局、訪問看護ステーション等の患者に対し直接医療を提供する事業者、②介護保険法または老人福祉法に規定される介護関係事業者である。

(イ)　特徴的な内容

たとえば、医療・介護関係事業者における個人情報の適切な取扱いのためのガイダンスにおいては、家族等への病状説明を行う場合の注意点が説明されている。家族といえども、本人ではない第三者であることに変わりはなく、家族等への病状説明も第三者提供に該当するため、法的に許容さ

れるための裏づけを検討する必要が生じる。

図表1-V-4：家族等への病状説明が許容される場合

許容されるケース	望ましい対応
治療等を進めるにあたり、本人だけでなく家族等の同意を得る必要がある場合	本人への医療（介護）の提供に必要な利用目的と考えられるが、本人以外の者に病状説明を行う場合は、本人に対し、あらかじめ病状説明を行う家族等の対象者を確認し、同意を得ることが望ましい。
意識不明の患者の病状や重度の認知症の高齢者の状況を家族等に説明する場合	本人の同意を得ずに第三者提供できる。本人の意識回復後に、すみやかに第三者提供の件を説明する。

　第三者提供の同意に関しては、実態をふまえて、患者本人の同意が得られていると考えてよい場合として、「患者への医療の提供のために通常必要な範囲の利用目的について、院内掲示等で公表しておくことによりあらかじめ黙示の同意を得る場合」が説明されている。もっとも無条件で認められるわけではなく、「院内掲示等においては、(ア)患者は、医療機関等が示す利用目的の中で同意しがたいものがある場合には、その事項について、あらかじめ本人の明確な同意を得るよう医療機関等に求めることができること、(イ)患者が、(ア)の意思表示を行わない場合は、公表された利用目的について患者の同意が得られたものとすること、(ウ)同意及び留保は、その後、患者からの申出により、いつでも変更することが可能であること」が求められている。

　イ　遺伝情報分野
　　(ア)　適用される事業者
　ヘルスケア分野のうち、遺伝情報分野の事業主体に適用されるガイドライン・ガイダンスはやや適用関係が複雑である。

図表1-V-5：遺伝情報分野に適用される主なガイドライン・ガイダンス

所管官庁	想定される場面	ガイドライン・ガイダンス名
厚生労働省	医療機関等が遺伝	医療・介護関係事業者における個人情報の適切

	情報を用いた検査を行う場合	な取扱いのためのガイダンス（平成29年4月14日）
経済産業省	個人遺伝情報取扱事業者	経済産業分野のうち個人遺伝情報を用いた事業分野における個人情報保護ガイドライン（平成29年3月29日）

　ここでいう個人遺伝情報取扱事業とは、個人遺伝情報に係る検査、解析、鑑定等を行う事業のことであり、塩基配列・一塩基多型、体質検査等の遺伝子検査、親子鑑定等のDNA鑑定、遺伝子受託解析等がある。また、個人からの依頼を受けて自ら遺伝情報を取得する場合と、医療機関や他の事業者からの受託により検査、解析、鑑定等のみを行う場合の両方を含む。
　㈲　特徴的な内容
　個人遺伝情報の適正な取得の実施に関して、ガイドラインでは、インフォームドコンセントの実施が求められている。具体的には、事前に本人に十分な説明をし、本人の文書による同意を受けて、個人遺伝情報を用いた事業を実施すること、DNA鑑定等鑑定結果が法的な影響をもたらす場合においては、その影響についても適切かつ十分な説明を行ったうえで、文書により対面で同意を取得する必要がある。説明文書に盛り込む内容としては、①事業の意義（特に、体質検査を行う場合には、その意義が客観的なデータにより明確に示されていること）、②目的、③方法（対象とする遺伝的要素、分析方法、精度等、将来の追加、変更が予想される場合はその旨）、④事業の期間、⑤事業終了後の試料の取扱い、⑥予測される結果や不利益（社会的な差別その他の社会生活上の不利益も含む）、⑦同意撤回の方法、撤回の要件、撤回への対応（廃棄の方法等も含む）、費用負担等、⑧事業者情報、⑨試料等の取得から廃棄に至る各段階での情報の取扱い、⑩個人遺伝情報の匿名化および安全管理措置の具体的方法等が定められている。なお、令和2年8月現在、文書に限らない電磁的方法によるインフォームドコンセントを可能とする同ガイドラインの改正が進められている。
　ウ　業界団体によるガイドライン
　業界団体によるガイドラインは多数存在するが、ヘルスケア関連で代表的なものとしては、日本製薬団体連合会による「製薬企業における個人情

報の適正な取扱いのためのガイドライン」(平成 17 年 1 月(最終改訂:平成 29 年 5 月 30 日))が著名である。

　エ　雇用関係

　従業員の健康情報については、「雇用管理分野における個人情報のうち健康情報を取り扱うに当たっての留意事項(平成 29 年個情第 749 号、基発 0529 第 3 号)」が定められており、健康診断結果およびストレスチェック結果の取扱いについて、詳しく定めている。とりわけ、HIV 感染症や B 型肝炎等の職場において感染したり、蔓延したりする可能性が低い感染症に関する情報や、色覚検査等の遺伝性疾病に関する情報については、職業上の特別な必要性がある場合を除き、事業者は、労働者等から取得すべきでない、としている点は注意を要する。また、労働安全衛生法 104 条 3 項およびじん肺法 35 条の 3 第 3 項に基づき公表された「労働者の心身の状態に関する情報の適正な取扱いのために事業者が講ずべき措置に関する指針(平成 30 年 9 月 7 日労働者の心身の状態に関する情報の適正な取扱い指針公示第 1 号)」では、事業規模の大小を問わず、「健康情報取扱規程」を策定することが求められている。「健康情報取扱規程」では以下の事項について定めることとされている。

①　健康情報を取り扱う目的と取扱方法
②　健康情報を取り扱う者とその権限、取り扱う健康情報の範囲
③　健康情報を取り扱う目的等の通知方法と本人同意の取得方法
④　健康情報の適正管理の方法
⑤　健康情報の開示、訂正等(追加・削除を含む)および使用停止等(消去・第三者への提供の停止を含む)の方法
⑥　健康情報の第三者提供の方法
⑦　事業承継、組織変更に伴う健康情報の引継ぎに関する事項
⑧　健康情報の取扱いに関する苦情の処理
⑨　取扱規程の労働者への周知の方法

　もっとも、職場における新型コロナウイルス感染者の個人情報の取扱いに関しては、個人情報保護委員会より「新型コロナウイルス感染症の拡大防止を目的とした個人データの取扱いについて」が公表されており、たとえば以下のような内容が示されている(同別紙)。

- 従業員に新型コロナウイルス感染者と濃厚接触者が出た場合、その事実を社内で公表する場合の注意点
- 従業員が新型コロナウイルスに感染し、当該従業員が接触したと考えられる取引先にその旨を、本人の同意なしに情報提供することの可否

新型コロナウイルスについては、その感染力の強さが明らかになっており、安全配慮義務の観点からも、感染した従業員の情報は、上記の「労働者から取得すべきでない情報」には該当しないと考えられる。

2 医療情報安全管理関連ガイドライン（旧称「3省4ガイドライン」）

医療情報の取扱いにかかわる厚生労働省、総務省および経済産業省の3省が策定している医療情報の安全管理に関するガイドラインの総称である。これまでは「3省4ガイドライン」と呼称されることが多かったが、「医療情報安全管理関連ガイドライン」と呼称されることとなった。現在、段階的な統廃合が進められている。

図表1-Ⅴ-6：医療情報安全管理関連ガイドラインの一覧

所轄官庁	ガイドライン名称	最新版の公表時期
厚生労働省	医療情報システムの安全管理に関するガイドライン	平成29年5月（第5版）[注1]
総務省	クラウドサービス事業者が医療情報を取り扱う際の安全管理に関するガイドライン	平成30年7月（初版のみ）[注2]
経済産業省	医療情報を受託管理する情報処理事業者における安全管理ガイドライン	平成24年10月（第2版）[注2]

注1：令和2年8月現在、5.1版の改定素案が作成されている。
注2：令和2年8月、総務省と経済産業省のガイドラインは統合された（(4)にて後述）。

クラウド環境で医療情報システムサービスを提供する事業者（開発会社やデータセンター、クラウド事業者等）は、これらすべてのガイドラインの対策項目を満たす必要がある。

(1) 医療情報システムの安全管理に関するガイドライン

　平成17年3月に第1版が公表される等、3省4ガイドラインのうちでは最も古く、各ガイドラインのベースとなっている。最も頻繁に改訂がなされているガイドラインでもあり、平成27年改正法の全面適用が開始された平成29年5月には最新の第5版が公表されている。

　このガイドラインが適用される事業主体は、病院、一般診療所、歯科診療所、助産所、薬局、訪問看護ステーション、介護事業者、医療情報連携ネットワーク運営事業者等が想定されている。これらの事業主体で扱う医療・介護情報システムを運営するための組織体制や設置基準、外部委託時に外部事業者と定める内容等が提示されている。

　具体的には、電子的な医療情報を扱う際の責任のあり方や情報システムの基本的な安全管理、診療録と診療諸記録を外部に保存する際の基準、運用管理等について定められている。さまざまな要求項目等に対して、その考え方、最低限実施すべき対策、さらに推奨される対策等が示されている。

(2) クラウドサービス事業者が医療情報を取り扱う際の安全管理に関するガイドライン

　上記(1)の「医療情報システムの安全管理に関するガイドライン」が、医療・介護関係事業者の観点から書かれているのに対して、クラウド事業者の観点から追加・補強されたものが、この総務省によるガイドラインである（以下「クラウド事業者ガイドライン」という）。「ASP・SaaS事業者が医療情報を取り扱う際の安全管理に関するガイドライン」および「ASP・SaaSにおける情報セキュリティ対策ガイドライン」が、平成30年7月に統合されて、新たに作成された。ここでいうクラウド事業者には、ASP、SaaSのほか、PaaS、IaaS等も含まれる。また、本ガイドラインは、オンライン診療システムが医療情報システムと接続する場合や、PHR（パーソナル・ヘルス・レコード）サービスもカバーしている。

　内容としては、クラウド事業者が医療情報の処理を行う際の責任や安全管理に関する要求事項、医療機関の管理者との責任分界の考え方や安全管理の実施における医療機関との合意形成のあり方、組織・運用および物理的・技術的対策を含む情報セキュリティ対策の指針等が示されている。

しかし、令和2年8月に経済産業省「医療情報を受託管理する情報処理事業者における安全管理ガイドライン」との統合版が総務省・経済産業省の両省により公表されている（(4)にて後述）。

(3) **医療情報を受託管理する情報処理事業者における安全管理ガイドライン**

上記(1)の「医療情報システムの安全管理に関するガイドライン」が、医療・介護関係事業者の観点から書かれているのに対して、情報処理事業者の観点から追加・補強されたものが、経済産業省によるこのガイドラインである（以下「情報処理事業者ガイドライン」という）。医療情報を受託管理する情報処理事業者を対象に、安全管理上の要求事項を定めたものである。医療情報処理施設や装置の物理的安全対策、装置やソフトウエア、ネットワークの技術的安全対策、人的安全対策等が述べられている。

現在、上記(2)の「クラウド事業者ガイドライン」との統合が行われた。

(4) **医療情報を取り扱う情報システム・サービスの提供事業者における安全管理ガイドライン**

上記(2)(3)の総務省および経済産業省のガイドラインが統合されたものが、両省によるこのガイドラインである。情報サービスの提供形態の多様化により、医療情報を取り扱う情報システムやサービスの提供事業者が「クラウド事業者ガイドライン」と「情報処理事業者ガイドライン」の両方を参照して対応する必要が生じていることなどから、以下の方針で整理された。

① 他の規格・ガイドラインとの整合性の確保に留意しながら、過去のガイドラインの遵守と同等の安全管理水準が確保されるようにする。
② 医療情報システム等の特性に応じた必要十分な対策を設計するために、一律に要求事項を定めることはせず、リスクベースアプローチに基づいたリスクマネジメントプロセスを定義する。
③ 医療機関等と医療情報システムの提供事業者においてセキュリティ対策について正しい共通理解と明示的な合意のもと医療情報システム等を運用するために、リスクコミュニケーションを重視する。
④ 医療情報システム等に関連する法令の求めに対して対策の抜け漏れを防

止するために、医療情報の取扱いにおいて留意すべき点や制度上の要求事項を明らかにする。

「クラウド事業者ガイドライン」と「情報処理事業者ガイドライン」が対象としていた事業者は、引き続きこの統合されたガイドラインの対象となる。

特徴としては、医療情報を取り扱う情報システムやサービスに特有のリスクに応じて適切な対応を行うためのリスクマネジメントプロセスそのものを定義し、その実践を求めるなど、プロセスの記載に重点が置かれている点があげられる。もっとも、別紙として統合前の「クラウド事業者ガイドライン」と「情報処理事業者ガイドライン」における要求事項を一覧として整理した表も公開されており、その各事項についての確認が必須とされるなど、要求される対策のレベルが下がったものではないことに注意が必要である。

3 オンライン診療

技術の発展に伴って、オンライン診療が急速に普及しようとしており、厚生労働省は、平成30年3月に「オンライン診療の適切な実施に関する指針」を公表した（最終改訂：令和元年7月）。

同指針では、オンライン診療の実施にあたっては、利用する情報通信機器やクラウドサービスを含むオンライン診療システムおよび汎用サービス（オンライン診療に限らず用いられるサービスで、視覚および聴覚を用いる情報通信機器のシステム）を適切に選択・使用するために、個人情報およびプライバシーの保護に最大限配慮するとともに、使用するシステムに伴うリスクをふまえた対策を講じたうえで、オンライン診療を実施することが重要であると指摘している。そのうえで、同指針は、医師が行うべき対策、オンライン診療システム事業者が行うべき対策、患者に実施を求めるべき内容といった事項を紹介している。

これまで、受診歴がない初診の患者についてはオンライン診療を認めない取扱いとされてきたところ、新型コロナ禍の拡大に伴い、医療従事者の新型コロナ感染リスクを少しでも減らすべく、時限的な措置として、受診

歴がない初診の患者についても、オンライン診療が解禁されることが令和2年4月の政府の規制改革推進会議において決定された。

4　倫理指針（医学研究に関する指針）

　医学研究に関する指針として、「人を対象とする医学系研究に関する倫理指針」（平成26年12月22日文部科学省・厚生労働省告示第3号（最終改正：平成29年2月28日文部科学省・厚生労働省告示第1号））、「ヒトゲノム・遺伝子解析研究に関する倫理指針」（平成13年3月29日文部科学省・厚生労働省・経済産業省告示第1号（最終改正：平成29年2月28日文部科学省・厚生労働省・経済産業省告示第1号））、「ヒト受精胚に遺伝情報改変技術等を用いる研究に関する倫理指針」（平成31年4月1日文部科学省・厚生労働省告示第3号（新設））等の倫理指針があり、これらの指針は、主に厚生労働省によって策定された、適正に医学研究を実施するための指針である。個人情報保護法の趣旨をふまえ、平成29年に複数の指針の大幅な見直しが実施されるとともに、指針の遵守を補助金交付の条件とし、違反があった場合には補助金

図表1-Ⅴ-7：事業主体ごとに適用されるルールの比較

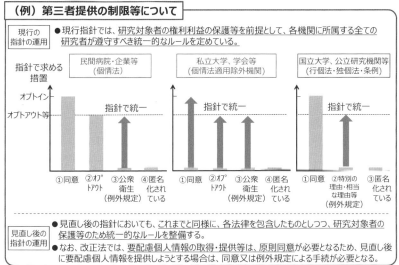

出典：文部科学省研究振興局ライフサイエンス課生命倫理・安全対策室ほか「研究指針の改正に関する説明会」（平成28年8月29日）10頁。

の返還、補助金の交付対象外（最大5年間）とする措置の対象とされることがありうるものとされる等、指針の遵守が強く求められている。

　倫理指針の特徴の1つとして、事業主体の性格を問わない、統一的なルールとして機能するよう設計されている点をあげることができる。たとえば病院であれば、国立病院でも公立病院でも私立病院でも同じ指針が適用される。これはその意味では、個人情報の保護のルールが、事業主体の法的性格によって異なり、その内容も異なることから、その隙間を埋めるという観点もあるとされている。

　倫理指針は、場面ごとに設けられている。

① 人を対象とする医学系研究に関する倫理指針[注1]
② ヒトゲノム・遺伝子解析研究に関する倫理指針[注2]
③ 遺伝子治療等臨床研究に関する指針
④ 手術等で摘出されたヒト組織を用いた研究開発の在り方について——医薬品の研究開発を中心に
⑤ 厚生労働省の所管する実施機関における動物実験等の実施に関する基本指針
⑥ 異種移植の実施に伴う公衆衛生上の感染症問題に関する指針
⑦ ヒト受精胚の作成を行う生殖補助医療研究に関する倫理指針
⑧ ヒト受精胚に遺伝情報改変技術等を用いる研究に関する倫理指針
⑨ 特定胚の取扱いに関する指針（文部科学省）
⑩ ヒトES細胞の樹立に関する指針
⑪ ヒトES細胞の使用に関する指針（文部科学省）
⑫ ヒトES細胞の分配機関に関する指針（文部科学省）
⑬ ヒトiPS細胞又はヒト組織幹細胞からの生殖細胞の作成を行う研究に関する指針
⑭ 研究機関等における動物実験等の実施に関する基本指針（文部科学省）
⑮ 農林水産省の所管する研究機関等における動物実験等の実施に関する基本指針（農林水産省）

注1：疫学研究に関する倫理指針と臨床研究に関する倫理指針が統合された。
注2：令和2年8月現在、人を対象とする医学系研究に関する倫理指針との統合が進められている。

　このうち、①「人を対象とする医学系研究に関する倫理指針」と②「ヒトゲノム・遺伝子解析研究に関する倫理指針」は「人を対象とする生命科学・

医学系研究に関する倫理指針」として統合が予定されており、従来の各指針において定められていた個人情報等の保護に関する規定は、①における規定と同様の内容とする方向で検討が進んでいる。なお、②にのみ規定されていた「個人情報管理者」について、その設置が必ずしも要求されない代わりに、ガイダンスにおいて個人情報管理に関する留意事項等が記載される方針であるので、その点に注意が必要である。

5 次世代医療基盤法

　個人情報保護法では個人情報の第三者提供には原則本人の同意が必要であり、特に、要配慮個人情報については、オプトアウトの制度も認められていないため（個人情報保護法23条参照）、病院・医院にとっては、患者の情報を第三者に提供するには事実上高いハードルがあるという指摘は免れないところである。そうであれば、本人の同意なくして提供できるよう新たな枠組みを設けようというのは自然な発想といえよう。ここに、そもそも患者の情報の提供先である第三者を限定し、その第三者に匿名加工させたうえで、外部への提供を許容する枠組みとするのと引換えに、本人の同意を不要とする（オプトアウトの制度を認める）のが、次世代医療基盤法である。この制度については下記Ⅵ6で詳述する。

〔中崎尚＝林俊吾〕

コラム④：遠隔診療（オンライン診療）の法令上の扱い

　遠隔診療とは、一般に、情報通信機器を活用した健康増進、医療に関する行為をいい、テレビ電話等の技術の発達により、遠隔診療が可能となりつつある。他方、遠隔診療を規制する法律としては、無診察治療を禁止する医師法20条がある。

　遠隔診療と医師法20条の関係について、厚生省は、平成9年の通知（「情報通信機器を用いた診療（いわゆる『遠隔診療』）について」（平成9年12月24日健政発第1075号））によって、対面診療の原則を述べたうえで、「直接の対面診療による場合と同等ではないにしてもこれに代替し得る程度の患者の心身の状況に関する有用な情報が得られる場合には、遠隔診療を行うことは直ちに医師法20条等に抵触するものではない」（傍点は筆者）との一般論を示し、平成15年および23年の改正で別表に適法となる例を示した。しかし、その後の同通知の解釈にあたる通達に照らしても、遠隔診療が適法とされる

要件がなお不明確な状況が続いていた。

そうした状況にあって、厚生労働省は、平成30年3月、「オンライン診療の適切な実施に関する指針」（令和元年7月一部改訂。以下「本指針」という）を公表した。本指針は、いわゆる遠隔診療のうち、医師患者間において、情報通信機器を通して、患者の診察および診断を行い、診断結果の伝達や処方等の診療行為をリアルタイムにより行う行為を「オンライン診療」と定義したうえで、オンライン診療の安全性を担保し、診療として有効な問診、診断等が行われるために必要な事項を「最低限遵守すべき事項」として掲げている（**図表④**参照）。そして、本指針は、これを「遵守してオンライン診療を行う場合には、医師法20条に抵触するものではない」と明言した。なお、令和2年4月以降、オンライン診療を実施する医師は、厚生労働省が定める研修を受講しなければならないとされている（すでにオンライン診療を実施している医師は、同年10月までに研修を受講するものとされている）。

ただし、本指針によって、オンライン診療が可能な範囲が拡大されたというわけではない。直接の対面診察の必要性について、上記平成9年の通知では、原則として初診の患者については対面の診察を要し、例外的に不要とされる場合も直接の対面診察と適切に組み合わせて行うこととされている。また、同通知の内容を明確化する平成29年の改正（平成29年7月14日医政発0714第4号））で、直接の対面診療を適切に組み合わせて行われるときは遠隔診療によっても差し支えないことや、禁煙外来については、定期的な健康診断が行われていることを確認のうえで、直接対面診療の必要性について柔軟に取り扱ってよい（初診から遠隔診療でもよい）ということが確認されていた。他方、本指針も、原則として初診の患者については対面の診察を要するとし、例外的に初診でのオンライン診療が許容される場合（離島・へき地など医師・医療機関が少なく診療継続困難な場合等）でも原則として事後に対面診察が必要とされている。なお、禁煙外来や緊急避妊に係る診療については本指針に記載の例外的な対応が許容され得る。このように、本指針の前後で、オンライン診療が可能とされる要件に実質的に変更はない。なお、本指針上、初診とは、初めて診察を行うことをいうが、継続的に診療している場合においても、新たな症状に対する診察や一度治癒した後に再度同一疾患について診察することも含むとされている点に留意する必要がある（厚生労働省「『オンライン診療の適切な実施に関する指針』に関するQ&A」平成30年12月（最終改訂：令和元年7月））。

また、オンライン診療で処方を行うこともできるが、患者が薬局で処方箋に基づいて処方された医薬品を購入するには、原則として薬局において薬剤師による対面の服薬指導を受ける必要があった（薬機法9条の3第1項）。すなわち、院外処方の場合、患者は診療をオンラインで受けたとしても、処方

薬を買うために原則として薬局に出向かなければならなかった。しかし、この点、令和元年改正薬機法（令和2年9月1日施行部分）により、オンライン服薬指導が導入された。オンライン診療に基づく処方箋により調剤される場合には、①あらかじめ対面による服薬指導を行っていること、および②服薬指導計画に従って実施することを要件として、オンライン服薬指導を行うことができ、患者は処方箋を薬局に出向くことなく購入することができる。

　遠隔診療に関しては、本指針の制定と同時期に行われた平成30年度の診療報酬改定において、オンライン診療に対する診療報酬が導入されており、この点はオンライン診療の活用にとって大きな前進である。

　従前の取扱いでは、遠隔診療での再診は電話等再診にあたるものとされ、診療報酬の各種加算ができないとされていた。また、初診料については電話等再診のような規定がないため、一切請求できないと解されてきた。

　これに対し、平成30年度の改定では、オンライン診療を評価する必要があるものとして、新たに「オンライン診療料」、「オンライン医学管理料」、「オンライン在宅管理料」、「精神科オンライン在宅管理料」が導入された。ただし、オンライン診療料の算定は定期的に対面による診察を行っている患者であること等が条件である。また、初診料と同時に算定することはできないとされており、オンライン診療について初診料を請求できないことに変わりはない（「診療報酬の算定方法の一部を改正する件」（平成30年3月5日厚生労働省告示第43号））。また、オンライン服薬指導についても、令和元年の薬機法改正に伴い診療報酬が新設された（「診療報酬の算定方法の一部を改正する件」（令和2年3月5日厚生労働省告示第57号））。

　このような状況の下、令和2年、新型コロナウイルスの感染拡大に伴い、医療機関や薬局での感染を防止するため、オンライン診療・服薬指導を活用する必要性が高まった。そこで、オンライン診療・服薬指導につき時限的な措置が導入された。

　まず、「新型コロナウイルス感染症患者の増加に際しての電話や情報通信機器を用いた診療や処方箋の取扱いについて」（令和2年2月28日厚生労働省医政局医事課、医薬・生活衛生局総務課事務連絡）で、慢性疾患等により定期受診患者等について、これまでも処方されていた医薬品を診療計画なしにオンライン診療により処方すること、および、医療機関から薬局にファクシミリ等により処方箋情報を送付し、オンラインで服薬指導を行うこと等が許容された。続く「新型コロナウイルスの感染拡大防止策としての電話や情報通信機器を用いた診療等の臨時的・特例的な取扱いについて」（令和2年3月19日厚生労働省医政局医事課、医薬・生活衛生局総務課事務連絡）で、これまで処方されていない慢性疾患治療薬をオンライン診療により処方することも許容された。

しかし、新型コロナウイルスのさらなる感染拡大により緊急事態宣言が発令される中、「新型コロナウイルス感染症の拡大に際しての電話や情報通信機器を用いた診療等の時限的・特定的な取扱いについて」（令和2年4月10日厚生労働省医政局医事課、厚生労働省医薬・生活衛生局総務課事務連絡（以下「4月10日事務連絡」という））で、上記2つの通知は廃止され、対象疾患を問わず、電話や情報通信機器を用いた診療により診断や処方が当該医師の責任の下で医学的に可能であると医師が判断した範囲において、初診からオンライン診療により診断や処方を行うことが認められた。ただし、4月10日事務連絡に記載の以下の条件①～③を満たす必要がある。なお、オンライン診療を実施するための研修の受講も猶予されている。

> ① 生じうる不利益や急病急変時の対応方針等を患者に説明し、その内容を診療録に記載すること
> ② 対面による診療が必要と判断される場合に速やかに対面診療に移行できるまたは他の医療機関に速やかに紹介できる体制を整備すること
> ③ 患者の本人確認・受給資格の確認等

4月10日事務連絡では、薬局においても、ファクシミリ等により送付された処方箋情報をもとに調剤を行い、「薬剤師が、患者、服薬状況等に関する情報を得た上で、電話や情報通信機器を用いて服薬指導等を適切に行うことが可能と判断した場合には」オンラインで服薬指導を行うことができるとされた。ただし、その場合も、4月10日事務連絡に記載の以下の条件①～④を満たす必要がある。

> ① 生じうる不利益等や配送および服薬状況の把握等の手順について患者に説明し、説明を行ったことを記録すること
> ② 当該患者に初めて調剤した薬剤については患者の服薬アドヒアランスの低下等を回避して薬剤の適正使用を確保するため、薬剤の交付後の服薬期間中に電話等を用いて服薬状況の把握や副作用の確認等を実施する等の対応をとること
> ③ 対面による服薬指導が必要と判断される場合に速やかに対面による服薬指導に切り替えること
> ④ 診療に準ずる患者の本人確認・受給資格の確認等

なお、4月10日事務連絡では、当該医師がオンラインでの診断や処方が困難であると判断し、診断や処方を行わなかった場合、対面診療を促すまたは他の診療可能な医療機関を紹介するといった対応を行った場合は、受診勧奨

に相当し、応招義務（医師法19条1項）に違反するものではないとされている。また、オンライン診療についても時限的に初診料の算定が可能とされている（「新型コロナウイルス感染症に係る診療報酬上の臨時的な取扱いについて（その10）」（令和2年4月10日厚生労働省保険局医療課事務連絡））。

　以上の措置は、新型コロナウイルス感染収束までの時限的な対応とされており、原則として3か月ごとに検証を行うものとされている。令和2年7月現在、以上の措置に変更はないが、その後の新型コロナウイルスの感染状況の推移等に照らし、厚生労働省からさらなる通知が発出されることが考えられるため、遠隔医療に関する規制の最新状況については、引き続き注視が必要である。

図表④：オンライン診療の実施にあたり遵守すべき事項

患者合意	オンライン診療を実施する旨の合意があること等
適用対象	原則として直接の対面診療を経たうえで行うこと、直接の対面診察に代替しうる程度の患者の心身の状態に関する有用な情報を得ること等
診療計画	直接の対面診療による評価に基づいて診療計画を定め、2年間は保存すること等
本人確認	医師の医師免許の確認、医師および患者の本人確認を行うこと
薬剤処方・管理	原則として新たな疾患に対する処方は直接の対面診療に基づくこと。ただし、速やかな受診が困難である患者に対して、発症が容易に予測される症状の変化に医薬品を処方することはあらかじめ診療記録に記載している場合に限り認められること等
診察方法	リアルタイムの視覚・聴覚の情報を含む情報通信手段を採用する（チャット機能を活用することはできるが、それのみで完結してはならない）こと等
医師の所在	医療機関に所属していること、直接の対面診療を行える体制を整えておくこと、外部から隔離された空間で診療を行うこと等
患者の所在	外部から隔離された空間で診療を受けること等
通信環境	指針に定めるルールを厳守したシステムの利用等

〔山内真之＝大出萌〕

VI 医療分野の研究開発に資するための匿名加工医療情報に関する法律（次世代医療基盤法）

1 法律の目的

　「医療分野の研究開発に資するための匿名加工医療情報に関する法律」（平成 29 年 5 月 12 日法律第 28 号。以下「次世代医療基盤法」または「法」という）は、医療分野の研究開発のため、特定の個人を識別できないよう加工された医療情報（法 2 条 3 項で「匿名加工医療情報」として定義されている）に関して、国の責務や基本方針を定め、匿名加工医療情報の作成事業を行う者を認定する仕組みを設けるとともに、匿名加工医療情報の取扱いを定めることにより、匿名加工医療情報の安心・適正な利活用を通じて、健康・医療に関する先端的研究開発および新産業創出を促進し、健康長寿社会の形成に資することを目的としている（法 1 条参照）。

　平成 29 年 5 月に、「個人情報の保護に関する法律及び行政手続における特定の個人を識別するための番号の利用等に関する法律の一部を改正する法律」（平成 27 年 9 月 9 日法律第 65 号）が施行され、本人の病歴等が含まれる個人情報は「要配慮個人情報」として定義されたが、要配慮個人情報については、オプトアウト手続の適用が除外されており、要配慮個人情報を第三者に提供するためには、原則として本人の同意を取得しなければならない。

　こうした状況をふまえて、個人の権利利益の保護に配慮しつつ、匿名加工された医療情報を安心して適正に利活用できるよう、次世代医療基盤法では、医療情報取扱事業者が、医療情報について、本人の同意を取得しないで認定匿名加工医療情報作成事業者に提供できる仕組みを新たに設けている。

　次世代医療基盤法は、「医療分野の研究開発に資するための匿名加工医療情報に関する法律施行令」（以下「令」という）および「医療分野の研究開発に資するための匿名加工医療情報に関する法律施行規則」（以下「規則」という）とともに、平成 30 年 5 月 11 日に施行された。また、法の具体的な運用について、内閣府・文部科学省・厚生労働省・経済産業省による「医

療分野の研究開発に資するための匿名加工医療情報に関する法律についてのガイドライン」（平成30年5月。以下本項において「ガイドライン」という）が作成・公表されている。

2 法律の概要

次世代医療基盤法において、国は、医療分野の研究開発に資するため、匿名加工医療情報に関して、国民の理解の増進、規格の適正化、情報システムの整備といった施策を講じる一方で、政府は、医療分野の研究開発に資するための匿名加工医療情報に関する基本方針を定めることとされている（法4条～7条参照、詳細については下記3参照）。

また、医療情報を取得して匿名加工医療情報の適確な作成ができ、必要かつ適切な安全管理措置を講じて、当該措置を適確に実施できるといった基準を満たした者を、匿名加工医療情報作成者として認定する仕組みが設けられている（法9条1項で「認定匿名加工医療情報作成事業者」として定義されている、詳細については下記4(2)イ参照）。

さらに、病院・診療所といった医療機関等（法2条5項で「医療情報取扱事業者」と定義されている）は、一定の事項を、あらかじめ本人に通知するとともに、主務大臣に届け出たときは、認定匿名加工医療情報作成事業者に

図表1-Ⅵ-1：次世代医療基盤法の概要

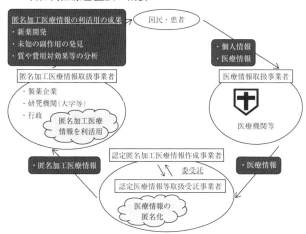

対して、医療情報を提供できるという仕組みを設けている（法30条、詳細については下記6参照）。

認定匿名加工医療情報作成事業者が作成した匿名加工医療情報の安心・適正な利活用を通じて、健康・医療に関する先端的研究開発および新産業創出を促進することが期待されている。

3 国の責務・施策、政府の施策（基本方針の策定）

次世代医療基盤法は、国に対して、医療分野の研究開発に資するため、匿名加工医療情報に関して必要な施策を講ずる責務を課している（法3条）。

具体例としては、①国民の理解を深めるための措置を講ずること（法5条）、②適正な規格を整備し、その普及および活用を促進するための措置を講ずること（法6条）、③情報システムを整備し、その普及および活用を促進するための措置を講ずるよう努めること（法7条）が定められている。

また、政府は、医療分野の研究開発に資するための匿名加工医療情報に関する施策の総合的かつ一体的な推進を図るため、匿名加工医療情報に関する基本方針を定めることとされている（法4条）。

この基本方針には、①施策の推進に関する基本的な方向、②国が講ずべき措置に関する事項、③匿名加工医療情報の作成に用いる医療情報に係る本人の病歴等を理由とする不利益が生じないための措置に関する事項、④認定匿名加工医療情報作成業者等の認定に関する基本的な事項、⑤その他施策の推進に関する重要事項、が定められる（法4条2項）。

上記の法律を受けて、平成30年4月27日に、「医療分野の研究開発に資するための匿名加工医療情報に関する基本方針」（以下「基本方針」という）が定められた。

基本方針では、医療分野の研究開発に資するための匿名加工医療情報に関する施策の推進に関する基本的な方向として、「新しい健康・医療・介護システム」の実現に向けたオールジャパンでのデータ利活用基盤の構築や法の理念と制度運用の基本的な考え方が規定されている。医療情報については、現在、全国規模で利活用が可能なデータは、診療行為の実施情報（インプット）である診療報酬明細書（レセプト）データが基本であり、診療行為の実施結果（アウトカム）に関するデータの利活用は十分には進んでいな

い。こうした状況をふまえ、個人の権利利益の保護に配慮しつつ、匿名加工された医療情報を安心して適正に利活用することが可能な新たな仕組みを整備することを目的とした、制度運用の基本的考え方等が定められている。

　また、基本方針は、国が講ずべき医療分野の研究開発に資するための匿名加工医療情報に関する措置に関する事項についても規定しており、①国民の理解の増進に関する措置、②匿名加工医療情報の利活用の推進に関する措置、③規格の整備等に関する措置、④医療等分野に用いる識別子（ID）の実現、⑤情報システムの整備に関する措置、⑥人材の育成に関する措置、⑦地方公共団体や保険者との連携に関する措置、⑧独立行政法人との連携に関する措置、⑨国際的な展開に関する措置の各措置が規定されている。

4　法律の対象となる「情報」および「主体」

(1)　法律の対象となる「情報」

ア　医療情報

　次世代医療基盤法では、法律の対象となる情報として、2条1項において、「医療情報」の定義が定められている。

　医療情報とは、特定の個人の病歴その他の当該個人の心身の状態に関する情報であって、当該心身の状態を理由とする当該個人またはその子孫に対する不当な差別、偏見その他の不利益が生じないようにその取扱いに特に配慮を要するものとして政令で定める記述等であるものが含まれる個人に関する情報のうち、

> ①　当該情報に含まれる氏名、生年月日その他の記述等により特定の個人を識別することができるもの（他の情報と容易に照合することができ、それにより特定の個人を識別することができることとなるものを含む）
> ②　個人識別符号が含まれるもの

のいずれかに該当するものである。

　令1条では、「特定の個人の病歴その他の当該個人の心身の状態に関する情報であって、当該心身の状態を理由とする当該個人又はその子孫に対する不当な差別、偏見その他の不利益が生じないようにその取扱いに特に

配慮を要するものとして政令で定める記述等」(法2条1項) について以下のとおり定めている。

①　特定の個人の病歴
②　①に該当するものを除く、次に掲げる事項のいずれかを内容とする記述等
ⅰ　身体障害、知的障害、精神障害(発達障害を含む) その他の主務省令で定める心身の機能の障害があること
ⅱ　特定の個人に対して医師その他医療に関連する職務に従事する者 (ⅲにおいて「医師等」という) により行われた疾病の予防および早期発見のための健康診断その他の検査 (ⅲにおいて「健康診断等」という) の結果
ⅲ　健康診断等の結果に基づき、または疾病、負傷その他の心身の変化を理由として、特定の個人に対して医師等により心身の状態の改善のための指導または診療もしくは調剤が行われたこと

個人情報保護法においては、「個人情報」(個人情報保護法2条1項) および「要配慮個人情報」(同条3項) が定義されているところ、「医療情報」の多くは、個人情報保護法上の「個人情報」および「要配慮個人情報」にも

図表1-Ⅵ-2：医療情報の定義

| 特定の個人の病歴 | または | ①～③のいずれかを内容とする記述等
①　身体障害、知的障害、精神障害(発達障害を含む)等の障害があること
②　医師等により行われた疾病の予防および早期発見のための健康診断等の結果
③　健康診断等の結果に基づき、または疾病、負傷その他の心身の変化を理由として、特定の個人に対して医師等により心身の状態の改善のための指導または診療もしくは調剤が行われたこと |

が含まれる個人に関する情報のうち、

| 当該情報に含まれる氏名、生年月日等により特定の個人を識別することができるもの (他の情報と容易に照合することができ、それにより特定の個人を識別することができることとなるものを含む) | または | 個人識別符号が含まれるもの
(個人識別符号：その情報単体から特定の個人を識別することができるもの
【例】：指紋や顔の特徴をコンピュータ処理できるようにデジタルデータ化したもの、マイナンバー、パスポートや運転免許証に付される番号、基礎年金番号等) |

図表1-Ⅵ-3：個人情報と医療情報の関係

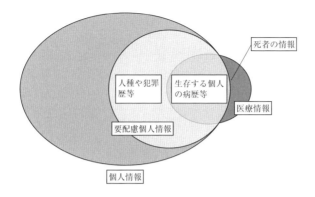

該当すると考えられる。

　もっとも、「個人情報」が「生存する個人に関する情報」に限定されているのに対し、「医療情報」の定義では「特定の個人」としか記載されておらず、「医療情報」の対象は必ずしも生存する個人に限定されていないため、個人情報保護法上の「個人情報」や「要配慮個人情報」とは異なり、「医療情報」は、死者の個人に関する情報も含まれると考えられる。

　イ　匿名加工医療情報

「匿名加工医療情報」は、法2条3項において、個人情報保護法の匿名加工情報（個人情報保護法2条9項）と同様に、特定の個人を識別することができないように医療情報を加工し、かつ、医療情報を復元できないものと定義されている（法2条3項）。

　個人情報と医療情報の関係と同様に、匿名加工医療情報の多くは、個人情報保護法上の「匿名加工情報」にも含まれると考えられる一方で、個人情報保護法上の「匿名加工情報」とは異なり、「匿名加工医療情報」は、死者の個人に関する情報も含まれると考えられる。

　ウ　医療情報データベース等

　次世代医療基盤法では、「医療情報データベース等」についても定義されているところ、2条5項において、「医療情報データベース等」とは、「医療情報を含む情報の集合物であって、特定の医療情報を電子計算機を用いて

検索することができるように体系的に構成したものその他特定の医療情報を容易に検索することができるように体系的に構成したものとして政令で定めるもの」と定められている。

　令3条では、「特定の医療情報を容易に検索することができるように体系的に構成したものとして政令で定めるもの」について、「これに含まれる医療情報を一定の規則に従って整理することにより特定の医療情報を容易に検索することができるように体系的に構成した情報の集合物であって、目次、索引その他検索を容易にするためのものを有するものをいう」と定められている。

　　エ　匿名加工医療情報データベース等
　「匿名加工医療情報データベース等」についても、法2条4項において、「匿名加工医療情報を含む情報の集合物であって、特定の匿名加工医療情報を電子計算機を用いて検索することができるように体系的に構成したものその他特定の匿名加工医療情報を容易に検索することができるように体系的に構成したものとして政令で定めるものをいう」と定められている。

　令2条では、「特定の匿名加工医療情報を容易に検索することができるように体系的に構成したものとして政令で定めるもの」について、「これに含まれる匿名加工医療情報を一定の規則に従って整理することにより特定の匿名加工医療情報を容易に検索することができるように体系的に構成した情報の集合物であって、目次、索引その他検索を容易にするためのものを有するものをいう」と定められている。

(2)　法律の対象となる「主体」
　　ア　医療情報を取り扱う事業者
　次世代医療基盤法では、法律の対象となる主体として、「医療情報」を取り扱う事業者として、「医療情報取扱事業者」を定義している。
　「医療情報取扱事業者」とは、医療情報データベース等を事業の用に供している者をいう（法2条5項）。
　病院、診療所といった医療機関等は、患者から得た医療情報を用いて医療情報データベース等を作成し、事業のために利用することになるため、「医療情報取扱事業者」（法2条5項）に該当すると考えられる。

医療情報取扱事業者は、一定の条件のもとで、医療情報を認定匿名加工医療情報作成事業者に提供することが認められている（法30条1項）。詳細については、下記6に記載している。

　　イ　医療情報を整理・加工し、匿名加工医療情報を作成する者

　「匿名加工医療情報作成事業」とは、医療分野の研究開発に資するよう、医療情報を整理し、および加工して匿名加工医療情報（匿名加工医療情報データベース等を構成するものに限る）を作成する事業である（法2条4項）。

　また、「認定匿名加工医療情報作成事業者」とは、匿名加工医療情報作成事業を行う法人のうち、申請により主務大臣の認定を受けた者である（法8条1項、9条1項）。

　令和元年12月19日、一般社団法人ライフデータイニシアティブ（以下「LDI」という）が、第1号の認定匿名加工医療情報作成事業者として認定された。LDIは、匿名加工医療情報の収集・提供に関する事業を行い、日本における医療サービスの質の向上、医薬品・医療機器の安全かつ有効な活用および開発、医療現場の負担軽減に寄与するとされている。

　また、後述の「千年カルテプロジェクト」（8参照）の下で、特定非営利活動法人日本医療ネットワーク協会のEHR（Electronic Health Record）センターに、病院、診療所、薬局等の事業者からの診療情報や患者からの健康情報が集約・蓄積される。LDIは、この日本医療ネットワーク協会から提供された情報をもとに、匿名加工医療情報の作成、利用目的等の審査・利活用者との契約等の利活用者対応、匿名加工医療情報の提供等の業務を遂行することが期待されている。

　さらに、「認定医療情報等取扱受託事業者」とは、認定匿名加工医療情報作成事業者の委託を受けて医療情報等または匿名加工医療情報を取り扱う事業を行う法人のうち、申請により、主務大臣の認定を受けた者である（法18条4項、28条）。

　令和元年12月19日、LDIと同時に、株式会社エヌ・ティ・ティ・データ（以下「NTTデータ」という）が、第1号の認定医療情報等取扱受託事業者として認定された。

　NTTデータは、LDIから医療情報等の取扱業務を受託し、データ抽出・匿名加工処理、利活用対応支援等を行う。NTTデータは、これらの業務に

あたって、情報を取り扱う者を特定する、複数が立ち会う中で作業を行う、作業記録の確認作業を厳密化するといったさまざまな安全管理措置を講じるとされている。

認定匿名加工医療情報作成事業者は、認定医療情報等取扱受託事業者に対してする場合に限り、認定事業に関し管理する医療情報等または匿名加工医療情報の取扱いの全部または一部を委託することができる（法23条1項）。ただし、ガイドライン（Ⅰ. 認定事業者編5-1）によれば、医療情報等や匿名加工医療情報の提供等に関する判断の権限については委託することができないとされている。

この委託を行う場合、認定匿名加工医療情報作成事業者は、規則21条1項各号に掲げる事項を記載した文書により当該委託を受けた認定医療情報等取扱受託事業者との契約を締結しなければならない（規則21条1項）。

認定匿名加工医療情報作成事業者が匿名加工医療情報を作成する場合、特定の個人を識別することおよびその作成に用いる医療情報を復元することができないようにするために必要なものとして主務省令で定める基準に従って医療情報を加工することが求められている（法18条1項）。なお、ガイドライン（Ⅲ. 匿名加工医療情報編4-2）によれば、匿名加工医療情報の作成に用いられる医療情報の性質のほか、匿名加工医療情報としての利用用途や再識別リスクの見積り方をふまえて、追加的な加工を検討することが望ましいとされている。

また、認定匿名加工医療情報作成事業者は、匿名加工医療情報を作成して自ら当該匿名加工医療情報を取り扱う場合には、当該匿名加工医療情報の作成に用いられた医療情報に係る本人を識別するために、当該匿名加工医療情報を他の情報と照合することが禁止される（法18条2項）。

このように、認定匿名加工医療情報作成事業者が匿名加工医療情報を作成する場合には、個人情報保護法36条ではなく、法18条の規定が適用される（法18条4項前段）。

　ウ　匿名加工医療情報を取り扱う者に関する者について

匿名加工医療情報取扱事業者とは、匿名加工医療情報データベース等を事業の用に供している事業者である（法18条3項）。

匿名加工医療情報取扱事業者は、匿名加工医療情報の作成に用いられた

医療情報に係る本人を識別するために、当該医療情報から削除された記述等もしくは個人識別符号もしくは当該加工の方法に関する情報を取得し、または当該匿名加工医療情報を他の情報と照合することが禁止されている（法18条3項）。

一方で、匿名加工医療情報取扱事業者が匿名加工医療情報を取り扱う場合には、個人情報保護法の匿名加工情報に係る規定（個人情報保護法37条から39条まで）の規定が適用されないため（法18条4項後段）、個人情報保護法における、「匿名加工情報」の第三者への提供に関する義務（個人情報保護法37条）や安全管理措置等を講じる義務（個人情報保護法39条）を負わないと考えられる。

5　匿名加工医療情報作成事業者の認定の仕組み

匿名加工医療情報作成事業者の認定を受けようとする者は、

> ①　法8条3項1号に規定する欠格事由に該当しないこと
> ②　医療分野の研究開発に資するよう、医療情報を取得し、整理し、加工して匿名加工医療情報を的確に作成し、提供するに足りる能力を有するものとして主務省令で定める基準に適合していること
> ③　医療情報等および匿名加工医療情報の漏えい、滅失または毀損の防止その他の当該医療情報等および匿名加工医療情報の安全管理のために必要かつ適切なものとして主務省令で定める措置が講じられていること
> ④　医療情報等および匿名加工医療情報の安全管理のための措置を的確に実施するに足りる能力を有すること

の基準に適合しなければならない（法8条3項）。

認定匿名加工医療情報作成事業者は、個人情報取扱事業者における個人データと同様（個人情報保護法20条）、医療情報等および匿名加工医療情報について安全管理措置を講じる義務を負う（法20条）。

当該措置の具体的な内容は、規則6条において規定されており、組織的安全管理措置、人的安全管理措置、物理的安全管理措置、技術的安全管理措置、その他の措置の具体的内容が規定されている。

6 医療情報取扱事業者による医療情報の提供に関する規定

　個人情報保護法上、個人情報を取得する際に、個人情報取扱事業者は、あらかじめその利用目的を公表し、または取得後すみやかにその利用目的を本人に通知または公表すれば、個人情報取得に関する本人の同意を要しない（個人情報保護法18条1項）。

　もっとも、本人の病歴等が含まれる個人情報は「要配慮個人情報」（個人情報保護法2条3項）に分類され、原則として、当該要配慮個人情報の取得に先立って本人の同意を取得することが必要となる（個人情報保護法17条2項）。

　また、個人情報保護法上、一定の事項を、あらかじめ、本人に通知し、または本人が容易に知りうる状態に置くとともに、個人情報保護委員会に届け出たときは、本人が第三者への提供の停止を求めない限り個人データを第三者に提供することができる（個人情報保護法23条2項。いわゆるオプトアウト手続）。

　もっとも、要配慮個人情報については、オプトアウト手続の適用が除外されており、当該個人データを第三者に提供するためには、原則として本人の同意を取得しなければならない（個人情報保護法23条2項かっこ書）。

　次世代医療基盤法で定められている「医療情報」の多くは、個人情報保護法の「要配慮個人情報」にも該当すると考えられるが、次世代医療基盤法では、医療情報について、あらかじめ、一定の事項を本人に通知するとともに、主務大臣に届け出たときは、医療情報取扱事業者は、当該医療情報を認定匿名加工医療情報作成事業者に提供することができるとして規定しており、医療情報取扱事業者が本人の同意を取得しないで医療情報を認定匿名加工医療情報作成事業者に提供することを認めている。

　本人に対する通知は、提供される医療情報の項目、提供の方法等、法30条1項各号の事項を、本人が「認識することができる適切かつ合理的な方法」によって、本人または遺族が「当該提供の停止を求めるために必要な期間を定めて」通知する必要がある（法30条1項、規則28条1項1号・2号）。ガイドライン（Ⅳ．医療情報の提供編2-1および2-2）によれば、具体的には、医療情報取扱事業者である医療機関等が通院している患者から医療情報を

取得する場合には、最初の受診時に、書面により行うことを基本とする。また、「当該提供の停止を求めるために必要な期間」としては、本人が通知を受けてから30日間が目安となる。

ただし、本人またはその遺族からの求めがあるときは、医療情報取扱事業者は、当該本人が識別される医療情報について認定匿名加工医療情報作成事業者への提供を停止しなければならない（法30条1項、31条1項、34条2号。いわゆるオプトアウト手続）。なお、ガイドライン（Ⅳ．医療情報の提供編2-2）によれば、本人または遺族から、認定匿名加工医療情報作成事業者に対して、すでに医療情報取扱事業者から認定匿名加工医療情報作成事業者に提供された医療情報の削除の求めがあったときは、医療情報は可能な限り削除することとされている。

このような手続を通じて、認定匿名加工医療情報作成事業者が、医療情報取扱事業者より提供を受けた医療情報に基づき作成した匿名加工医療情報の利活用を通じて、健康・医療に関する先端的研究開発および新産業創出を促進することが期待されている。

7　認定匿名加工医療情報作成事業者による医療情報の提供

認定匿名加工医療情報作成事業者は、上記6の法30条1項の規定により医療情報取扱事業者から提供を受けた医療情報について、主務省令で定めるところにより、他の認定匿名加工医療情報作成事業者からの求めに応じて、匿名加工医療情報の作成のために必要な限度において、他の認定加工医療情報作成事業者に対して当該医療情報を提供することができる（法25条1項）。

認定匿名加工医療情報作成事業者は、医療情報の授受においては、規則23条各号に掲げる事項を記載した文書により授受に係る他の認定匿名加工医療情報作成事業者との契約を締結し、その契約書を保存しなければならない（規則23条）。

認定匿名加工医療情報作成事業者が医療情報を第三者に提供できるのは、法25条1項の場合を除いては、法令に基づく場合および人命の救助、災害の救援その他非常の事態への対応のため緊急の必要がある場合に限定されている（法26条1項）。

8 ビッグデータの利用例

　医療関係のビッグデータの利用例として、厚生労働省と独立行政法人医薬品医療機器総合機構（PMDA）が構築を進め、平成30年4月に本格運用を開始した医療情報データベース「MID-NET」がある。協力医療機関と連携して医療情報（電子カルテ、検査値データ、レセプト等）を収集・解析するものであり、医薬品の製造販売業者による製造販売後調査に利活用することが想定されている。これまでの副作用報告制度では把握できなかった副作用の発現頻度を評価できるようになることや、リアルワールドを反映した副作用・投与実態等を迅速・低コスト・能動的に収集できるようになることを目的としている。

　また、次世代医療基盤法を利活用するデータベースとして、「千年カルテプロジェクト」がある。当該プロジェクトは、全国で患者が自己のカルテ情報にアクセス可能にすることをめざしている。プロジェクトに参加した医療機関の情報はデータベース化され、患者に対して過去の診療状況、検査値等の情報を閲覧することができるサービス（EHRサービス）が提供される。当該プロジェクトには、平成31年4月時点で、全国で100以上の医療機関が参加している。千年カルテのデータ活用として、次世代医療基盤法に基づいてビッグデータを用いた研究機関や製薬企業の医療情報分析を支援することが企画・検討されており、このような二次利用を推進する組織として、LDIが、前述のとおり、認定匿名加工医療情報作成事業者の認定を受けている。

　さらに、学校の健康診断の結果や乳幼児および妊産婦の健康診査の結果が次世代医療基盤法における医療情報に該当し、同法に基づき学校設置者や市町村から認定匿名加工医療情報作成事業者に提供することが可能であることから、文部科学省や厚生労働省を中心として、学校や市町村の健康診断・診査の結果を利活用することが企図されている（令和元年5月23日元初健食第3号、令和元年10月21日子母発1021第1号）。

〔石原坦＝大出萌＝津江紘輝〕

コラム⑤：新型インフルエンザ等対策特別措置法

　緊急事態宣言は、平成24年に成立した新型インフルエンザ等対策特別措置法（以下「特措法」という）32条に基づき、政府対策本部長（内閣総理大臣）によって行われるものである。令和2年4月7日、安倍首相により初の緊急事態宣言が発令された。

　特措法は、もともと新型インフルエンザの発生を発端として制定された法律であるが、令和2年3月14日に施行された改正法により、新型コロナウイルス感染症について、令和3年1月31日まで特措法の規定が適用されることとなった。このほか、日本には、感染症の予防及び感染症の患者に対する医療に関する法律（以下「感染症法」という）が存在するが、こちらも令和2年2月1日に施行された政令により、新型コロナウイルス感染症が同法の指定感染症に指定され、さらに、令和2年3月27日に施行された政令により、新型コロナウイルス感染症について、都道府県知事が行使できる権限等が拡大された。

　特措法では、感染症が発生する前段階では、政府や都道府県等は感染症対策の実施計画の作成や物資・資源の備蓄、訓練、知識の普及を行うこととされている。実際に感染症が発生した段階では、政府対策本部や都道府県対策本部が設置され、国内でのまん延を防止するため、検疫港や検疫飛行場の指定、停留施設が不足した場合の病院や宿泊施設の使用、船会社・航空会社等に対する感染症発生国からの船舶・航空機の来航制限の要請といった対策をとることができる。また、都道府県知事は、感染症対策を的確かつ迅速に実施するため必要があると認めるときは、公私の団体または個人に対して、協力を要請することができる（特措法24条9項）。事業者に対する休業要請（店名の公表を伴わないもの）や濃厚接触者に対する自宅待機の要請等はこの権限によるものと整理することができる。

　感染症の発生後、全国的かつ急速なまん延により国民生活および国民経済に甚大な影響を及ぼし、またはそのおそれがあるものとして政令で定める要件に該当する事態が発生したと政府対策本部長が認めるとき（①患者等が感染症に感染し、または感染したおそれがある経路が特定できない場合、②患者等が感染症を公衆にまん延させるおそれがある行動をとっていた場合その他の感染症の感染が拡大していると疑うに足りる正当な理由のある場合）には、実施期間・区域・緊急事態の概要を定めて緊急事態宣言を出すことができる。そして、緊急事態宣言の対象となった区域の属する都道府県の知事の権限として、主に以下のものが定められている。

> (1) 住民に対して、生活の維持に必要な場合を除き、みだりに居宅等から外出しないことその他の感染症の防止に必要な協力を要請すること（特措法45条1項）
> (2) 多数の者が利用する施設を管理する者又は当該施設を使用して催物を開催する者に対し、当該施設の使用の制限若しくは停止又は催物の開催の制限若しくは停止その他政令で定める措置を講ずるよう要請すること（特措法45条2項）
> (3) 正当な理由なく(2)の要請に応じない者に対し、当該要請に係る措置を講ずべきことを指示すること（特措法45条3項）
> (4) 医薬品や食品等の物資の売渡を要請・収容すること（特措法55条）

　各種メディアで報道されたように、諸外国のロックダウンと異なり、日本における緊急事態宣言下では、強制力をもって住民の外出を禁止することはできず、仮に上記(1)から(3)の要請・指示に従わなかった場合であっても罰則は存在しない（なお、指示を受けた者には法的義務が生じる）。たとえば、フランスのパリでは、一定の場合を除き、外出している住民に対して罰金が課される可能性があるものの、日本では外出の自粛をお願いすることしかできない。もっとも、(2)や(3)の要請・指示の場合には、実施を公表しなければならないとされている（特措法45条4項）。そのため、要請に応じない事業者は指示を受けるとともに、その事実を公表されることになるため、事業者に対しては、事実上の強制力が強く働くと考えられる。例えば、令和2年4月24日には、大阪府が休業要請に応じないパチンコ店6店舗の店名を公表したが、これは、特措法24条9項に基づく協力要請に応じなかった店舗に対し、特措法45条2項の要請を実施し、店名を公表したものと整理することができる。この公表を受けて数店舗のパチンコ店が休業したが、一部報道によれば、休業した一部の店舗は、府に対して、営業の継続についての誹謗中傷の電話が相次いだ旨を説明したとのことである。他方、各自治体において、休業に協力した事業者に対して、一定の要件の下、協力金・支援金が支払われるなどの措置がとられているものの、事業者が要請に従ったことで損失を被った場合であっても、特措法にはその損失を補償する規定は存在しない。今後、罰金その他法律上の強制力を付与するか、特措法その他により補償を制度的に用意するかといった点についてさらなる議論がなされるであろう。
　これらの特措法の定めに加え、感染症法は、都道府県知事の権限として、感染症の患者等に対する質問・調査の実施や入院勧告・強制入院の措置等を定めている。政府から出された「新型コロナウイルス感染症対策の基本的対処方針」では、医師の判断により検査を実施し、患者が認められた場合には、感染症法に基づく感染症指定医療機関等への入院勧告・措置を実施し、まん

延防止を行いつつ、患者に対し、適切な医療を提供することが対処方針として規定されている。さらに、都道府県知事は、消毒によりがたいときは、病原体に汚染された疑いがある建物について、当該建物の期間を定めて立ち入りを制限・禁止することや、緊急時には建物を封鎖することもできるほか、72 時間に限って、病原体に汚染された疑いがある場所の交通を制限・遮断することもできる。このように感染症法は、病原体に汚染された疑いや消毒により難いといった限定的な条件の下で、特措法よりも強力な権限を定めている。これらの感染症法の権限は、前述の令和 2 年 3 月 27 日に施行された政令により、適用されることとなったものである。

　新型コロナウイルス感染症をめぐる法制度は急激に変化しており、事態の収束後、あるいは、収束を待たずに、その運用の是非を含めて、見直しが議論されることは必至である。今後もその変化に注視する必要がある。

〔岩瀬吉和＝風間凜汰郎〕

第2章 医薬・ヘルスケア業界と知的財産権

Ⅰ 知的財産権による先行者利益の確保と薬機法との交錯

1 総論

　医薬・ヘルスケア業界の研究開発および事業化には莫大な投資が必要であり、先発事業者は、その先行者利益をなるべく長期にわたって確保したい。そうやって利益を確保してこそ、先発事業者は、新たな研究開発投資をすることができる。他方で、後発事業者が市場に参入することができなければ、健全な競争が生まれず、むしろ技術や産業の発展を阻害するおそれがある。また、国民健康保険制度のもとでは、財政健全化のための薬価引下げが大きな課題であって、そのために後発医薬品の利用促進が望まれる。

　一定期間の市場独占による先行者利益の確保を認めることにより、技術革新へのインセンティブを付与し、かつ技術等の公開を求めることで産業の発展をめざそうとする産業政策の要が、特許権をはじめとする知的財産権制度である。医薬・ヘルスケア業界においても、他の産業分野と同じく、先発事業者は、先行者利益の確保のために知的財産権を活用し、他方、後発事業者は、市場参入のために、先発事業者の知的財産権を調査研究し、回避する努力を行っている。

　ただし、医薬・ヘルスケア業界においては、知的財産権が単独で先行者利益の確保を可能としているのではなく、薬機法による製造販売承認制度との交錯により、先発事業者と後発事業者との間の利害調整がなされていることに注意しなければならない。医薬品の分野において特に知的財産権が強力であるのは、薬機法の規制のもとでは、後発医薬品の有効成分・効

能・効果・用法・用量やそれに関する表示について、先発医薬品と同一であることが原則求められるからである。医療機器に関しても、後発事業者が製造販売承認取得後に先発事業者の特許権回避を目的として仕様変更をするためには、一部変更承認の取得や、場合によっては新たな製造販売承認をとり直すことが必要となる。

以下では、知的財産権のさまざまな保護対象について説明したのち、薬機法と交錯する場面である特許権の延長登録、再審査期間およびパテント・リンケージについて説明する。

2 知的財産権の保護対象

(1) 特許権による発明の保護

発明とは、自然法則を利用した技術的創作である。そのため、自然界に存在する物質を発見しただけでは発明とはいえないが（たとえば、動植物のDNA配列の解析）、その有用（産業上利用可能）な用途（効能・効果）を見出したり、一部を単離したりすれば、発明となりうる。そして、新規性（公知の発明と同一でないこと）かつ進歩性（公知の発明に基づき当業者が容易に想到できるものではないこと）を有する発明について、特許出願がなされ、特許庁審査官による審査を経て特許登録されると、特許権の効力が生じる。

特許出願にあたっては、特許として権利を取得しようとする発明の範囲を「特許請求の範囲」（「クレーム」とも呼ばれる）として記載するほか、その「特許請求の範囲」に係る発明を実施することができるように詳細を説明した「明細書」および「図面」を提出しなければならない（これらの書類は出願から18か月後には特許公開公報として公開される）。

特許権の有効期間は、登録後、出願から20年間が経過するまでであり（期間延長については下記3で後述する）、その期間中は、特許権者の許諾なく他人が特許発明を実施（生産、譲渡、輸入、輸出等）することは禁止される。

　ア　医薬品の有効成分

医薬品の有効成分は、物質として新規であれば、当該物質に関し、用途を特定することなく特許権を得ることが可能である。また、最初の医薬用途を見出すことで、当該有効成分を含有する医薬品として特許権を得ることもできる。ただし、通常は、明細書において、薬理データに基づく有用

性を示すことが必要である。

　また、医薬品の有効成分に係る物質が結晶多形（同じ化学式で結晶構造の異なる物質）を有する場合、結晶多形に係る発明について特許権を得ることも可能である。X線回折測定のピーク等により結晶構造を特定する。ただし、当該物質が結晶構造をとること自体はすでに知られていた場合、結晶多形に係る発明について進歩性が認められるためには、通常は、安定性等の面において顕著または特異な効果を示すことが必要となる。

　イ　医薬品の用途（効能・効果）

　医薬品の有効成分としては従来から知られていた物質であっても、当該物質が別の疾患の治療にも効果を有することを見出せば、「当該疾患の治療に用いる医薬品」として特許権を得ることが可能である。ただし、通常は、明細書において、その薬効を薬理データで示すことが必要である。同一の物質について、第二、第三の医薬用途に係る特許権が成立していることもめずらしくない。

　先発医薬品の適用疾患が複数あり、その有効成分の物質に係る特許権の期間は満了しているものの、一部の疾患への治療薬として用いる用途に係る特許権は依然として有効である場合、後発医薬品の製造販売承認申請をなすにあたっては、当該有効な特許権に係る用途を効能・効果から除外しなければならない（いわゆる「虫食い申請」）。

　ウ　医薬品の用法・用量

　医薬品の用法・用量に係る発明（公知の有効成分および疾患に係る医薬品について、従来とは異なる用法・用量で用いられる医薬品として定義される発明であって、たとえば、「1日○回○mg皮下注射により投与される抗○○薬」と表現される）についても、特許権を得ることが可能である。もちろん、通常は、当該用法・用量において当該医薬品を用いることが、他の公知の用法・用量と比較して顕著または特異な効果を奏することを、明細書において薬理データに基づいて示すことが必要である。

　後発医薬品の製造販売承認を受けるためには、医薬品の有効成分および疾患のみならず、その添付文書に記載する用法・用量についても、先発医薬品の用法・用量に揃えることが通常要求される。そのため、一見ものすごく特殊な用法・用量を対象としているように思われる特許権であっても、

それが先発医薬品の添付文書に記載される用法・用量であれば、後発医薬品が当該特許権を回避することは容易ではない。

エ　有効成分の組み合わせ

医薬品の有効成分に関しては、すでに物質としても公知であり、かつ効能・効果も公知である複数の有効成分の組み合わせについても、特許権を得ることが可能である。この場合は、通常は、当該組み合わせによる効能・効果について、単なる相加効果にとどまらず、相乗効果が認められることを明細書において薬理データで示すことが必要である。

具体的な特許請求の範囲の記載としては、「有効成分Ａおよび有効成分Ｂを含む抗○○病治療薬」となる場合もあれば、「有効成分Ｂと共に用いられる有効成分Ａ含有抗○○病医薬品」となる場合もありうる。前者の場合、有効成分Ａのみを含む医薬品の製造販売が特許権の間接侵害を構成することがあるか否かが問題となり、より具体的には、ただ単に２つの医薬品が同時に処方、販売、服用されることにより、２つの有効成分を含む単一の医薬品という「物」が生産されることになるのか否か（大阪地判平成24年9月27日判時2188号108頁は否定）、１つの有効成分のみを含む医薬品が「特許発明による課題の解決に不可欠なもの」と認められるのか否か（東京地判平成25年2月28日裁判所ウェブサイト（平成23年(ワ)第19435号、第19436号）は否定）が問題となる。他方、後者の特許請求の範囲の記載で特許権が成立している場合には、有効成分Ａのみを含む後発医薬品の製造販売であっても、たとえば、先発医薬品の添付文書において、その用法として、「有効成分Ｂ含有医薬品とともに服用すること」と記載されていれば、後発医薬品の添付文書の記載もそれに揃えることが通常要求されるため、特許権に抵触するおそれがある。

オ　有効成分の製法

公知の有効成分に関する新たな製法も、方法の発明として特許権を得ることが可能である。製法は、不純物の混入度合や収率に影響を与え、ひいては医薬品の品質や利益率にも影響する。製法に係る発明について特許権が成立すれば、当該製法の他社による無許諾使用を禁止することができるだけではなく、当該製法の無許諾使用により製造された有効成分を含む医薬品の販売や輸入を禁止することができる。輸入の場合、製法使用地（＝製

造地）は外国であるが、それでもわが国の特許権に基づき輸入を禁止することができるのである。

　なお、製法に関しては、発明の対象を「○○の方法により製造された物」と記載することにより、実質的には製法に特徴のある発明について、「物」の発明として特許権を得ることができるか、特許権が得られる場合の権利範囲をどのように考えるのか（当該製法で製造された「物」に限定されるのか、それとも他の製法で製造された「物」も含むのか）、という問題がある。いわゆるプロダクト・バイ・プロセス・クレームに係る発明に関する問題である。これらについては、最判平成27年6月5日民集69巻4号700頁が、①物質を化学構造等の構成で特定することが出願時において不可能またはおよそ実際的でない場合に限って、製法による特定が許され、そうでない場合には明確性要件（特許請求の範囲の記載は明確でなければならないと特許法36条6項2号に定める要件）に違反する、②物質として同一である限り、他の製法で製造された物質にも権利範囲が及ぶ、との解釈を示した。その後、特許庁の審査基準も改定され、プロダクト・バイ・プロセス・クレームについては原則として明確性要件違反の拒絶理由が出され、出願人は、物質を化学構造等の構成で特定することが出願時において不可能またはおよそ実際的でないことを明らかにしなければならないこととなった（ただし、審査段階でのそのハードルは必ずしも高くないようである）。また、プロダクト・バイ・プロセス・クレームですでに登録済みの特許権については、物を生産する方法の発明へと訂正することが可能である。

　　カ　医薬品の副成分

　医薬品の成分に係る発明といっても、有効成分に関するものとは限らない。錠剤の賦形剤・滑沢剤・コーティング剤等や注射剤の安定化等に資する副成分やそれらの組み合わせに係る発明について、特許権を得ることが可能である。それらの発明がうたう効果は、たとえば、錠剤や注射剤の安定性（光や温度による品質劣化防止）や錠剤の溶解性等である。また、ドラッグ・デリバリー・システム（DDS）（体内の薬物分布を量的・空間的・時間的に制御・コントロールする技術）に関する特許権も多い。

　医薬品の副成分については、後発医薬品の製造販売承認を得るに際して先発医薬品と同一であることは要求されない。そのため、後発医薬品の開

発に際して、先発医薬品の副成分に係る特許権を認識してさえいれば、回避することは可能である。他方で、医薬品の副成分に係る発明については、必ずしも特定の有効成分との組み合わせを特徴としていないものもあるため、特定の有効成分に係る医薬品を開発する過程における検索では見落とされてしまう場合もある。いったん副成分を特定して製造販売承認を得てしまうと、その後に他社の特許権を回避するために副成分の処方を変更することは容易ではない。副成分に関しては、後発医薬品間の競争のために、先発事業者のみならず後発事業者も特許権を有している場合もあるので、注意が必要である。

キ　医薬品の形状・包装等

錠剤の形状については、下記(2)で後述する意匠権により保護することができるが、錠剤の形状を特徴とする発明として、特許権を得ることも可能である。たとえば、分割錠における切込みの傾斜角を特徴とする発明等である。また、輸液バッグ、使い捨て注射剤、粉末吸入剤の専用吸入器等の形状・構造に関する特許権もある。

後発医薬品の製造販売承認を得るに際して、先発医薬品のこれらの特徴を後発医薬品が採用することは通常求められない。しかし、実際には、先発医薬品を出発点として後発医薬品の開発を始めると、先発医薬品の特徴に意識的または無意識に引きずられて、類似のものとなってしまうことも珍しくない

ク　医療機器の構成・形状・動作方法

医療機器の構成については、電気製品や機械類と同様に、特許権を取得することができる。薬剤塗布ステントのように、医薬品と医療機器のハイブリッドというべき発明も存在する。

医療機器の動作方法については、方法の発明として特許権を取得することができるほか、そのような動作をする装置、あるいはそのような動作をさせるプログラムとして特許権を取得することも可能である。

なお、医療機器の構成に係る発明を定義するに際して、客観的な部材の形状・構造を特定して発明の構成要件とする場合のほか、客観的な部材の形状・構造を特定せずに、その果たす機能により部材を特定し、発明の構成要件とする場合がある。後者の方が、特許権の権利範囲を広くカバーし

やすいが、明細書および図面に具体的に開示された形状・構造またはそれらに基づき容易に実施しうる範囲に限定して解釈される可能性もある。

(2) 意匠権によるデザインの保護

意匠権は、物品についての新規かつ創作性あるデザインに関し、特許権と同様に、出願、審査を経て、意匠登録を受けることにより効力を生ずる権利であり、その有効期間は、登録後、出願から25年間が経過するまでである。

錠剤の形状、輸液バッグの形状、粉末剤の専用吸入器の形状や医療機器のデザイン（制御パネルの画像デザインも含む）について、意匠権を得ることができる。

図表2-Ⅰ-1：錠剤の意匠登録例（意匠登録第1518451号（創作者：フラン・フィリップ・エム））

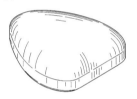

また、錠剤用包や一般用医薬品（ドラッグストア等で販売される、いわゆるOTC医薬品）のパッケージ・デザインについても、意匠権を得ることができる。

図表2-Ⅰ-2：医薬品錠剤用包の意匠登録例（意匠登録第1059415号（創作者：クリスチアン・アツサーグレン、クレース・フリバーグ））

(3) 商標権・不正競争防止法による標章の保護

　商標権は、商品またはサービスについて使用される識別力のある商標について、出願、審査を経て、商標登録を受けることにより効力を生ずる権利である。商標権の有効期間は10年間であるが、何回でも更新することができるため、必要であれば、指定した商品または役務に関する当該商標の使用について、永遠の独占を得ることが可能である。商標は出願時に実際に使用されている必要はなく、使用の意思があれば足りるが、登録後に3年間継続して使用していないと、第三者からの取消審判請求を受ければ、商標登録は取消される。

　商標の類否は、外観・観念・称呼の3要素に着目し、取引の実情等を考慮したうえで、出所の誤認混同を生じさせるおそれの有無により判断される（最判昭和43年2月27日民集22巻2号399頁（「しょうざん」事件））。医薬品の商標は通常は造語であって格別の観念を生じさせないことが多く、その場合には、文字・音の数の異同、同一の文字・音の多少が重要な判断要素となる。

　また、不正競争防止法は、商標登録の有無を問わず、他人の有名な標章と同一または類似の標章を無許諾で使用することを、不正競争行為として禁止している。商標権の権利行使をする場合には、不正競争防止法違反の主張も同時になされることが多い。

　ア　製品名

　医薬品および医療機器の製品名について、商標権を得ることが可能である。

　ただし、商標登録を受けるためには、登録を受けようとする商標が識別力を有していなければならない。たとえば、有効成分の一般名称そのものは、特定の出所を表示するものではなく、識別力がなく、商標登録を受けることができない。アルファベット2文字からなる商標も、ありふれたものとして識別力が否定される場合が多い。同一または類似の商品・役務に関して他社が有する先行登録商標や周知商標と同一・類似の商標についても、商標登録を受けることができない。

　医療用医薬品の場合、後発医薬品の製品名は、取り違えを防止するために、[有効成分の一般名]＋[分量]＋[メーカー名]からなる製品名とするこ

とが求められている。そのため、商標権侵害事件は生じにくい。しかし、たとえば、ピタバスタチンカルシウムを有効成分とする錠剤の後発医薬品に関し、薬剤を指定商品として登録商標「PITAVA」を有していた先発事業者が、複数の後発医薬品（製品名は、いずれも、ピタバスタチンカルシウム Ca 錠○mg「メーカー名」であるが、錠剤や PTP シートに「ピタバ」の刻印がなされる等していた）に関して商標権を行使しようとした事例がある（当該事案では、結論としては、商標としての使用ではない、または商標登録が無効である等の理由により、いずれも商標権侵害は否定された）。

一般用医薬品においては、多額の宣伝広告費を費やしていることもあり、商品名の商標登録は必須である。逆に、後発事業者は、先発医薬品の商品名を連想させながらも、それとは類似とは判断されない（すなわち、商標権侵害とはされない）商品名を考え出すことに力を入れてくる。

なお、著名商標に関しては、使用しない商品・役務についても他人による使用を禁止することができるようにするために、防護商標登録をすることができる。先発医薬品と後発医薬品との関係では、商品が同一であるので、防護商標登録を得ることは通常必要ない。しかし、防護商標登録がなされれば、特許庁が商標の著名性を認めたことを意味する。そのため、防護商標登録がなされていることは、不正競争防止法違反の主張をする際に、事実上有利に働く可能性がある。

イ　パッケージ・デザイン

パッケージ・デザインについても、商標登録が可能である。製品名を除いたパッケージの正面を全体として商標として登録する場合や、各パーツを商標として登録する場合がある。また、色彩のみからなる商標の登録も可能であるが、特許庁の審査においては色彩のみによる識別力の有無が厳しく判断されるため、登録は容易ではない。出願人としては、長年の使用継続による識別力の獲得を主張立証しようとすることが多いが、それも容易ではない。

また、パッケージや PTP シートのデザインや色彩については、それらのデザイン・色彩やそれらの組み合わせが出所表示機能（識別力）を有する標章であるとして、不正競争防止法違反の主張をすることも多い。

ウ 製品形状

医薬品の形状（錠剤形状等）や医療機器の形状について、立体商標として商標登録出願をすることも考えられる。ただし、特許庁の審査においては、商品の形状のみによる識別力の有無が厳しく判断されるため、色彩のみからなる商標と同じく、登録は容易ではない。出願人としては、やはり同じく、長年の使用継続による識別力の獲得を主張立証しようとすることが多いが、それも容易ではない。

(4) 著作権による表現の保護

ア 添付文書

後発医薬品の添付文書の記載は、先発医薬品の添付文書の記載に基本的に揃えることが求められる。そのため、先発医薬品の添付文書に関する著作権との関係について、疑義が生じないわけではない。しかし、表現の選択の幅が著しく狭いことからすると、著作物性の有無を問題とするか、それとも権利範囲を問題とするかは別として、著作権侵害とされる可能性があるのは特殊な事例に限られるものと思われる。

イ 製品形状・パッケージ・デザイン

製品形状やパッケージ・デザインについても、著作物性を一切否定することはできない。しかし、実用品に係るデザインについては、純粋美術と同視しうる程度の高度の美的特性、または実用目的から独立して美的鑑賞の対象となる美的特性が備えられたものに限って著作物性を認めるのが通常であるから、通常は、これらについて著作権による保護を求めることはやはり困難であろう。椅子のデザインに関して著作物性を肯定した知財高判平成 27 年 4 月 14 日判時 2267 号 91 頁（トリップ・トラップ事件）は、実用品に係るデザインの著作物性に関しても他の分野の著作物（たとえば、絵画や小説等）と同じ基準で著作物性を判断すればよいと述べたが、必ずしも広く支持されている状況ではない。

3 医薬品に係る特許権の期間延長

(1) 制度趣旨

特許権の存続期間は、登録後、出願日から 20 年間が経過するまでである。

しかし、医薬品および農薬に関しては、5年間を限度として、期間延長登録を受けることが可能である。その制度趣旨は、医薬・農薬の発明のように、実施（製造・販売等）に法規制（医薬品に関しては、薬機法の製造販売承認を得なければ製造販売が許されない）があるものについては、特許権の取得後、ただちに特許に係る発明を実施できない場合があり、そのような場合には特許権の存続期間が事実上侵食されることになるので、当該不利益を補償するためである、と説明されている。

(2) 延長登録の要件

特許権の期間延長登録を受けたい特許権者は、当該特許権に係る発明を実施する医薬品について製造販売承認を受けてから3か月以内に、延長登録出願をする。延長登録出願がなされれば、特許庁審査官は、延長登録拒絶理由を発見しない限り、延長登録をすべき旨の査定をしなければならず、当該査定があったときは、特許権の存続期間を延長する旨の登録がなされる。

製造販売承認の対象である医薬品が特許発明の技術的範囲に含まれないのであれば、延長登録拒絶理由となるが、含まれるのであれば、特許発明が有効成分に係る発明ではないことや、同一の有効成分に係る別の医薬品について先行する製造販売承認が存在することは、登録拒絶理由とはならない。かつての特許庁の運用では、有効成分に関する特許権についてのみ、また当該有効成分および特定の用途（効能・効果）に係る医薬品について最初の製造販売承認がなされた場合に限って、延長登録が認められていたが、最判平成23年4月28日民集65巻3号1654頁（パシーフカプセル事件）において当該運用が否定され、改められた。そのため、現在では、用途（効能・効果）、成分（有効成分または副成分）、用法・用量または分量の異なる医薬品について製造販売承認がなされれば、そのつど、当該医薬品を技術的範囲に含む特許権について延長登録を受けることができる。ただし、たとえば新たな分量や剤型の医薬品について新たに延長登録を認める場合に、どの期間について延長を認めるべきかについて、争いが生じる可能性がある。

(3) 延長登録に係る特許権の権利範囲

　特許権の存続期間の延長登録がなされると、その延長期間中は、当該特許権の効力は、延長登録の理由となった製造販売承認の対象となった医薬品と同一の医薬品またはその均等物についてのみに及ぶ。そして、製造販売承認の対象となった医薬品と同一の医薬品であるか否かについては、成分、分量、用法・用量、効能・効果の異同に照らして判断される。

　製造販売承認の対象となった医薬品の均等物の範囲は必ずしも明確ではないが、知財高判平成29年1月20日判時2361号73頁は次のように述べている。「①医薬品の有効成分のみを特徴とする特許発明に関する延長登録された特許発明において、有効成分ではない『成分』に関して、対象製品が、〔製造販売承認〕申請時における周知・慣用技術に基づき、一部において異なる成分を付加、転換等しているような場合、②公知の有効成分に係る医薬品の安定性ないし剤型等に関する特許発明において、対象製品が〔製造販売承認〕申請時における周知・慣用技術に基づき、一部において異なる成分を付加、転換等しているような場合で、特許発明の内容に照らして、両者の間で、その技術的特徴及び作用効果の同一性があると認められるとき、③〔製造販売承認〕で特定された『分量』ないし『用法、用量』に関し、数量的に意味のない程度の差異しかない場合、④〔製造販売承認〕で特定された『分量』は異なるけれども、『用法、用量』も併せてみれば、同一であると認められる場合は、これらの差異は上記にいう僅かな差異又は全体的にみて形式的な差異に当たり、対象製品は、医薬品として〔製造販売承認〕の対象となった物と実質同一なものに含まれるというべきである」。

4　先発医薬品の再審査期間と後発医薬品

　後発医薬品は、先発医薬品との生物学的同等性を示すことができれば、独自の臨床試験を改めて行うことなく、製造販売承認を得ることができる。しかし、先発医薬品の再審査期間中は、別の先発医薬品として改めて臨床試験を行う場合は格別、そうでなければ後発医薬品としての製造販売承認申請をすることができない。再審査期間とは、先発事業者に対し、製造販売承認後の使用実績を調査し、効能・効果および安全性についての報告を

することを義務づける期間であるが、事実上、先発事業者の先発医薬品に係る市場の独占を認める枠組みとしても機能する。

再審査期間は、現在の運用では、次のとおりである。

希少疾患用医薬品　　　10年
新有効成分医薬品　　　8年
新医療用配合剤　　　　6年（新規性により4年の場合もある）
新投与経路医薬品　　　6年
新効能・効果医薬品　　4年
新用法・用量医薬品　　4年

したがって、たとえば、新有効成分医薬品に関して、当該医薬品を保護する特許権が一切存在しない場合であっても、原則8年間は、後発医薬品の市場参入は妨げられることになる。

5　パテント・リンケージ

パテント・リンケージとは、後発医薬品の製造販売承認にあたり、当該後発医薬品の製造販売を妨げる特許権が存在しないことを条件とする運用のことである。そのような運用の根拠としては、製造販売承認に基づき製造販売が開始された以上は継続供給がなされるべきであり、継続供給に不安がある場合には製造販売承認をすべきではない、ということがあげられる。これも、実質的には、先発事業者の先発医薬品に係る市場の独占を維持する機能を果たしている。

後発医薬品の製造販売承認に際して障害となるのは、有効成分に関する物質特許および有効成分の効能・効果に関する特許権である。たとえば、有効成分Xを対象とする物質特許が存続していれば、有効成分Xを含有する後発医薬品の製造販売承認は得られない。また、有効成分Xを対象とする物質特許が期間満了により消滅していたとしても、先発医薬品の適用対象とする疾患Aおよび疾患Bのうち、疾患Bを対象とする用途特許は存続している場合には、後発医薬品の製造販売承認は、疾患Aのみを適用対象として得られることになる。このような先発医薬品が対象とする複数の疾患のうち、一部の疾患のみを対象としてなされる後発医薬品の製造販

売承認申請は、「虫食い申請」と呼ばれている。原則としては、効能揃え、すなわち後発医薬品の効能・効果を先発医薬品の効能・効果と同じとすることが求められているが、先発医薬品の効能・効果のうち一部について用途特許が存在する場合には、「虫食い申請」をすることが認められている。

なお、現在の運用では、特許庁の審決や地方裁判所の第1審判決において、特許権が無効であるとの判断が下されていれば、たとえ審決取消訴訟や控訴審が係属中であって無効がいまだ確定していない場合であっても、後発医薬品の製造販売承認は得られているようである。

他方、先発医薬品の副成分を対象とする製剤特許が存続していたとしても、後発医薬品の製造販売承認の障害とはならない。後発事業者は、製造販売承認を受けて、後発医薬品の製造販売を開始することができる。しかし、もし仮に、後発医薬品が当該製剤特許を侵害しているとすると、その後特許権者から裁判所において提訴され、いったん上市した後発医薬品について製造販売差止命令を受けるおそれがある。そうなると、後発医薬品の継続供給義務を果たせないこととなるので、製造販売承認を受けることへの障害とはならないとしても、後発事業者は、当然、副成分を対象とする製剤特許についても、慎重に検討する必要がある。

なお、先発医薬品の用法・用量に係る特許権の存在が、後発医薬品の製造販売承認にあたってどのように考慮されているかは、必ずしも明瞭ではない。

6 薬価収載

国民健康保険制度のもとでは、後発医薬品について製造販売承認がなされたとしても、薬価収載がなされなければ、医師による処方はなされない。そして、薬価収載は随時なされるわけではなく、後発医薬品の薬価収載は年2回の機会に限られている。そのため、ある薬価収載の機会に間に合うのか、その次の機会になるのかによって、先発医薬品に係る市場の独占期間は影響を受けることになる。

7 まとめ

これまで説明したように、医薬品に関する一定期間の市場の独占は、特

許法と薬機法の組み合わせで達成されている。より具体的にイメージできるよう、仮想事例に基づき説明する。

(1) 仮想事例1

特許権：先発医薬品の有効成分の物質に係る特許権Aの存続期間が2022年3月31日に満了する。先発医薬品の副成分に係る特許権Bの存続期間は2027年3月31日に満了する。

再審査期間：先発医薬品の再審査期間は2024年3月31日に満了する。

検討：特許権のことだけを考えれば、特許権Aの存続期間が満了すれば、先発医薬品と同じ有効成分を含有する後発医薬品の市場参入が可能になるはずであるが、再審査期間中は後発医薬品として製造販売承認申請をすることができないので、2024年3月31日までは先発医薬品による市場の独占が保たれる。2024年4月1日以降、後発医薬品の製造販売承認申請が可能となるが、特許権Bの存続期間中は、後発医薬品は特許権Bを回避し、特許権Bに係る副成分を用いないようにしなければならない。後発医薬品が副成分に係る特許権Bを侵害しているか否かは、後発医薬品の製造販売承認や薬価収載に係る審査に影響を与えるものではない。しかし、後発医薬品の製造販売承認がなされれば、特許権Bの回避が明白でない限り、先発医薬品メーカーから特許権Bに基づき特許侵害訴訟を提起されること

図表2-Ⅰ-3：仮想事例1の時系列

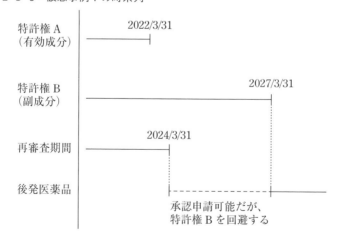

は必至である。後発医薬品メーカーは、後発医薬品に係る継続供給義務を果たすことが求められているので、敗訴リスクを低減すべく、特許権Bの回避には万全を尽くす必要がある。

(2) 仮想事例2

特許権：先発医薬品（適用疾患：XおよびY）の有効成分の物質に係る特許権Aの存続期間が2022年3月31日に満了する。先発医薬品の疾患Yへの適用に係る特許権Cの存続期間は2027年3月31日に満了する。

再審査期間：先発医薬品（適用疾患：XおよびY）の再審査期間は2024年3月31日に満了する。

検討：仮想事例1と同じく、特許権Aの存続期間が満了しようとも、再審査期間中は後発医薬品として製造販売承認申請をすることができないので、2024年3月31日までは先発医薬品による市場の独占が保たれる。2024年4月1日以降、後発医薬品の製造販売承認申請が可能となるが、特許権Cの存続期間中は、後発医薬品は特許権Cを回避し、適用疾患をXのみに限定し、疾患Yに係る効能・効果を添付文書に記載しないようにしなければならない。そして、後発医薬品が用途に係る特許権Cを侵害しているか否かは、後発医薬品の製造販売承認に係る審査に影響を与えるものであり、特許権Cの存続期間中は、適用疾患をXおよびYとした場合には、後発医

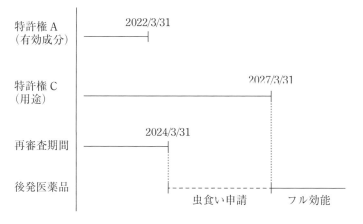

図表2-Ⅰ-4：仮想事例2の時系列

薬品の製造販売承認を得ることはできない。

(3) 仮想事例3

特許権：注射剤として2010年4月1日に製造販売承認を受けた先発医薬品の有効成分の物質に係る特許権Aの存続期間は2022年3月31日まで、先発医薬品を錠剤にする場合の副成分に係る特許権Bの存続期間は2027年3月31日までであったところ、先発医薬品の錠剤について製造販売承認がなされたため、特許権Aおよび特許権Bについて、それぞれ5年間の期間延長登録がなされた。

再審査期間：先発医薬品（注射剤）の再審査期間はすでに満了しており、先発医薬品（錠剤）の再審査期間は2024年3月31日に満了する。

検討：まず、注射剤の後発医薬品について検討する。注射剤の後発医薬品は、再審査期間が満了済みであるが、特許権Aの本来の存続期間満了までは特許権Aに係る有効成分を含有する後発医薬品の製造・販売は、注射剤であるか錠剤であるかにかかわらず特許権侵害となるため、早くとも2022年3月31日までは製造販売承認が得られない。そして、2022年4月1日以降についても、2027年3月31日に特許権Aの延長期間が満了するまでは、特許権Aの延長登録に係る権利範囲内の後発医薬品を製造販売すれば特許権侵害となる。特許権Aの延長登録に係る権利範囲に属するか否かは、成分（副成分を含む）・分量・用法・用量・効能・効果の点において、錠剤の先発医薬品（特許権Aの延長登録の根拠とされた製造販売承認の対象である医薬品）と実質同一と認められるか否かにより判断される。注射剤の後発医薬品と錠剤の先発医薬品とを比較すると、少なくとも副成分および用法の点において異なることになると思われるが、有効成分に係る特許権Aとの関係において、両者が実質同一と認められるか否かが争われることになる。このような場合に、パテント・リンケージがどのように作用するのか（製造販売承認がなされるのか否か）は、不透明である。次いで、錠剤の後発医薬品について検討する。錠剤の後発医薬品は、再審査期間満了後の2024年4月1日以降、製造販売承認が可能となる。ただ、2027年3月31日に特許権Aの延長期間が満了するまでは、特許権Aの延長登録に係る権利範囲内の後発医薬品を製造販売すれば特許権侵害となる。特許侵害となるか否かは、

先ほどと同様に、錠剤の先発医薬品（特許権Ａの延長登録の根拠とされた製造販売承認の対象である医薬品）と錠剤の後発医薬品が実質同一と認められるか否かにより判断される。両者が副成分も含めて一致すれば、明らかに同一であるが、副成分を異にする場合には、有効成分に係る特許権Ａとの関係において、両者が実質同一と認められるか否かが争われることになる。さらに、錠剤の後発医薬品については、特許権Ｂについても考慮しなければならない。特許権Ｂの本来の有効期間中は、後発医薬品の設計にあたって特許権Ｂに係る副成分とは異なる副成分を採用し、特許権Ｂを回避することが必須である。他方、特許権Ｂの延長期間中は、特許権Ｂの権利範囲に含まれる場合であっても、錠剤の先発医薬品（特許権Ｂの延長登録の根拠とされた製造販売承認の対象である医薬品）の副成分とは異なる場合には、副成分に係る特許権Ｂとの関係において、両者が実質同一と認められるか否かにより、錠剤の後発医薬品の製造・販売が特許侵害とされるか否かが判断される。

図表 2-Ⅰ-5：仮想事例 3 の時系列

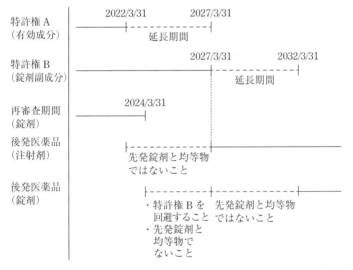

〔城山康文〕

コラム⑥：米国 ANDA 訴訟

　米国において新薬の製造・販売についての承認を得るには、FDA（Food and Drug Administration）に対して、新薬の安全性および有効性を示すための膨大な資料を提出して、NDA（New Drug Application）による申請を行うことが求められる。一方で、後発医薬品については、その安全性および有効性そのものを示す代わりに、先発医薬品との生物学的同等性を示すことにより承認申請を行うことができる。後発医薬品のためのこの簡易な申請方法（ANDA 申請などと呼ばれる）は、1984 年に発効したハッチ・ワックスマン法に基づくものである。

　後発医薬品の製造・販売を先発医薬品に係る特許権の存続期間中に行うことを目的として ANDA 申請が行われる場合、当該 ANDA 申請は特許権の侵害行為とみなされる。この場合、後発事業者は、先発医薬品に係る特許権が無効であることや、当該後発医薬品の製造・販売によっては先発医薬品に係る特許権を侵害しないことを示す証明書（パラグラフⅣ証明書と呼ばれる）を提出する必要がある。このような申請により最初に FDA の承認を取得した後発医薬品については、180 日間の独占販売権が付与され、当該後発事業者は、この期間中は、競合する後発医薬品が存在しない状態で利益を獲得するチャンスがある。

　後発事業者は、パラグラフⅣ証明書の提出を伴う ANDA 申請を行う場合、先発事業者（特許権者）に対して通知を行わなければならない。これに対し、先発事業者（特許権者）は、通知受領から 45 日以内に、特許侵害訴訟を提起することができる。この訴訟が、いわゆる ANDA 訴訟である。なお、ANDA 訴訟が提起されると、FDA は、30 か月間、当該 ANDA 申請を承認することができない。

　通常の特許侵害訴訟とは異なり、ANDA 訴訟においては、ANDA 申請時点で、被告（後発事業者）は製品（後発医薬品）の製造・販売を行っているわけではない。通常の特許侵害訴訟においては、被告が敗訴した場合、製造・販売の差止めに加え、損害賠償額の点でも大きな打撃を受けることが多いのに対し、ANDA 訴訟においては、被告が敗訴したとしても、製品の製造・販売を行っていないことから、失うものは（通常の特許侵害訴訟の場合と比べると）比較的小さくなりやすい。一方で、後発事業者が、他の後発事業者に先がけて ANDA 申請を行い、180 日間の独占販売権を得ることができれば、後発医薬品の市場を先んじて開拓することで、大きな利益を得ることが期待できる。そのため、後発事業者には、無効等のサポートについて十分な根拠を欠いていても ANDA 申請を行うインセンティブが存在し、これが ANDA 訴訟の頻発を招く一因となっている。米国の特許訴訟が減少傾向にあるとい

われるなか、ANDA訴訟に関しては、地方裁判所への訴訟提起件数が、2016年から2017年にかけて約30％増加した後、2018年も同水準で推移していたことが明らかとなっている。

　また、ANDA訴訟においては、被告の敗訴による不利益が比較的小さいものとなりやすい一方、原告が敗訴によって失うものは、市場の独占的利益という甚大なものである。そのため、特許権者である原告が、後発事業者である被告に対して、被告の市場参入を遅らせるのと引換えに金銭を支払って和解するというインセンティブが潜在的に存在する。特許権侵害者が特許権者に和解金を支払うというのが通常の特許侵害訴訟の和解であると考えると、特許権者が特許権侵害者に和解金を支払う金銭の流れは、通常とは逆のものであり、そのためリバース・ペイメントと呼ばれる。このようなリバース・ペイメントを伴う和解については、反競争的な側面から反トラスト法への抵触も問題となりうるとされる。

　このようにANDA制度は、訴訟の誘発やリバース・ペイメントの誘発等、複雑な問題を抱えながらも、米国における後発医薬品の普及に貢献してきた。実際にはANDA制度以外のさまざまな要因が影響してはいるものの、米国における後発医薬品の数量シェアは、ハッチ・ワックスマン法制定以降上昇を続け、近年では9割程度となっている。

　一方、日本においては、後発医薬品の数量シェアは、令和元年9月の薬価調査の時点で76.7％であり、政府は、医療費の効率化を目標として後発医薬品のさらなる普及に取り組んでいる。今のところ、日本には、先発医薬品に係る特許権と後発医薬品との関係を特別に考慮した米国のような制度は存在していない。政府が掲げる上記目標に目を向ければ、今後、日本においてANDA制度の枠組みを参考とする制度改正を検討する余地もあるかもしれない。

〔出野智之＝後藤未来〕

Ⅱ　バイオ医薬品関連特許とバイオシミラー

　2000年代後半、医薬業界では、既存の大型医薬品の基本特許があいついで特許切れし、ジェネリック医薬品が大量に市場に参入してくるという、「2010年問題」と呼ばれる事態がクローズアップされた。社会的には、安価なジェネリック医薬品が普及することにより、医療費が節減されるといったプラス面もある反面、先発医薬品メーカーの収益性が悪化して、新薬開発の気勢をそがれるのではないかとの懸念もあった。しかし、最近、「バイオ医薬品」という新たなカテゴリーの医薬が登場し、医薬品業界が再び活気づいている。そして、それとともに、バイオ医薬品の後発医薬品ともいえる「バイオシミラー」も、注目を集めつつある。本項では、バイオ医薬品——バイオシミラーの特色と、これらに特有の特許問題について、従来の医薬品と比較しつつ概観する。

1　バイオ医薬品とは

　バイオ医薬品とは、一般的に生物によって生産される物質を医薬品に応用したものであり、酵素、ペプチド・ホルモンや抗体等のタンパク質が代表的なものとしてあげられる。これらのバイオ医薬品は、化学合成によって生産される従来型の医薬品とは、製造方法だけでなく、その大きさや複雑性、機能の面からも、かなり異なっている。そこで、はじめに、近年脚光を浴びている「抗体医薬」を例にとって、それらの相違について簡単に説明する。

(1)　抗体医薬は大きくて複雑

　一般的な感覚からすれば、体内で作用する抗体医薬も、とても小さなものに感じるが、生化学的にいうと従来の医薬よりはかなり大きなものといえる。このような物質の大きさは分子量（1つの分子の重さ）という形で比較できるが、従来の化学合成によって生産される医薬品の分子量は、大きなものでも数百前後であるのに対して、抗体は十数万程度といわれている。このような理由から、従来の医薬品は「低分子医薬」等とも称され、本項

でもそのように呼ぶことにする。

　また、従来の低分子医薬も複雑な構造をもつものというのが一般的な感覚ではないかと思われるが、生化学的には、抗体に比べれば比較的単純な構造といえる。

　このような大きさや複雑性の違いをたとえると、低分子医薬が玩具のブロックの1ピースだとすれば、抗体は千数百個のピースで作り上げた道具のようなものということができる（**図表2-Ⅱ-1**）。

図表2-Ⅱ-1：低分子医薬と抗体医薬（イメージ）

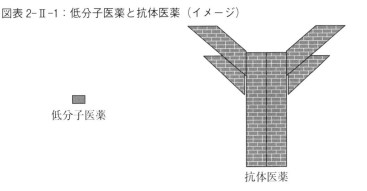

(2) 抗体医薬は特異性が高い

　抗体医薬の優れた特性として、作用の特異性が高いという点があげられる。特異性とは、狙った標的にだけ作用して望ましい薬理作用を発揮し、それ以外のものには影響を与えないことで望ましくない副作用が最小限に抑えられるといった特性のことである。

　このような特性は、主に抗体のもつ複雑性によるものである。つまり、低分子医薬は、疾患の原因となる酵素や受容体の活性部位にはまり込んで、その活性を阻害することにより効果を発揮する。これは、しばしば、鍵（低分子医薬）と鍵穴（酵素等の活性部位）の関係にたとえられるが、低分子医薬は小さくて構造も比較的単純なので、標的ではない酵素等の活性部位にもはまり込んでしまうことで、本来の目的ではない生理機能も阻害してしまい、望ましくない副作用を発生してしまう可能性がある。

　これに対して、抗体医薬はより複雑な構造をもっているので、標的とす

る酵素等の活性部位だけに結合させ、標的でないものには結合させないことが可能になり、より副作用の少ない医薬品にできる可能性が高いわけである。

　たとえるならば、低分子医薬は、鍵穴にはまり込むとはいってもゆるめのものなので、違う鍵穴もふさいでしまう可能性があるのに対して、抗体医薬はかなりカッチリと鍵穴に合うものなので、違う鍵穴までふさいでしまう可能性は低い（**図表2-Ⅱ-2**）。抗体医薬が近年脚光を浴びているのは、このような理由からでもある。

図表2-Ⅱ-2：抗体医薬の特異性（イメージ）

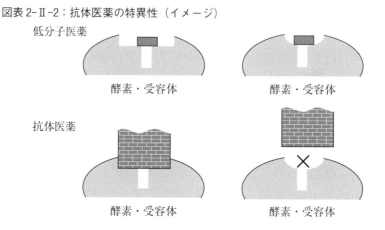

(3)　抗体医薬は細胞によって作られる

　上記のように、従来の低分子医薬は主に化学合成によって生産される。その工程とて決して単純なものではないが、出発原料や反応条件を正確に再現している限り同一のものが得られ、また同時に生成する副産物（不純物）もほとんど同じになるので、それを除去することも比較的容易といえる。

　これに対して、抗体医薬は、目的とする抗体遺伝子を導入した遺伝子組換細胞を培養することで生産される。たとえると、抗体遺伝子はブロックを組み立てるための設計図に相当し、その設計図をもらった遺伝子組換細胞が道具を組み立てるわけである。

しかし、いくら設計図があるといっても、複雑な道具を細胞によって組み立てることになるので、常に同一の抗体が生産されるとは限らず、細胞の状態のわずかな変化等により少し違ったものができてくる可能性がある。また、培養条件のわずかな変化等によって異なった不純物ができてくる可能性もあるので、不純物の除去にも細心の注意が必要になってくるわけである（**図表2-Ⅱ-3**）。

図表2-Ⅱ-3：抗体医薬の製造方法（イメージ）

低分子医薬

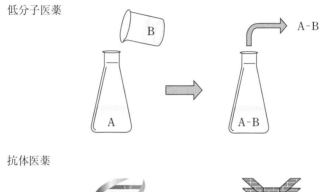

抗体医薬

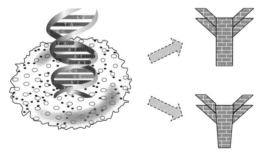

2　バイオシミラー

バイオシミラーは、「バイオ後続品」ともいわれ、後発医薬品のバイオ医薬版ともいえるものである。

しかし、上記1のように従来の低分子医薬とバイオ医薬とでは、それらの特性や製造方法等が異なるため、バイオシミラーの承認についても、低分子医薬の後発医薬品（「低分子ジェネリック」）とは異なる基準が設けられ

ている。

　すなわち、「バイオ後続品の品質・安全性・有効性確保のための指針」(平成21年3月4日薬食審査発第0304007号)では、「バイオ後続品とは、国内で既に新有効成分含有医薬品として承認されたバイオテクノロジー応用医薬品(以下『先行バイオ医薬品』という。)と同等／同質の品質、安全性、有効性を有する医薬品として、異なる製造販売業者により開発される医薬品である。……『同等性／同質性』とは、先行バイオ医薬品に対して、バイオ後続品の品質特性がまったく同一であるということを意味するのではなく、品質特性において類似性が高く、かつ、品質特性に何らかの差異があったとしても、最終製品の安全性や有効性に有害な影響を及ぼさないと科学的に判断できることを意味する。バイオ後続品の開発では、複数の機能部位から構成されるといった複雑な構造、生物活性、不安定性、免疫原性等の品質特性から、化学合成医薬品と異なり先行バイオ医薬品との有効成分の同一性を実証することが困難な場合が少なくなく、基本的には化学合成医薬品の後発品(以下『後発品』という。)と同様のアプローチは適用できないと考えられる。そこで、バイオ後続品では後発品とは異なる新たな評価の指針が必要である」とされている。以下、重要と思われる点を具体的にみていくことにする。

(1) **有効成分の構造等**

　まず、医薬品の製造承認を得るためには、有効成分の構造と物理化学的性質を明らかにする必要がある。しかし、低分子ジェネリックの有効成分は、先発医薬品とまったく同一の構造をもつものなので、当然に物理化学的性質も同一になるため、それらの試験は必要とされない。一方、バイオシミラーは先行医薬品と同じ遺伝子をもっているとはいえ、遺伝子組換細胞により生産されるものなので、改めてその構造や物理化学的性質等を確認する必要がある。つまり、バイオシミラーも先行医薬品と同じ設計図をもとにして生産されるとはいっても、その設計図にはブロックの組み立て方が指定されているだけである。したがって、上記1(3)のように、それを組み立てる遺伝子組換細胞の状態等によっては、必ずしも先行医薬品の抗体と完全に同一のものが生産されてくるとは限らないのである。

(2) 安定性

　次に、医薬品の安定性を保証することも必要になる。そのような安定性について、先行医薬品の場合には、長期保存試験、苛酷試験および加速試験を行うことが義務づけられている。長期保存試験は、文字どおり医薬品を長期間保存した後でも安定であることを確認する試験であり、苛酷試験はあえて通常の保管条件よりは苛酷な環境下に置いた場合の安定性を調べるものであり、加速試験とは、化学物質は温度を上げるほど変質する速度も速くなるため、通常の保管条件よりも高い温度にさらして短時間で安定性を調べるものである。これらの試験について、低分子ジェネリックの場合は、有効成分が先発医薬品とまったく同じなので、時間のかかる長期保存試験のデータは必要とされておらず、加速試験のデータを提出すればよいことになっている。一方、バイオシミラーの場合は、先行医薬品と同じ構造とは必ずしもいえないことから、長期保存試験のデータを提出する必要がある。

(3) 薬理作用の確認

　また、医薬品の薬理作用を科学的・実験的に裏づけることが必要なのは当然のことであり、先行医薬品では薬理作用を裏づける試験結果を提出することが義務づけられている。この試験についても、低分子ジェネリックではデータの提出を求められないが、バイオシミラーの場合は試験の実施とデータの提出が必須になる。

(4) 薬物の吸収、代謝等

　投与された薬物が体内にどのように吸収され、分布し、代謝や排泄されるのかについても、先行医薬品では詳細な試験が求められる。低分子ジェネリックの場合は、それらの試験が必要でない代わりに、生物学的同等性試験を実施する必要がある。この試験は、低分子ジェネリックを患者が服用した際に、先発医薬品の場合と同等の速度と量で有効成分が体循環血中に入ることを確認する試験である。つまり、低分子ジェネリックでは、このような試験での同等性を確認すればよいわけである。一方、バイオシミラーでは、生物学的同等性試験は必要とされていないが、臨床試験により

同等性／同質性を検証する必要があり、さらに場合によっては先行医薬品のような詳細な試験が必要になることもある。

(5) 毒性試験

　医薬品の安全性について、先行医薬品では単回投与毒性、反復投与毒性、遺伝毒性、がん原生、生殖発生毒性、局所刺激性等のさまざまな観点から検討されるが、有効成分が先発医薬品と完全に同一の低分子ジェネリックでは、それらのいずれも必要とされない。一方、バイオシミラーでもそれらのすべてが要求されるわけではないが、反復投与毒性試験は必須とされている。

(6) 臨床試験

　最後に、最も時間とコストがかかるのが臨床試験であり、これは医薬品を実際に患者に投与して、その有効性や安全性を評価するものである。低分子ジェネリックでは臨床試験を行う必要はないが、バイオシミラーでは、基本的に臨床試験を行って、先行医薬品との同等性／同質性を評価することが求められる。

　その他にも、低分子ジェネリックでは必要でないが、バイオシミラーでは場合により必要となる試験がいくつかある。

3　バイオテクノロジー関連特許とバイオシミラー

　このようにバイオシミラーの開発は、低分子ジェネリックと比べてはるかに複雑で、開発費用と時間を要するものといえる。また、近年脚光を浴びているとはいえ、先行バイオ医薬品の上市数はまだ多いわけではないので、平成30年初旬までに日本で承認されたバイオシミラーも10数品目程度とされている（**図表2-Ⅱ-4**）。

　したがって、先発事業者と後発事業者との間の特許をめぐる攻防も始まったばかりであり、今後、さまざまな問題点が浮き彫りになってくるものと思われるが、以下では、バイオテクノロジー関連特許の特筆すべき特徴について考察してみたい。

図表2-Ⅱ-4：日本で承認されているバイオシミラー

先行バイオ医薬品 (先発メーカー)	バイオシミラー (ジェネリックメーカー)	承認年
ランタス（サノフィ）	インスリン グラルギンBS注「リリー」（リリー）	平成26年
	インスリン グラルギンBS注「FFP」（富士フイルムファーマ）	平成28年
ジェノトロピン（ファイザー）	ソマトロピンBS皮下注「サンド」（サンド）	平成21年
エスポー（協和発酵キリン）	エポエチン アルファBS注「JCR」（JCRファーマ）	平成22年
グラン（協和発酵キリン）	フィルグラスチムBS注「モチダ」（持田）、フィルグラスチムBS注「F」（富士）	平成24年
	フィルグラスチムBS注「NK」（日本化薬）、フィルグラスチムBS注「テバ」（テバ）	平成25年
	フィルグラスチムBS注「サンド」（サンド）	平成26年
レミケード（田辺三菱）	インフリキシマブBS点滴静注用「NK」（日本化薬）、インフリキシマブBS点滴静注用「CTH」（セルトリオン）	平成26年
	インフリキシマブBS点滴静注用「あゆみ」（あゆみ製薬）、インフリキシマブBS点滴静注用「日医工」（日医工）	平成29年
リツキサン(中外)	リツキシマブBS点滴静注「KHK」（協和発酵キリン）	平成29年
エンブレル（ファイザー）	エタネルセプトBS皮下注用「MA」（持田）	平成30年

(1) 基本特許の特徴

医薬品関連の基本特許には、医薬品の有効成分自体についての特許（物質特許）と効果・効能についての特許（医薬用途特許）の2種類がある。バイオ医薬に関するこれらの特許の特徴を低分子医薬の場合と比較してみると、以下のような共通点や相違点をあげることができそうである。

ア　物質特許

　物質特許については、低分子医薬でもバイオ医薬でも、基本的な考え方は同じといえるだろう。つまり、双方とも、有効成分自体が化学物質として明確に特定され、その範囲で特許が認められる点において、変わりはない。

　具体的にみてみると、低分子医薬の場合は、通常、「化学構造式」によって有効成分が特定される。また、化学構造式を、「マーカッシュ形式」と呼ばれる様式によって記載することが多い。マーカッシュ形式とは、薬理効果を発揮するために必要最小限な部分（「骨格構造」等とも称される）と、薬理効果への影響が比較的少ない部分、つまり、その箇所の化学構造が他のものに変更されたとしてもほぼ同じ効果が期待できる部分に分けて、前者については化学構造式を明記しつつ、後者については選択肢として記載する様式である。

　一方、バイオ医薬の場合は、通常、「配列」によって有効成分が特定される。たとえば、抗体医薬の有効成分はタンパク質であるので、当該タンパク質を構成するアミノ酸の結合順序、つまり「アミノ酸配列」として記載することができるわけである。また、抗体タンパク質のうちの「CDR」と呼ばれる部分（専門的には、抗体の軽鎖に3か所および重鎖に3か所の、合計6か所の領域）が、その抗体が薬理効果を発揮するための必要最小限な部分であることが知られているので、抗体医薬の場合は、当該CDRのアミノ酸配列が記載されることが多い。

　このように、化学構造式であるか配列であるかの違いはあるにせよ、物質特許の場合は、薬理効果を発揮するために必要最小限な部分が明確にされなければならないという点において、低分子医薬もバイオ医薬も同様といえるであろう。

イ　医薬用途特許

　医薬用途特許とは、ある種の疾患が特定の有効成分により治療できること、つまり、その有効成分の効果・効能を見出したことにより付与される特許であり、通常、「有効成分Aを含む疾患Xの治療のための医薬組成物」のような形で記載される。しかし、医薬用途特許の場合は、物質特許とは異なり、低分子医薬とバイオ医薬の間でかなり大きな違いがある。

具体的にいうと、低分子医薬の薬理作用が鍵と鍵穴の関係にたとえられるのは上記1(2)のとおりであるが、ある低分子の有効成分Aが疾患Xの治療に有効であることだけにとどまらず、当該有効成分の標的（たとえば、酵素Y）も明らかになったこと、つまり、有効成分Aが酵素Yの鍵穴（専門的には「基質結合部位」等といわれる）をふさぐことにより薬理作用が発揮されることも見出されたのであれば、概念としては、「酵素Yの基質結合部位に結合する化合物を有効成分として含む疾患Xの治療のための医薬組成物」のような形で特許されてもよさそうである。

　しかしながら、低分子医薬の場合は、上記の「酵素Yの基質結合部位に結合する化合物」（いわゆる、「機能的記載」）という特定の仕方は認められず、医薬用途特許でも物質特許の場合と同じように、マーカッシュ形式等の化学構造式で有効成分を限定する必要がある。

　これに対して、バイオ医薬の場合は機能的記載も認められることがまれではない。すなわち、「酵素Yに結合する抗体を有効成分として含む疾患Xの治療のための医薬組成物」のような特定の仕方も認められる場合があり、必ずしも、物質特許の場合のようにCDRのアミノ酸配列によって限定しなくてもよいのである（**図表2-Ⅱ-5**）。

　このような相違が生じる理由として、低分子医薬の場合、標的の鍵穴（酵素Yの基質結合部位）の形が判明し、したがって、それに対する適当な鍵の大まかな形や大きさ（化合物の化学構造）が予測できたとしても、そのような鍵は多数の化学反応を駆使して合成しなければならないので、それらの化学反応を実際に実行してみなければ、うまくいくかどうかまではわからない場合がほとんどである。つまり、低分子医薬の場合は、有効成分の化合物を作製すること自体が困難であるといえる。

　これに対して、抗体医薬の場合は、ひとたび標的が判明すれば、それに結合する抗体を取得する方法としてハイブリドーマ法等のバイオテクノロジ技術が確立しているので、目的とするものの入手がそれほど困難でないと考えられている。逆にいえば、バイオ医薬の場合は、医薬用途特許の範囲を広めに設定しないと、保護の実効が図れない懸念があるわけである。

図表2-Ⅱ-5:物質特許と医薬用途特許

物質特許	
低分子医薬	・下記一般式(I)で示される化合物またはその塩: 式(I) [式中、R^1は水素原子、メチル基またはエチル基を表し、R^2はアセチル基またはプロピオニル基を表す。]
抗体医薬	・酵素Yに結合する抗体であって、軽鎖CDR1がGlyArgAsp……、CDR2がAsnSerThr……、CRD3がLysAlaTyr……のアミノ酸配列を有し、重鎖CDR1がHisPheTrp……、CDR2がAspGluVal……、CDR3がGlyGluGlu……のアミノ酸配列を有する、前記抗体。
医薬用途特許	
低分子医薬	・下記一般式(I)で示される化合物またはその塩: 式(I) [式中、R^1は水素原子、メチル基またはエチル基を表し、R^2はアセチル基またはプロピオニル基を表す。] を有効成分として含む、疾患Xの治療のための医薬組成物。
抗体医薬	・酵素Yに結合する抗体を有効成分として含む疾患Xの治療のための医薬組成物。

(2) 周辺特許の特徴

　周辺特許とは、実際の製品化の際に必須ないし重要な技術についても特許を固めておくことで、たとえ基本特許が切れた後でも、第三者が容易に市場に参入することを防止する目的で取得されるもので、医薬品の場合では、製剤化や製法に関する特許があげられる。バイオ医薬では、これらの

製剤化や製法に関する特許の関係が複雑であるため、特に注意が必要となる。以下、この点を低分子医薬と比較しつつみていく。

　ア　低分子医薬の周辺特許

　低分子医薬の周辺特許の代表例として、いわゆる「結晶形特許」をあげることができる。結晶形とは、低分子化合物の製造・精製の際に結晶化をすることがしばしば便利であるが、化合物によっては結晶化の条件を変えることにより異なる形の結晶が得られることがあり、そのような異なる形の結晶が「結晶形Ⅰ」や「結晶形Ⅱ」等のように区別されることである。また、それらの結晶形のなかには、他の結晶形よりも長期間安定であったり、患者の体内への吸収性が優れていたり等の製剤として好ましい特性を示すものがある。したがって、先発医薬品でもそのような特定の結晶形が有効成分として用いられており、あわせて当該結晶形についての特許が取得されることがある（なお、結晶形特許も一種の物質特許といえるが、実態的には製剤に関するものなので本項では周辺特許とした）。

　低分子ジェネリックの有効成分が先発医薬品とまったく同一でなければならないのは上記2(1)のとおりであるが、このことは結晶形についても同じである。つまり、まったく同一の結晶形でなければ後発医薬品として販売することはできない。

　したがって、たとえ基本特許が切れていたとしても、結晶形特許が失効していなければ特許問題は依然としてクリアされないので、後発事業者は、結晶形特許の存在についても確認する必要がある。とはいえ、結晶形特許の場合でも、通常、有効成分の化学構造が明確に特定されているため、それを発見することは比較的容易である。

　イ　バイオ医薬の周辺特許

　バイオ医薬の場合、有効成分が結晶化されることはほとんどない。通常、バイオ医薬は、抗体等のタンパク質の凍結乾燥製剤や注射剤として製剤化されるが、このような製剤中では、低分子医薬と比べて有効成分がはるかに変質しやすいので、その安定化や保存方法に細心の注意が払われる。また、バイオ医薬は、主に遺伝子組換細胞を培養することにより生産されるので、有効成分の抽出・精製方法も、低分子化合物の結晶化等に比べればはるかに複雑な場合が多い。このような理由から、バイオ医薬の場合には、

安定化や製法に関する周辺特許が多数、そしてさまざまなものが存在する。

また、バイオシミラーの特許問題をさらに複雑にしているのが、そのような周辺特許の存在を確認すること自体、かなり困難な点である。たとえば抗体医薬の場合、当該抗体の安定化法や製法は他の抗体にも広範に利用でき、むしろ特定の抗体に限って適用できることの方がまれなので、医薬用途特許と同様に、周辺特許に関しても特許の範囲が広めに設定されることが多い。

そうすると、ある特許には開発しようとするバイオシミラーの抗体名や配列が直接的に記載されていなかったとしても、その特許のクリアランスが依然として必要なわけであるが、そもそも抗体名や配列が何も記載されていないのだから、検討すべき特許を効率よくみつけることがきわめて困難なことは想像にかたくないであろう。上記アのとおり、低分子医薬であれば、有効成分の化学構造等によって周辺特許を比較的容易に発見できるのである(**図表2-Ⅱ-6**)。

図表2-Ⅱ-6:周辺特許検索例

	検索キーワード	検索結果(件)
低分子医薬 (結晶形特許)	「アトロバスタチン」+「結晶形」(または「結晶多形」または「結晶型」)[注1]	55
抗体医薬 (安定化特許)	「抗体」+「安定化」(または「安定な」または「安定製剤」)[注2]	1077

注1:特許公報全文を対象に検索。
注2:特許請求の範囲のみを対象に検索。

4　おわりに

このように、バイオシミラーの開発は、製造法の確立や承認に加えて特許についても複雑で困難な問題が多いため、低分子ジェネリックの開発に比べてハイリスクなビジネスといえる。

一方で、昨今承認されたがん治療抗体医薬「オプジーボ」の薬価が、収載当初は100 mgあたり約73万円(その後の引下げでも約28万円)と、非常

に高価であることが新聞紙面をにぎわせたことは記憶に新しい。このように、バイオシミラー開発はハイリターンなビジネスでもあるので、その開発や特許問題の困難性を考慮しても魅力的なものといえそうである。

そして、特許に関して成功の鍵を握るのは、ターゲットとするバイオシミラーの開発段階から承認に至るまでの、徹底した特許調査による問題特許の洗い出しと十分な回避策の検討といえるだろう。

〔小野誠〕

コラム⑦：パテントダンス（米国バイオシミラー申請）

米国では、バイオシミラーのための簡易な申請方法として、低分子医薬のための ANDA 申請とは別に、簡略生物学的製剤承認申請（abbreviated Biologics License Application：「aBLA 申請」）という方法が定められている。aBLA の手続は ANDA 申請に比べて精緻なものであり、先発事業者メーカーと後発事業者との間の緊密なやりとりが含まれるため、「パテントダンス」などといわれている。

「パテントダンス」の実際の手続はかなり複雑であるが、おおむね、**図表⑦**の4段階からなる。

図表⑦：パテントダンスの概要

1　Information Phase（情報段階）
　①　aBLA 申請を行った後発事業者は、先発事業者に対して当該申請書の写しを提供する。
　②　後発事業者が上記の提供を行わない場合、先発事業者は、特許侵害／特許有効性に関する確認訴訟を提起することができる。

2　Comprehensive List Phase（包括的リスト段階）
　①　後発事業者から aBLA 申請書の写しを提供された場合、先発事業者は、当該製品によって侵害されると考えられる特許権の包括的リストを、後発事業者に提供する。
　②　後発事業者は、先発事業者に対して、包括的リストにあげられた特許権についての陳述（非侵害／特許無効）を行う。
　③　先発事業者は、後発事業者の陳述に反論する。

3　Round 1 Litigation Phase（ラウンド1訴訟段階）
　①　先発事業者と後発事業者は、協議を行い、訴訟によって迅速

解決すべき特許権を選定・合意する。先発事業者は、合意した特許権について侵害訴訟を提起する。
② 上記の合意ができなかった場合、先発事業者と後発事業者は、相互にリストを作成し交換する。先発事業者は、後発事業者のリストにあげられた特許権の数（リストされた特許がない（0個）の場合は1個）を超えない範囲で、侵害訴訟を提起する。

4 Round 2 Litigation Phase（ラウンド2訴訟段階）
① 後発事業者は、当局から承認を受けて当該バイオシミラー製品を上市する6月以上前に、その旨を先発事業者に通知する。
② 先発事業者は、上記の通知後、包括的リストに含まれていたが、ラウンド1のリストに含まれなかった特許権についての訴訟、および当該製品の製造・販売を差し止めるための仮処分を請求することができる。

上記のうち、第4段階目（ラウンド2訴訟段階）の通知は義務的であると考えられている。一方、第1～3段階目（情報段階～ラウンド1訴訟段階）は任意の手続と考えられているが、通常、関連する特許権が多数あり、権利関係も複雑なバイオシミラーにおいて、先発事業者と後発事業者間の事前協議が促進されることで、両者のメリットが期待でき、また医薬品の安定供給の観点からも、創意的な試みといえそうである。

バイオシミラー開発は、今後、いっそう活発化すると予想されるなかで、この制度の具体的運用と成果が注目される。

〔小野誠〕

Ⅲ　医薬関連発明の新規性・進歩性と記載要件

1　医薬関連発明の特徴

　医薬関連発明には、医薬品の有効成分となる新規化合物、化合物の製造方法、有効成分の保存安定性向上等を目的とする製剤技術、新たな効果を奏する薬剤の組み合わせ、公知の薬剤についての新たな医薬用途または新たな投与方法、医薬品の形状等医薬品に直接関連する技術のほか、細胞培養方法、保存技術、タンパク質製造方法、新規物質のスクリーニング方法、解析技術・プログラム、薬剤投与機器、薬剤投与制御技術・プログラム等さまざまな技術が含まれている。さらに、保健機能食品のように、健康の維持増進に係る機能を有する食品も広く医薬関連の技術に属すると考えられる。これらの技術の大半は、化学分野の技術的要素を含んでおり、物の構成自体からその物が奏する効果を予測することが難しく、実際に実験で確認しないとわからないことが多いという点が特徴的である。

　医薬関連分野においてとりわけ特徴的な発明は、低分子化合物、タンパク質、微生物、天然抽出物等の既知の物についての、未知の属性の発見に基づいて、当該物の新たな医薬用途を提供しようとする用途発明である。一般に「医薬発明」という言葉は、このような用途発明を意味しているが、本稿では、医薬関連発明における用途発明を「医薬用途発明」と称する。

　たとえば、従前咳止めに使用されていた薬剤 A が、二日酔い防止にも効くことが発見された場合、「二日酔い防止のための薬剤 A」という新たな医薬用途発明となる。現在日本においては、上記「医薬用途」とは、特定の疾病への適用および、投与時間・投与手順・投与量・投与部位等の用法または用量が特定された、特定の疾病への適用を意味すると解されている。

　日本では、治療方法の発明が特許対象外とされているため、このような医薬用途発明は、新規医薬品を特許で保護するために重要な位置を占めている。また、食品の分野においても、**図表 2-Ⅲ-1** のように、食品に含まれる成分の属性を新たに発見することで、保健機能にかかわる新たな発明が特許されうる。

図表2-Ⅲ-1：保健機能にかかわる新たな発明が特許される例

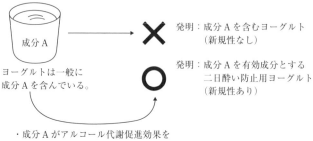

また、有効成分の属性の発見に依拠するという点で類似の発明として、特定のタンパク質をワクチンとして使用する発明や、特定のDNA断片を検出プローブとして使用する発明、生体内の特定の細胞を免疫賦活剤として使用する発明等がある。近年の分子生物学の発展により、生体分子のさまざまな機能を解明することが可能となる一方、医薬としてもタンパク質、核酸、細胞、組織を有効成分として含む医薬がさかんに開発されているため、このような発明の重要性も増している。

これら医薬関連発明の技術的な特徴を反映して、その新規性、進歩性、記載要件（サポート要件・実施可能要件・明確性）については、医薬関連発明に特徴的な論点がある。

2 新規性・進歩性について

発明が特許されるためには、その発明がすでに公に知られた技術とは異なること、すなわち、「新規性」を有していることが不可欠である。それに加えて、すでに公に知られた技術から容易に発明することができないものであること、すなわち「進歩性」を有することが必要である。

この新規性・進歩性の有無を判断するための出発点は、その判断の対象となる特許出願（以下「本願」ということがある）がなされた時点で、どのよ

うな技術が公に知られていたのかを認定する作業である。

(1) 「刊行物に記載された発明」について

新規性・進歩性の判断においてすでに公に知られていた技術（公知技術）の代表的な類型は、本願の出願前に発行された刊行物（学術雑誌や特許文献等）に記載された発明（引用発明などと呼ばれる）である。

刊行物から引用発明を認定する際に注意すべきであるのは、形式的には刊行物に記載されているように理解される事項であっても、当業者が技術常識を参酌した場合に発明として把握しえないものは、引用発明とはならない場合があることである。特に、医薬関連発明は、上記1のとおり、実際にやってみないとわからない、といった技術を多く含むため、ある技術的事項が形式的には刊行物に記載されているようにみえても、当業者がこれを発明として把握しえないといった場合も少なくない。

典型的には以下のような場合に、形式的な記載から発明が把握できるか否かが問題となる。

ア　特許文献にマーカッシュ形式で記載された化合物の認定

特に低分子化合物（従来の医薬の主たる有効成分は低分子化合物であった）についての発明を記載した特許文献においては、化学構造式の一部を選択的に記載する、いわゆるマーカッシュ形式で化合物が記載されていることが多い。

図表2-Ⅲ-2：マーカッシュ形式による化合物の記載の例

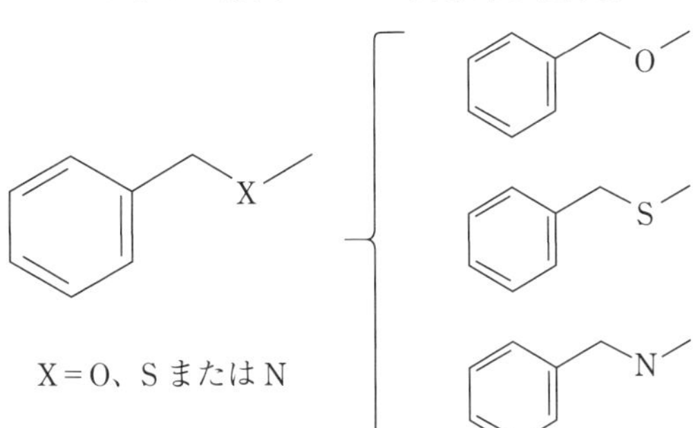

マーカッシュ形式　　　　具体的な化合物

X＝O、SまたはN

このようなマーカッシュ形式は、多種多様な構造の化合物を包括的に記載するうえで大変便利であるが、包括的に記載されたすべての化合物を当業者が発明として記載されていると把握できるとは限らない。この当業者による把握可能性に関する具体的な判断基準として、当業者が当該刊行物の記載や出願時の技術常識に基づいて、医薬発明に係る化合物を製造または取得できることが明らかであるように記載されていない場合には、当該医薬発明が記載されているとは認められないというものがあった（特許庁「特許・実用新案審査ハンドブック」（平成30年6月改訂）（以下「特許ハンドブック」という）附属書B）。
　この点に関して、最近、知的財産高等裁判所の大合議判決（知財高大判平成30年4月13日裁判所ウェブサイト（平成28年（行ケ）第10182号、第10184号））が注目される判断を示した。判決は、引用文献にマーカッシュ形式で記載された化合物からの発明の認定に関して次のように述べる。
　「当該刊行物に化合物が一般式の形式で記載され、当該一般式が膨大な数の選択肢を有する場合には、特定の選択肢に係る技術的思想を積極的あるいは優先的に選択すべき事情がない限り、当該特定の選択肢に係る具体的な技術的思想を抽出することはできず、これを引用発明と認定することはできないと認めるのが相当である」。
　本判決によれば、マーカッシュ形式で記載された化合物（群）が、膨大な選択肢を有する場合（本判決の事案では2000万とおり以上の選択肢があると認定された）、これに含まれる特定の具体的な化合物を引用発明として認定するためには、単にそれを製造可能であるだけでは必ずしも十分でなく、当該特定の化合物を「積極的あるいは優先的に選択すべき事情」の存在が求められることとなる。
　イ　引用文献からの用途発明の認定
　引用文献から医薬用途発明を認定する場合には、典型的な例として、2つの場合が問題となる。その1つは、引用文献においてある薬剤が特定の疾患の治療に利用しうると記載されているものの、これを裏づける記載がない場合、もう1つは、引用文献には当該用途が明記されていないものの、当業者がその用途を発明として把握しうる場合である。

㋐　裏づけがない場合

　上記1のように、医薬関連発明は予測可能性の低い技術分野であるので、当業者が当該刊行物等の記載および本願出願時の技術常識に基づいて、その化合物等を医薬用途に使用できることを把握できない場合には、当該刊行物等に医薬発明が記載されているとすることはできないとされている（特許ハンドブック附属書B）。

　たとえば、刊行物中に、「風邪薬として知られる薬剤Aは、実は二日酔いを治療する効果も有する」と記載されていたとしても、薬剤Aが二日酔いに効くことの裏づけがない場合、当業者が技術常識をふまえても、薬剤Aが二日酔いの治療に適用しうると理解できないようであれば、同刊行物が「二日酔いを治療するための薬剤A」という用途発明を開示するとはいえないであろう。

　また、知財高判平成29年2月28日裁判所ウェブサイト（平成28年（行ケ）第10107号）では、刊行物に、あるペプチドが特異的CD8＋T細胞（細胞傷害性T細胞／CTL）レベルを増加させたことが開示されていたところ、当該刊行物に同ペプチドを含むワクチンの発明が記載されているか否かが争われた。

　裁判所は、①当該ペプチドが多数のペプチド特異的CTLを誘導し、②ペプチド特異的CTLががん細胞へ誘導され、③誘導されたCTLががん細胞を認識して破壊することが開示されて、はじめて当該ペプチドをワクチンとして使用しうることが把握されるのであり、上記のような刊行物の記載ではワクチンの発明を把握させるには足らないと判断した。

　㋑　用途についての明確な記載がない場合

　一方、刊行物において用途についての明確な記載がない場合であっても、用途発明が認定されることもある。

　このような場合の1つの典型例は、刊行物に記載された薬剤の有する作用機序から、当業者が本願出願時の技術常識に基づいて、当該医薬用途を把握することができる場合である。たとえば、刊行物に薬剤Xが血管拡張剤であることが開示されていれば、当該薬剤Xを血圧降下剤の用途に用い得ることは、当然に把握されるであろう（特許ハンドブック附属書B）。

　また、刊行物に薬剤の薬理効果が記載されている場合に、これと密接な

関連を有する用途が認定される場合もある。たとえば、刊行物に薬剤Xが消炎剤であることが開示されていれば、当該薬剤Xを鎮痛剤の用途に用いうることは、当然に把握されるであろう(特許ハンドブック附属書B)。

(2) 医薬関連発明における進歩性の判断について

一般に、発明の進歩性が認められるためには、①出願時の技術常識に基づいて、当該発明の構成を想到することが困難であった(**図表2-Ⅲ-3**のケース①)、または、②当該発明の構成は出願時の技術常識に基づいて容易に想到できるものであったとしても、当該発明の有する効果が、従来の公知技術や周知技術に基づいて相違点に係る構成を想到した場合に予測される効果よりも格別優れたものであるか、あるいは、予測することが困難な新規な効果である必要があった(**図表2-Ⅲ-3のケース②**)と認められなければならない(知財高判平成28年3月30日裁判所ウェブサイト(平成27年(行ケ)第10054号)等)。

図表2-Ⅲ-3:進歩性判断の概略

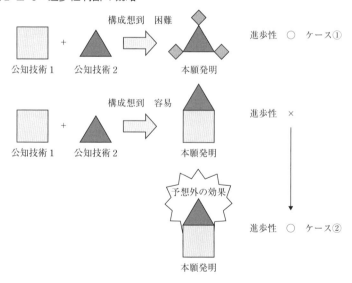

上記1のように、医薬関連発明は一般に予測可能性が低く、その点が、

上記ケース①および②のいずれの場合の判断にも大きな影響を与える。

　ア　発明の構成容易想到性について

　上記ケース①、②においてまず判断されるのは、発明の構成容易想到性（公知技術に基づいて本願発明の構成を想到することが容易であったか否か）である。医薬関連発明に特徴的なのは、公知の作用機序に基づいた類推が、発明の構成容易想到性の評価に大きく影響を与えることである。

　一般に、本願が、薬剤Xの用途Yに係る医薬用途発明である場合、たとえ引用文献に当該薬剤Xが用途Yを有すること自体は記載されていなくても、本願出願時の技術水準から両者間の作用機序の関連性が導き出せる場合は、引用文献から本願の用途も類推できるとして、本願の進歩性は否定されることが少なくない。たとえば、本願発明が薬剤Xを疾患Yの治療に用いるものであった場合、薬剤Xが酵素Aの阻害剤であり、酵素A阻害剤が疾患Y治療剤として知られていた場合、薬剤Xを疾患Yの治療に用いることは容易に類推しうると判断されうる。

　他方で、そのような類推が可能であったとしても、その類推が該当しないケースを多く示すことで、単に類推されるだけでは、本願発明の構成に到達することが必ずしも想到容易とはいえないことを示すことも可能である。

　たとえば、上記のケースで、酵素Aを阻害するにもかかわらず疾患Yを治療しない薬剤の例を多数示すことで、上記の類推が必ずしも該当しないことを明らかとすることで、本願発明の構成に到達することが困難であったことを主張しうる。そこで、実務上は、想到容易性を否定するために、作用機序の関連性に基づく類推が破られるケースを多く示すという戦略がしばしばとられている。

　なお、このような類推は、本願出願時（優先権主張を伴う出願の場合は優先日当時）の技術常識をふまえて判断される。

　イ　格別顕著な効果の参酌について

　医薬関連技術は一般には予測可能性が低いため、上記ケース②の場合において本願発明の「格別顕著な効果」について主張しやすいといえる。

　この「格別顕著な効果」は、優れた治療効果や別種の治療効果のほか、医薬品の保存性向上、服用容易性の改善（服用間隔の延長、味の改善等）、製

造時の安全性改善、製造コストの削減等、さまざまなものが主張しうる。

たとえば、ある生体内酵素Xの複数の阻害剤（X_1、X_2、X_3）が疾患Aの治療薬として知られていたとしても、酵素Xと疾患Aの機能的関連性が未解明であり、生体内酵素Xを阻害することで、必ずしも疾患Aが治療しうるとはいえない場合は、新たな酵素Xの阻害剤X_4を疾患A治療剤とすることについて、進歩性が認められる可能性がある（**図表2-Ⅲ-4参照**）。

図表2-Ⅲ-4：疾患メカニズムの知見が進歩性判断に影響する例

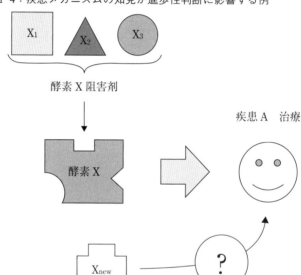

また、添加剤Yが薬剤Aの保存安定性を向上させることが知られていたとしても、その機構が未解明である場合、添加剤Yが薬剤Bの保存安定性をも向上させるとは予測することができず、実際にこれを確認した発明には進歩性が認められうる。

このように格別顕著な効果を参酌する際に重要となるのは、本願出願時にいかなる技術常識が知られていたかという点である。上記の酵素X阻害剤の例でいえば、本願出願時の技術常識として、酵素Xの阻害と疾患Aの治療について十分に解明されたメカニズムが知られていたとすると、阻害

剤X_4の進歩性は認められない可能性が高い。

　化合物Zが新たな治療用途Aに使用し得ることを発見したことに基づき、化合物Zを含む治療用途Aのための医薬という発明を出願した場合、当該治療用途Aに使用し得ること自体を効果として評価する観点と、治療用途Aにおける治療効果の程度を効果として評価する観点が存在し得る。

　後者の評価について、本願出願時の技術常識はどのように参酌されるのであろうか。たとえば、すでに治療用途Aに使用される別の化合物Wが知られていた場合、Zの治療効果はWよりも優れていないと、格別な効果として評価されないのであろうか。

　この点について、近時、最高裁による注目すべき判断が下された（最高裁令和元年8月27日判決判時1730号1頁）。この事件では、「11—（3—ジメチルアミノプロピリデン）—6、11—ジヒドロジベンズ［b, e］オキセピン—2—酢酸」という公知化合物を、「ヒト結膜肥満細胞安定化（ヒト結膜の肥満細胞からのヒスタミンの遊離抑制）」という新たな用途に適用することを特徴とする発明について、進歩性の判断手法（特に、顕著な効果の判断方法）が問題となった。最高裁は、「本件各発明の効果、取り分けその程度が、予測できない顕著なものであるかについて、優先日当時本件各発明の構成が奏するものとして当業者が予測することができなかったものか否か、当該構成から当業者が予測することができた範囲の効果を超える顕著なものであるか否かという観点から十分に検討する」ことが必要であると判示した。これは、「本件化合物を本件各発明に係る用途に適用することを容易に想到することができたことを前提として、本件化合物と同等の効果を有する本件他の各化合物が存在することが優先日当時知られていたということのみから直ちに、本件各発明の効果が予測できない顕著なものであることを否定」し得ないとするものである。最高裁のこのような判断手法によれば、上記の事例（化合物Zを含む治療用途Aのための医薬という発明を出願したという事例）において、治療効果の程度については、他の薬剤の治療効果との比較のみではなく、当該化合物について本願優先日当時に知られていた事項および当時の技術常識に基づいて、本件発明の奏する治療効果が予想できたか否かという観点での検討が必要となる。

　このように、実務上、医薬関連発明の進歩性の議論においては、出願時

の技術常識を証拠に基づいていかに説明するかがきわめて重要である。

(3) 新規性と進歩性の判断の交錯

上記(1)でみたように、医薬関連発明の新規性の判断においては、「刊行物に記載された発明」の認定の際に、本願出願時の技術常識が考慮される。技術常識が参酌されるという点で、その判断はときとして進歩性の判断とも交錯するように思われる。

たとえば、知財高判平成24年4月11日裁判所ウェブサイト（平成23年（行ケ）第10148号）では、ピオグリタゾンとα-グルコシダーゼ阻害剤の併用について、刊行物には組み合わせ投与を示す図は示されていたものの、その効果についての具体的な記載がなかった。これに対して、裁判所は、次のように述べて、本願発明の新規性を否定した。

引用例3の図3には、「ピオグリタゾン又はその薬理学的に許容し得る塩と、アカルボース、ボグリボース及びミグリトールから選ばれるα-グルコシダーゼ阻害剤とを組み合わせてなる、糖尿病又は糖尿病性合併症の予防・治療薬」という構成の発明が記載されているものと認められ、当業者は、本件優先権主張日当時の技術常識に基づき、当該発明について、両者の薬剤の併用投与によるいわゆる相加的効果を有するものと認識する結果、ピオグリタゾン等の単独投与に比べて血糖低下作用が増強され、あるいは少量を使用することを特徴とするものであることも、当然に認識したものと認められるほか、下痢を含む消化器症状という副作用の軽減という作用効果を有することも認識できたものと認められる。引用例3の図3には、本件発明1等の構成がいずれも記載されており、本件優先権主張日当時の技術常識を参酌すると、その作用効果または作用効果にかかわる構成もいずれも記載されているに等しいというべきであって、これらの発明は、いずれも特許出願前に頒布された刊行物に記載された発明（特許法29条1項3号）であるというほかない。

もし上記併用効果が技術常識から予測される範囲を超えたものであれば、新規性が認められると思われる例であるが、その場合は、同時に進歩性も認められる可能性が高まるように思われる。

(4) 優先権基礎書類における開示について

医薬関連分野では、薬理効果等のデータ取得に時間が必要とされることが多く、アイデアがある程度裏づけられた段階でいったん最初の出願（下図の優先基礎出願1）を行うとともに、開発の進行に応じて追加で取得されたデータ等をベースにさらに複数の出願（**図表2-Ⅲ-5**の優先基礎出願2および3）を行ったうえで、これら複数の先行出願に基づいてより完全なデータを有する優先権主張を伴う出願を行うことがしばしば行われる。

優先権主張を伴う出願の審査にあたっては、優先日より後に公知となった発明は先行技術として扱われない。したがって、上記のような出願戦略は、アイデア自体の新規性、進歩性を確保するうえで有益である。

一方、下記のように特許出願の記載要件により、特許出願に係るアイデアは、明細書においてデータまたは理論的な説明によって実施可能であることが裏づけられている必要がある。

そして、優先権基礎出願書類において、そのようなアイデアの裏づけがないと判断された場合、当該優先権基礎出願による優先権の効果を得ることはできないとされている（特許庁「特許実用新案審査基準」（平成30年6月改訂）第Ⅴ部第1章「パリ条約による優先権」3.1.3(2)および第2章「国内優先権」3.1.3(2)）。

図表2-Ⅲ-5：優先基礎出願を利用した出願戦略の例

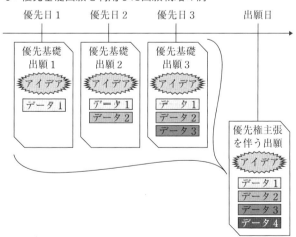

したがって、上記出願戦略を採用する際には、下記3の記載要件の観点から、出願明細書の記載内容について十分に吟味する必要がある。

また、優先権主張を伴った特許の有効性について、その新規性、進歩性を検討する際には、優先権の基礎となった出願の記載内容を吟味することが重要である。

3　記載要件について

発明が特許されるためには、上記2の新規性・進歩性という実体的な要件に加えて、出願書類の記載内容が特許法所定の要件を満たすことが必要である。このような記載要件としては、実務上、いわゆる実施可能要件、明確性要件およびサポート要件と呼ばれる3つの要件が重要である。以下では、これらの要件に関し、医薬関連発明との関連で特に留意すべき点等について解説する。

(1) 実施可能要件について

ア　医薬用途発明における実施可能要件について

実施可能要件は、発明の詳細な説明が、請求項に係る発明について、当業者が過度の試行錯誤や高度の実験等を行わなくとも実施できるように記載されていなければならないという要件である。物の発明について実施をすることができるとは、一般には、その物を作ることができ、かつ、その物を使用できることとされている。

その点に関して、医薬用途発明では、公知の物質を新たな治療用途に用いる点に特徴を有しているため、特に、その物を当該発明に従って使用しうるか（具体的には、当該物質を当該新たな治療用途に用いることができるか）否かが問題となることが多い。そして、医薬用途発明について、発明の対象となる物質が特定の治療用途に用いられることを示すためには、多くの場合、特許明細書において、当該用途に用いうることを示す薬理試験等、1つ以上の代表的な実施例を記載することが必要とされる。もっとも、出願時の技術常識から、当業者が化合物等を製造または取得することができ、かつ、その化合物等を医薬用途に使用することが理解できる場合には、そのような薬理試験等の記載がなくても、実施可能要件を満たすとされる余

地がある。

　イ　薬理試験結果について

　実施可能要件を裏づけるための薬理試験結果は、数値データで記載されることを原則とするが、薬理試験系の性質上、結果を数値データで記載することができない場合には、数値データと同視すべき程度の客観的な記載で許容される場合もある。数値データと同視すべき程度の客観的な記載とは、たとえば、医師による客観的な観察結果等の記載である。また、用いられる薬理試験系としては、臨床試験、動物実験あるいは試験管内実験があげられる。

　医薬品を商品として製造・販売するためには、膨大な量の治験を行い、安全性等のさまざまな観点から審査を受けたうえで当局の承認を受ける必要があるが、特許においては、安全面等における厳密な検証は必ずしも必要ではなく、インビトロのデータであっても、当業者が当該用途に利用しうると理解できるデータを示せば足る。

　実施可能要件を満たすために明細書に記載されるべき薬理試験等の裏づけの内容・程度は、本願の出願時の技術常識にも左右されうる。たとえば、ヒドロキシラジカル消去活性を有する物質が動脈硬化の予防に有効であることが出願時の技術常識であった場合には、ある物質Xが高いヒドロキシラジカル消去活性を有することを確認した実験結果を明細書に記載することにより、当該物質Xを動脈硬化の予防剤の用途に使用しうることが推認される（特許審査ハンドブック附属書A、事例10参照）。

　ウ　試行錯誤が過度に必要とされる場合

　生体内分子の機能を解明する分子生物学的手法が医薬に活用されるようになり、「特定の分子Aの活性を抑制すると、生体機能Bが向上し、疾患Cが治療される」といった知見が得られやすくなっており、かかる知見を特許により保護したいという要請も高まっている。しかしながら、「分子Aの活性を抑制する薬剤」を、過度の試行錯誤、複雑高度な実験等を必要せずに取得できなければ実施可能要件を充足しないとされている（特許審査ハンドブック附属書B参照）。

　たとえば、R受容体の活性化が肥満抑制に効果を有することが発見された場合、「R受容体活性化作用を有する化合物を有効成分として含有する

肥満抑制剤」の発明を特許したいと考えるであろう。しかしながら、「R受容体」自体が新規に見出されたものである場合、「R受容体活性化作用を有する化合物」を得るためには、無数の化合物を製造、スクリーニングして確認するという作業が必要であると理解され、このような作業は過度の試行錯誤であると判断される（その場合、「R受容体活性化作用を有する化合物」の作り方が明細書に記載されていなければ、実施可能要件を満たさないと判断されてしまうこととなる）。

　一方、近時の知財高裁判決（平成30年12月27日判決裁判所ウェブサイト（平成29年（行ケ）第10225号））では、「PCSK9とLDLRタンパク質の結合を中和することができ、PCSK9との結合に関して、配列番号49のアミノ酸配列からなる重鎖可変領域を含む重鎖と、配列番号23のアミノ酸配列からなる軽鎖可変領域を含む軽鎖とを含む抗体と競合する、単離されたモノクローナル抗体。」といった、「中和する」「競合する」という機能のみで特定された抗体に係る（訂正された）特許発明について、サポート要件、実施可能要件が争われた。知財高裁は、「当業者は、本件明細書記載の免疫プログラムの手順及びスケジュールに従った免疫化マウスの作製及び選択、選択された免疫化マウスを使用したハイブリドーマの作製、本件明細書記載のPCSK9とLDLRとの結合相互作用を強く遮断する抗体を同定するためのスクリーニング及びエピトープビニングアッセイ（中略）を最初から繰り返し行うことによって、本件明細書に記載された参照抗体と競合する中和抗体以外にも、本件訂正発明1の特許請求の範囲（請求項1）に含まれる参照抗体と競合する様々な中和抗体を得られるものと認識できるものと認められる。」と判示し、サポート要件、実施可能要件が充足されると判断した。この知財高裁判決によれば、スクリーニング等の試行錯誤を要する工程が必要とされる場合であっても、過度の試行錯誤でなければ、サポート要件および実施可能要件を充足し得る。

　機能によって特定された化合物に係る発明に関して、当該化合物を当業者が作るために過度の試行錯誤を要するか否かは、出願時の技術常識にも左右されうるため、その判断も、技術分野の発展に応じて変化していくことが予想される。

(2) サポート要件について

サポート要件とは、特許明細書中の特許請求の範囲の記載についての要件であり、特許を受けようとする発明が発明の詳細な説明に記載したものでなければならないという要件である。知財高大判平成17年11月11日判時1911号48頁によれば、「特許請求の範囲の記載が、明細書のサポート要件に適合するか否かは、特許請求の範囲の記載と発明の詳細な説明の記載とを対比し、特許請求の範囲に記載された発明が、発明の詳細な説明に記載された発明で、発明の詳細な説明の記載により当業者が当該発明の課題を解決できると認識できる範囲のものであるか否か、また、その記載や示唆がなくとも当業者が出願時の技術常識に照らし当該発明の課題を解決できると認識できる範囲のものであるか否かを検討して判断すべきもの」という基準に従って判断される。

この基準は、医薬関連発明においても同様に適用されていると理解される。とりわけ、上記1のように、医薬関連発明は予測可能性が低い技術分野であるために、一般に医薬関連発明では、発明の詳細な説明の記載により当業者が当該発明の課題を解決できると認識できる範囲のものであるように記載することが重要である。そして、それは通常実験データの記載によって行われる。

ことに、低分子化合物はその構造から生理活性を推測することがいっそう困難である。構造が似ている化合物であれば、同様の生理活性を有するであろうといった予測も可能であるが、その予測可能な範囲は一般に狭いため、やはり実験データが必要となる場合が多い。

(3) 実験データの補充について

実施可能要件、サポート要件のいずれに関しても、出願時の明細書に不足していた記載を出願後に提出する書面によって補充することはできないのが原則である。上記知財高裁の大合議判決でも、サポート要件に関するデータ補充について、「発明の詳細な説明に、当業者が当該発明の課題を解決できると認識できる程度に、具体例を開示せず、本件出願時の当業者の技術常識を参酌しても、特許請求の範囲に記載された発明の範囲まで、発明の詳細な説明に開示された内容を拡張ないし一般化できるとはいえない

のに、特許出願後に実験データを提出して発明の詳細な説明の記載内容を記載外で補足することによって、その内容を特許請求の範囲に記載された発明の範囲まで拡張ないし一般化し、明細書のサポート要件に適合させることは、発明の公開を前提に特許を付与するという特許制度の趣旨に反し許されないというべきである」と述べられている。

　もっとも、上記判示は、発明の課題が解決しうることについて当初明細書に記載された事項が単なる憶測でしかないと認められる場合を問題としていると考えられ、発明の課題が解決しうることについてある程度の説明および裏づけが記載されている場合には、追加データを用いて説明を行うことが可能な場合もある。

　たとえば、特許出願時においてサポート要件、実施可能要件違反の拒絶理由を受けた場合、出願人は、審査官が判断の際に特に考慮したものとは異なる出願時の技術常識等を示しつつ、そのような技術常識に照らせば、請求項に係る発明の範囲まで、発明の詳細な説明に開示された内容を拡張ないし一般化できることを、意見書において主張することができるとされており、実験成績証明書によりこのような意見書の主張を裏づけることもできるとされている（特許ハンドブック附属書B）。

(4) 実施可能要件とサポート要件の関係について

　実施可能要件は明細書の記載に関する要件であるのに対し、サポート要件は特許請求の範囲の記載に関する要件であり、両者は、明細書中の異なる対象について問題となるものである。そこで、一方の要件に違反する場合であっても、他方の要件は満たすとされることもある。たとえば、製剤発明においては、当該製剤を製造し使用することは通常可能である場合も多いことから、実施可能要件がその点で問題になることは比較的少ない一方、発明の課題解決性について疑義が生じたために、サポート要件は満たさないとされることがある。

　もっとも、いずれの要件も、特許請求の範囲に記載された発明と明細書に記載された事項の関係についてのものであることから、一方の要件に違反する場合には、他方にも違反すると判断されることもある。

　たとえば、医薬用途発明について当該用途への適用可能性に疑義が生じ

た場合は、実施可能要件違反とされることが多いものの、医薬用途発明は特定の有効成分を特定の用途に使用することを課題にするものであるとも解されるため、同時にサポート要件にも違反していると判断される場合もある（知財高判平成 28 年 3 月 31 日裁判所ウェブサイト（平成 27 年（行ケ）第 10052 号）等）。

(5) 明確性要件について

明確性要件とは、特許請求の範囲の記載についての要件であり、特許を受けようとする発明が明確なものであるという要件である。

たとえば、上記(1)ウで実施可能要件に関して例示した、「R 受容体活性化作用を有する化合物」について、このような化合物の構造を具体的に把握できない場合は、明確性要件にも違反することに注意を要する。

明確性要件を満たすためには、特許を受けるものの構造または特性を記述することを要するのが原則であり、その物を製造方法で特定した場合は明確性要件に違反するとされている。ただし、当該物をその構造または特性により直接特定することが不可能であるか、またはおよそ実際的でないという事情が存在する場合には、製造方法で特定することも可能である。たとえば、遺伝子操作によって作られた細胞等には上記の事情が存在するとされる（最判平成 27 年 6 月 5 日民集 69 巻 4 号 700 頁、民集 69 巻 4 号 904 頁）。

また、近年は、免疫細胞を用いた免疫賦活剤や、幹細胞を用いた神経疾患治療剤等、細胞を有効成分とする医薬の開発がさかんであるところ、これらの細胞は、多様な細胞群から特定の方法により分離されることが一般的であるが、分離された細胞自体の構造または特性を記述することが困難である場合もある。そのような場合には、明確性要件との関係で、製造方法による特定を行うことが許容されうると考えられる。

〔川嵜洋祐＝後藤未来〕

Ⅳ 医薬関連特許紛争における法的手続

　医薬・ヘルスケア業界における法的紛争として、最も代表的なものは、医薬関連の特許権侵害に関する紛争であるといえる。そして、日本における特許権侵害に関する紛争解決は、主に裁判手続において行われている。そこで、以下では、医薬関連の特許権侵害訴訟を念頭に、関連する手続を概観し、それに伴う法的リスクの検討を行う。

1　医薬関連特許紛争の特殊性および重要性

　他の技術分野、たとえば、携帯電話等では、1つの製品について数百～数千からそれ以上の特許技術が用いられていることもあり、単一の製品が1つまたは複数程度の特許によってのみカバーされることが多い医薬品の業界は、その点で特殊であるといえる。この特殊性から、先発事業者と後発事業者との間の特許紛争は、他の技術分野の業界と比較して重要性が高く、また、数も多い。

　たとえば、裁判所ホームページ（https://www.courts.go.jp/app/hanrei_jp/search7）において平成20年1月1日以降令和元年12月31日までに言い渡された最高裁判決で特許権に関するものを検索すると7件ヒットするが、そのうち4件すなわち過半数が医薬品関係の発明に関するものである（**図表2-Ⅳ-1**）。

　また、知財高裁において重要な法的論点を含む事件について判断を示す大合議判決に関しても、平成20年1月1日以降令和元年12月31日までに言い渡されたものは、9件（同じ論点について同日に言い渡された判決は1件とする）あるが、そのうち5件が医薬品関係の発明に関するものであり、やはり過半数を占めている（**図表2-Ⅳ-2**）。

　これらの統計に照らしても、近年の医薬品関係特許紛争の重要性は非常に高いと評価できる。

図表 2-Ⅳ-1：平成 20 年 1 月 1 日以降の特許関係の最高裁判決

法廷	判決日	事件番号	発明の名称	医薬関連
第二小法廷	平成 29 年 7 月 10 日	平成 28 年（受）第 632 号	シートカッター	×
第二小法廷	平成 29 年 3 月 24 日	平成 28 年（受）第 1242 号	ビタミン D およびステロイド誘導体の合成用中間体およびその製造方法	○
第三小法廷	平成 27 年 11 月 17 日	平成 26 年（行ヒ）第 356 号	血管内皮細胞増殖因子アンタゴニスト	○
第二小法廷	平成 27 年 6 月 5 日	平成 24 年（受）第 1204 号	プラバスタチンラクトンおよびエピプラバスタチンを実質的に含まないプラバスタチンナトリウム、ならびにそれを含む組成物	○
第二小法廷	平成 27 年 6 月 5 日	平成 24 年（受）第 2658 号	プラバスタチンラクトンおよびエピプラバスタチンを実質的に含まないプラバスタチンナトリウム、ならびにそれを含む組成物	○
第一小法廷	平成 20 年 7 月 10 日	平成 19 年（行ヒ）第 318 号	発光ダイオードモジュールおよび発光ダイオード光源	×
第一小法廷	平成 20 年 4 月 24 日	平成 18 年（受）第 1772 号	ナイフの加工装置	×

図表 2-Ⅳ-2：平成 20 年 1 月 1 日以降に言い渡された知財高裁大合議判決

判決日	事件番号	発明の名称	医薬関連
令和元年 6 月 7 日	平成 30 年（ネ）第 10063 号	二酸化炭素含有粘性組成物	×
平成 30 年 4 月 13 日	平成 28 年（行ケ）第 10182 号 平成 28 年（行ケ）第 10184 号	ピリミジン誘導体	○

平成29年1月20日	平成28年(ネ)第10046号	オキサリプラティヌムの医薬的に安定な製剤	○
平成28年3月25日	平成27年(ネ)第10014号	ビタミンDおよびステロイド誘導体の合成用中間体およびその製造方法	○
平成26年5月30日	平成25年(行ケ)第10195号 平成25年(行ケ)第10196号 平成25年(行ケ)第10197号 平成25年(行ケ)第10198号	血管内皮細胞増殖因子アンタゴニスト 抗VEGF抗体	○
平成26年5月16日	平成25年(ネ)第10043号	移動通信システムにおける予め設定された長さインジケータを用いてパケットデータを送受信する方法及び装置	×
平成25年2月1日	平成24年(ネ)第10015号	ごみ貯蔵機器	×
平成24年1月27日	平成22年(ネ)第10043号	プラバスタチンラクトン及びエピプラバスタチンを実質的に含まないプラバスタチンナトリウム、並びにそれを含む組成物	○
平成20年5月30日	平成18年(行ケ)第10563号	感光性熱硬化性樹脂組成物及びソルダーレジストパターン形成方法	×

2　法的紛争(裁判手続)に至る前段階

　後発医薬品の薬価基準への収載に際して、厚生労働省医政局経済課長は、「後発医薬品の薬価基準への収載等について」と題する通知(たとえば、令和2年2月13日医政経発0213第1号等)を出しており、そこでは、特許係争が後発医薬品の安定供給を図るうえで問題となることが予想されることを指摘のうえで、後発医薬品を供給しようとする事業者に対して、先発事業者と調整を行い、将来も含め医薬品の安定供給が可能と思われる品目につ

いてのみ、薬価基準収載手続をとることが求められている。なお、「後発医薬品の安定供給について」（平成18年3月10日医政発第0310003号）には、「正当な理由がある場合を除き、少なくとも5年間は継続して製造販売し、保険医療機関及び保険薬局からの注文に迅速に対応できるよう、常に必要な在庫を確保すること。また、医薬品原料の安定的かつ継続的な確保に留意すること」と記載されており、後発事業者が薬価基準収載後に安定供給に努めるべきことが求められている。

　特許権に基づく差止請求が裁判所によって認められたために、後発医薬品の安定供給が不可能となった場合に、後発事業者に対して、いかなる行政上の対応がなされるかは明確ではないが、後発医薬品を上市しようとする事業者としては、自らの製品が先発事業者等の保有する特許権を侵害しないことを事前に確認することが重要である。また、先発事業者は、後発医薬品が薬価基準に収載されるにあたっては、上記の厚生労働省医政局経済課長通知に基づいて、自らが保有する関連特許について、後発事業者に対して通知を行い、当該特許権の抵触の有無について見解を明らかにするよう求めるとともに、必要に応じて関連資料を求めることを行っている。これを、一般に「事前調整」という。

3　法的手続の種類と選択

　事前調整の対象となった特許権について、後発事業者が提供とした説明および資料によって、特許権に抵触していないことが明確になった場合には、先発事業者としても、それ以上の権利行使は行わないこととなる。

　しかし、先発事業者の見解（特許侵害との見解）と、後発事業者の見解（特許非侵害との見解）が対立して事前調整によっても解決しないことは、十分にありうるのであり、そのような場合には裁判手続による解決を模索することとなる。

(1)　特許侵害訴訟（本案）

　特許権者（または専用実施権者）が、自らの保有する特許権（または専用実施権）が侵害されたと主張して、特許侵害の差止めおよび／または損害賠償の請求を行う訴訟を、一般に特許侵害訴訟という。特許侵害訴訟は、民

事訴訟の一類型として、民事訴訟法の規律に従うこととなるが、特許法には、否認における具体的態様の明示義務（特許法104条の2）や書類提出命令（特許法105条）、相当な損害額の認定（特許法105条の3）、秘密保持命令（特許法105条の4）等、民事訴訟法の特則が置かれている。

　ア　差止請求

　特許権が侵害された場合の特許権者（または専用実施権者）が求めることができる救済の1つが差止請求（特許法100条）であり、この点は医薬関連発明の場合でも同様である。むしろ、先発事業者対後発事業者の紛争において、原告たる先発事業者はすみやかに後発医薬品の製造販売を中止させたいと考えるところであり、この差止請求権の行使の重要性は高いといえる。

　特許法上、差止請求の対象は特許侵害行為である。そして、「特許権者は、業として特許発明の実施をする権利を専有する」（特許法68条）との規定、および、特許法2条3項における発明の「実施」の定義から、差止請求の対象となる行為は、以下のとおり分類できる。

図表2-Ⅳ-3：特許侵害訴訟における差止請求の対象行為

特許発明の種類	差止請求の対象行為
物の発明	その物の生産、使用、譲渡等（譲渡および貸渡しをいう）、輸出もしくは輸入または譲渡等の申出（譲渡等のための展示を含む）をする行為
方法の発明	その方法の使用をする行為
物を生産する方法の発明	その方法の使用をする行為、および、その方法により生産した物の使用、譲渡等、輸出もしくは輸入または譲渡等の申出をする行為

　医薬関連の特許侵害訴訟の典型的な場面を考えると、原告は先発事業者であり、被告は後発事業者であり、先発事業者としては、後発事業者による後発医薬品の製造販売について差止請求を求めることになる。後発医薬品の流通を阻止する差止請求を直接的に基礎づけるには、物の発明を対象とした特許権か、物を生産する方法の発明を対象とした特許権の行使を検

討すべきことになる。

　なお、特許法においては、間接侵害の規定（特許法101条）が置かれており、方法の発明を対象とした特許権についても、特許法101条4号および5号によって、「その方法の使用にのみ用いる物の生産、譲渡等若しくは輸入又は譲渡等の申出をする行為」や、「その方法の使用に用いる物（日本国内において広く一般に流通しているものを除く。）であってその発明による課題の解決に不可欠なものにつき、その発明が特許発明であること及びその物がその発明の実施に用いられることを知りながら、業として、その生産、譲渡等若しくは輸入又は譲渡等の申出をする行為」については、差止請求の対象とすることは可能である。しかし、日本の特許法においては、医療行為は、特許法29条1項柱書にいう「産業上利用することができる発明」に該当しないと解されており（東京高判平成14年4月11日判時1828号99頁）、医療行為に用いられる物についてみなし侵害を主張することはできない。

　また、特許法100条2項では、特許権者（または専用実施権者）が、差止請求をするに際し、侵害の行為を組成した物の廃棄、侵害の行為に供した設備の除却その他の侵害の予防に必要な行為を請求することができる、と規定しており、医薬関連の特許侵害訴訟では、侵害品の在庫の廃棄を請求することが多い。同項の適用範囲について、品質規格検定のための確認試験方法の発明に関する特許権に基づいて医薬品の廃棄や薬価基準収載申請の取下げを求めることは、差止請求権の実現のために必要な範囲を超えるものとして許されないとした最判平成11年7月16日民集53巻6号957頁がある。同判決の調査官解説（『最高裁判所判例解説民事篇平成11年度（下）』（法曹会、2002）505頁〔髙部眞規子〕）では、「行政指導による薬価基準収載申請につき、意思表示を命ずる判決をする意味があるのか、そもそも疑問である」とされており、この考え方からすれば、薬価基準収載申請の取下げや薬価基準収載品目削除願の提出を求める請求については、認められる可能性は低いと思われる。

　イ　損害賠償請求
　　㋐　特許法102条に基づく損害額の計算または推定
　特許権侵害を理由とする損害賠償請求は、民法709条に基づくが、原告

(特許権者)は、特許法102条に基づく損害額の計算または推定を主張することができ、これは医薬関連の特許侵害訴訟でも同様である。

特許法102条1項は、特許侵害品の譲渡数量に、侵害がなければ特許権者(または専用実施権者)が販売できたはずの物の1個あたりの利益額を乗ずることで損害額を計算する規定であり、特許権者の逸失利益の賠償を認めようとする内容である。なお、令和2年4月1日施行の令和元年特許法改正により、特許権者の実施能力を超えている、あるいは、特許権者により販売できない事情があるとして逸失利益の賠償が認められない部分については、別途、特許発明の実施に対し受けるべき金銭の額に相当する額を特許権者が請求できることとなった。

他方、特許法102条2項は、故意または過失により特許を侵害した物が侵害の行為により利益を受けている場合に、その利益の額を損害額と推定する規定であり、不法行為に基づく損害賠償に関する規定でありながら、利得の吐出しという、実質的には準事務管理に近い考え方に基づく内容である。

最後に、特許法102条3項は、特許発明の実施に対し受けるべき金銭の額に相当する額を、損害額と主張することを認める規定である。

図表2-Ⅳ-4:特許法102条に基づく損害賠償の計算または推定

適用条文	損害賠償の計算または推定
1項	特許権者の逸失利益=(侵害品の譲渡数量)×(特許権者が販売することができた物1個あたりの利益額) (特許権者の実施能力を超えている、あるいは、特許権者により販売できない事情があるとして逸失利益の賠償が認められない部分については、別途、特許発明の実施に対し受けるべき金銭の額に相当する額を請求できる)
2項	侵害者が受けた利益の額=(侵害品の譲渡数量)×(侵害品1個あたりの利益額)
3項	特許発明の実施に対し受けるべき金銭の額に相当する額=(侵害品の売上)×(相当な実施料率)

一般に、原告が自らの製品の利益率を開示することを望まない場合には、

特許法102条1項の適用は主張せずに、同条2項の適用を主張することが多いとされているが、先発事業者と後発事業者との間の係争の場合には、先発医薬品1製品あたりの利益額が後発医薬品のそれよりも大きいという状況がありうるのであり、その場合には、同条1項の適用を主張した方が、損害額としては大きくなる。そのような場合、利益率の具体的数字について、民事訴訟法92条1項に基づく閲覧等制限の申立ての対象とすることも考慮しつつ、原告としては、主張する適用条文を検討すべきである。ただし、閲覧等制限の申立てによっても、相手方たる被告（被疑侵害者）に対して利益率が明らかになることは避けられない。

また、特許法102条2項の適用については、その要件をゆるやかに解した知財高大判平成25年2月1日判時2179号36頁があり、同判決によれば、原告（特許権者）自身が特許発明を実施していない場合でも、同項の適用は否定されない。特許権者が外国企業で、実施品たる医薬品を当該外国企業の日本子会社が製造販売している場合等、特許権者が日本において特許発明を実施していない状況はしばしばありうるところである。そのような状況においても、同判決の基準のもとでは、侵害行為がなければ利益が得られたであろうという事情が原告である特許権者に認められれば、同項に基づく損害額の主張が可能である。

なお、特許法102条1項の適用についても、知財高大判令和2年2月28日裁判所ウェブサイト（平成31年(ネ)第10003号）では、同項所定の「侵害行為がなければ販売することができた物」について、侵害行為によってその販売数量に影響を受ける特許権者の製品、すなわち、侵害品と市場において競合関係に立つ特許権者の製品であれば足りると判示されており、特許権者自身の特許発明の実施は、同項の適用要件とはされていない。

(イ) 薬価下落分についての損害賠償請求

後発品が薬価基準に収載されると、先発品の薬価が改定により引き下げられるが、当該薬価引下げによる売上げの減少は、上記(ア)の特許法102条各項に基づく損害額の算定または推定では反映されないため、かかる売上げ減少による損害を主張して賠償請求をするためには、原告は、民法709条自体に基づいて、損害の発生、特許侵害と損害との間の因果関係および損害額を立証する必要がある。その際、特に立証のハードルが高いのは、

侵害がなければ維持されたはずの特許権者の製品の価格であり、医薬関連ではない分野では、当該ハードルの高さのため、特許侵害品に起因する値下げについて損害賠償を認めた裁判例は多くない。

しかし、医薬品については薬価制度が設けられており、新薬創出・適応外医薬解消等促進加算という制度が存在するため、同制度が適用される先発医薬品については、後発医薬品の薬価基準への収載がなければ先発医薬品について加算された薬価が維持されたはずである、という立証が可能となる。実際、東京地判平成29年7月27日判時2359号84頁では、新薬創出・適応外医薬解消等促進加算が、厚生労働省が裁量で行うものではなく、所定の要件を満たす新薬であれば一律に同制度に基づく加算を受けられる以上、薬価の維持は法律上保護される利益であると認め、後発医薬品の薬価基準への収載による薬価の下落による損害についての賠償請求を認容している。なお、同判決は、侵害品の販売によって特許権者が販売することができなかったことによる逸失利益分については特許法102条1項による請求を認め、かつ、侵害品の販売開始後も特許権者が販売することができたが、薬価が下落した分についても、民法709条による請求を認めている。

図表2-Ⅳ-5：薬価引下げに起因する売上減少とシェア喪失に起因する売上げ減少

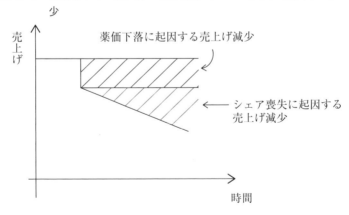

(2) 仮処分命令申立て

本案訴訟としての特許侵害に加えて、特許権者のとりうる法的手段とし

ては、民事保全法に基づく仮処分命令申立てをあげることができる。

　民事保全法の定める仮処分には、係争物に関する仮処分と「民事訴訟の本案の権利関係につき仮の地位を定めるための仮処分」とがあるが、特許侵害に関する仮処分命令申立ては、後者の、仮の地位を定めるための仮処分命令を求めるものとなる。特許侵害に関して、仮の地位を定めるための仮処分命令は、本案訴訟における最終的な結論を得るために必要な一定期間、特許侵害行為が継続するために特許権者が著しい損害を避けるために必要とされるときに発せられる。

　仮の地位を定めるための仮処分命令の性質上、本来であれば本案訴訟よりも迅速な審理が行われることが期待されるが、現状、裁判所による特許侵害に関する仮処分事件の審理は、本案訴訟の場合と比べて、著しく審理が迅速とはいいがたい。仮処分事件においても、特許発明の技術的範囲への抵触の有無や、特許権の有効性については、当事者の主張書面が、通常、複数回提出されて、判断される。ただし、仮処分事件において損害論は対象にならないので、その点において本案訴訟より早く結論は導かれうる。

　また、本案と仮処分との違いとしては、前者の訴え提起にかかる手数料が、訴訟の目的の価額に応じて決定されるのに対して、仮処分命令申立てにかかる手数料は一律2000円とされるところにある。そして、差止請求訴訟提起の際の手数料は、請求対象の被疑侵害物件の売上げ、利益率や、特許の残存期間、相当な実施料率の額に左右されるが、一般には、2000円より高額になることが通常である。

　さらに、判決および決定の執行力の観点でも、本案訴訟と仮処分命令申立事件は異なる。本案訴訟の第1審判決において差止請求が認容された場合でも、執行力が認められるためには、仮執行宣言が付されることが必要である。そして、仮執行宣言が付された場合でも、仮執行免脱宣言が同時になされていれば、被告は仮執行免脱宣言において指定された額の担保を供することで、執行力を失わせることができる。また、仮執行免脱宣言がなされていない場合でも、被告は、控訴のうえで強制執行停止決定の申立てを行い、原判決の取消しもしくは変更の原因となるべき事情がないとはいえないことまたは執行により著しい損害を生ずるおそれがあることにつき疎明したうえで、裁判所の定める額の担保を供することで、やはり執行

を停止することが可能である（民事訴訟法403条1項3号）。

　他方、差止めを命ずる仮処分命令が発令された場合、債務者（被疑侵害者）が保全異議の申立てをしたうえで、保全命令の取消しの原因となることが明らかな事情および保全執行により償うことができない損害を生ずるおそれがあることを疎明すれば、担保を供することによって仮処分命令の執行の停止が認められる（民事保全法27条）が、実務上、かかる執行の停止が認められることは、ほとんどないといわれている。

　したがって、第1審裁判所の判断が示されるタイミングとしては、差止請求のみを行う本案訴訟と、仮処分命令申立てとの間に大きな違いはないとしても、第1審裁判所の判断に関する執行力が上訴にかかわらず維持されるか否かという点で、両者には実質的な違いがあるといえる。執行力が維持される裁判所の判断を早期に得たい特許権者としては、本案訴訟の提起に代えて、または、本案訴訟の提起と同時もしくは並行して、仮処分命令の申立てを行うことも検討すべきといえる。

図表2-Ⅳ-6：本案訴訟第1審判決における執行力

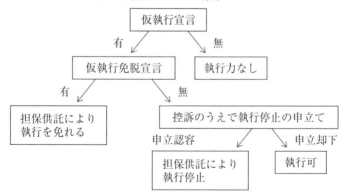

(3) 税関差止め

　裁判所外の手続として、特許権者としては、輸入差止申立制度の利用も、検討対象となりうる。たとえば、医薬品の原薬が外国から輸入される場合で、当該原薬自体が特許発明の技術的範囲に含まれるときや、間接侵害品（特許法101条1号にいう「その物の生産にのみ用いる物」、同条2号にいう「そ

の物の生産に用いる物……であってその発明による課題の解決に不可欠なもの」、同条4号にいう「その方法の使用にのみ用いる物」、同条5号にいう「その方法の使用に用いる物……であってその発明による課題の解決に不可欠なもの」および同条6号にいう「(物を生産する方法の発明)の方法により生産した物」)に該当するときには、関税法69条の13および関税法施行令62条の17に基づき、税関長に対して、当該物の輸入を差し止め、認定手続をとるべきことを申し立てることが考えられる。

輸入差止申立ての手続は、輸入差止申立ての段階と、具体的な侵害疑義物品について、特許権を侵害しているものであるか否かを認定するための手続(認定手続)の段階とに大別できる。

そして、輸入差止申立ての段階においても、認定手続における段階においても、税関は、必要に応じて、特許庁長官への意見照会を行うことができ、さらに、専門委員への意見照会が可能である。そして、特許発明の技術的範囲への抵触の有無や特許の有効性に争いがある場合等は、通常、輸入差止申立ての段階において、専門委員への意見照会が行われている。専門委員は、専門委員候補として登録されている45名(学者、弁護士、弁理士)から案件ごとに3名選出され、税関は明らかな事実誤認等の特段の事情がない限り専門委員の多数意見を尊重して判断する。

輸入差止申立てに対する税関の判断は、受理・不受理・保留の3種類のいずれかで示され、専門委員に意見照会した事案に係る輸入差止申立てに対する決定は、輸入差止申立ての公表の日から3か月以内を目途に行うものとされている。

税関における輸入差止手続は、輸入差止申立てに対する税関の判断が、裁判所に比べて早期に示されるものといえるが、申立てが受理された事例は多いとはいえない。これは、特許発明の技術的範囲への抵触や特許権の有効性について争いがあり、結論を明確に示すことが困難な場合に、税関が決定を保留することが多いためとも思われる。

図表2-Ⅳ-7：輸入差止申立手続

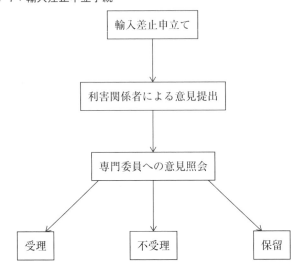

(4) 後発事業者のとりうるアクション

上記2のとおり、後発医薬品の薬価基準への収載に際しては、厚生労働省医政局経済課長通知により、先発事業者と後発事業者との間で、事前調整を行うことが要請されており、当該通知では、必要に応じて、安定供給が可能であることを客観的に証明できる資料（特許権者（先発品製造販売業者）の同意書等）の提出が求められることがある、と言及されている。

後発事業者としては、薬価基準への収載希望が認められるためには、先発事業者の保有する特許に抵触しないことを明らかにする資料を事前に用意すべきこととなるが、後発医薬品が先発事業者の特許の技術的範囲に含まれないことや、当該特許権に無効理由があること等を、厚生労働省に対して客観的な資料をもって示すことは、必ずしも容易ではない。

そこで、後発医薬品の薬価基準への収載に先立って、後発事業者の側から、積極的にとりうるアクションとしては、

① 特許庁への無効審判請求
② 裁判所への債務不存在確認請求

が考えられる。なお、特許庁へのアクションとしては、ほかにも、特許出願係属中の情報提供や、特許登録直後の異議申立てもあげられるが、いずれも時間的な制約（情報提供は係属中の特許出願が対象であり、異議申立ては特許公報が公開されてから 6 か月以内）が課せられること、および、無効審判請求事件の方が後発事業者にとって主張を述べる機会が多いことに照らして、ここでは割愛する。

　ア　無効審判請求

　特許法 123 条 1 項各号のいずれかに該当する特許については、当該特許を無効にすることについて、特許無効審判を請求することができるとされている。異議申立てと異なり、特許無効審判を請求することができるのは、利害関係人に限られている。

　この利害関係人の範囲について、知財高判平成 29 年 10 月 23 日裁判所ウェブサイト（平成 28 年（行ケ）第 10185 号）は、「経済的リスクを回避するための無効審判請求を認めず、原告（審判請求人）が経済的なリスクを負担した後でなければ無効審判請求はできないとするのは不合理というべきである」と述べており、製造設備の導入等の準備行為を行うことは利害関係を肯定するためには必要ではないと位置づけている。

　したがって、後発医薬品の製造販売を検討している後発事業者としては、製造設備の導入等のために資金を投下する前の段階であっても、利害関係人として、無効審判請求を行うことを検討すべきといえる。

　無効審判請求において主張できる無効理由は特許法 123 条に列挙されており、

① 新規性欠如
② 進歩性欠如
③ 実施可能要件違反
④ サポート要件違反
⑤ 明確性要件違反
⑥ 不適法な補正

が主なものである。後発事業者としては、特許権を無効とすることができれば一番望ましいが、無効審判請求に対応した訂正請求（特許法 134 条の

2）によって特許請求の範囲が減縮される等の経過によって、非侵害の後発医薬品の仕様を定める端緒とすることも、無効審判請求を行う理由としてあげられる。

　イ　債務不存在確認請求

　無効審判請求によって先発事業者の保有している特許を無効とすることができれば、薬価基準への収載の際にも、実際の製造販売の際にも、侵害を懸念する必要はなくなる。しかし、訂正によって特許請求の範囲が減縮されて特許権が有効に維持された場合等は、依然として、特許侵害のおそれは残り続ける。

　先発事業者（特許権者）が原告として特許侵害訴訟を提起し、これに対して後発事業者が被告として、特許発明の技術的範囲への抵触や特許権の有効性を争った結果、裁判所が特許侵害を否定する判決を行ってこれが確定すれば、後発事業者としては、その時点において特許侵害に関するリスクの有無を確定することができる。しかし、通常、特許侵害訴訟において第1審裁判所の審理だけでも、1年半から2年程度の期間がかかることが多く、仮に控訴と上告手続まで経る場合には、裁判所の判決が確定するまでに3年程度の時間がかかることもめずらしくない。そして、その時点では、後発医薬品がすでに製造販売されて一定期間が経過していることとなり、仮に特許侵害が認められれば、損害賠償額も高額となりうる。訂正によって特許請求の範囲が減縮されて特許権が有効に維持された場合であって、訂正後の特許請求の範囲に後発医薬品が含まれるのであれば、訂正は遡及効があるため、過去分の損害賠償責任も免れられない。

　そこで、後発医薬品の製造販売承認の申請を行う前の時点で、後発医薬品の製造販売承認の申請を行う予定であることを主張しつつ、当該後発医薬品が先発事業者の保有する特許権を侵害しないことの確認を求める訴えを提起することを、選択肢として検討する意味が生じる。具体的には、特許権侵害に基づく差止請求権の不存在確認請求訴訟という形で、後発事業者が原告となって訴えを提起することが考えられる。この場合、訴訟要件としての確認の利益の有無が問題となりうるが、確認の利益は口頭弁論終結時に存在していれば足りると解されており、訴訟係属中に実際に後発医薬品の製造販売承認の申請を行うことで、確認の利益が肯定される余地は

あるものと思われる。

なお、債務不存在確認請求訴訟における主張立証責任については、原告（後発事業者）側が、後発医薬品が特許発明の技術範囲に抵触しないことを主張立証するのではなく、被告（先発事業者＝特許権者）側において、後発医薬品が特許発明の技術範囲に抵触することを主張立証する必要があり、これは特許権者が原告となる特許侵害訴訟の場合と変わらない。

4　その他の手続：判定

特許法71条は、「特許発明の技術的範囲については、特許庁に対し、判定を求めることができる」と規定しており、判定の求めがあった場合には、3名の審判官によって、判定対象の物や方法が、特許発明の技術的範囲に抵触するか否かを判定することとされている。判定請求料は1件4万円であり、最短で3か月で結論が示される。

この判定については、最判昭和43年4月18日民集22巻4号936頁において、「特許庁の単なる意見の表明であって、所詮、鑑定的性質を有するにとどまる」と位置づけられており、裁判所も判定の内容に拘束されないと判断されている。

したがって、後発事業者が、自らの後発医薬品が先発事業者の特許に係る発明の技術的範囲に抵触しないことの確認を求めて、特許庁に判定請求を行い、抵触しないとの判定を得たとしても、先発事業者としては、裁判所に対して特許侵害訴訟を提起することは妨げられない。

さらに、延長された特許権の効力範囲については、特許法68条の2に規定があり、その解釈については知財高大判平成29年1月20日判時2361号73頁があるが、特許庁は、判定に関して特許法71条1項が、「特許発明の技術的範囲については、特許庁に対し、判定を求めることができる」と規定し、かつ、特許法70条1項が、「特許発明の技術的範囲は、……特許請求の範囲に基づいて定めなければならない」と規定されていることに照らして、特許権存続期間の延長登録は、技術的範囲の判断に影響を及ぼすものではない一方、特許法68条の2の規定による特許権の効力が及ぶ範囲について、特許庁に判定を求めることができる旨の規定が特許法に存在しないことを理由に、延長された特許権の効力範囲について特許庁に判定

を求めることはできない、としている。したがって、延長された特許権の効力範囲については、判定手続は利用できず、裁判所の判断を求めるしかないのが現状である。

図表 2-Ⅳ-8：特許法 70 条と特許法 68 条の 2 の関係

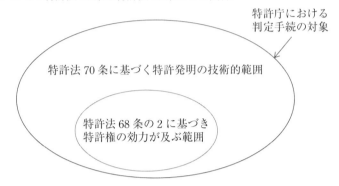

5　特許侵害訴訟における先使用権の抗弁

　特許侵害訴訟における先使用権の抗弁（特許法 79 条）は、医薬関連訴訟に特有のものではない。しかし、後発事業者が自らの後発医薬品事業を立ち上げるため、製造販売承認申請に必要な治験を行っている間あるいは治験の準備を行い始めた後に、先発事業者が、当該後発医薬品をカバーしうる特許を出願する、という事態はありうるところであり、そのような場合に、後発事業者は、先使用権の抗弁を主張することを検討することになる。しかし、先使用権の抗弁は、容易には認められるものではない。

　先使用権の成立要件である「事業の準備」については、最判昭和 61 年 10 月 3 日民集 40 巻 6 号 1068 頁において、「特許出願に係る発明の内容を知らないでこれと同じ内容の発明をした者又はこの者から知得した者が、その発明につき、いまだ事業の実施の段階には至らないものの、即時実施の意図を有しており、かつ、その即時実施の意図が客観的に認識される態様、程度において表明されていることを意味する」と判示されている。

　そして、医薬品関係の特許について、先使用権の成立を肯定した裁判例としては、東京地判平成 18 年 3 月 22 日判時 1987 号 85 頁がある。この裁

判例は、生理活性タンパク質の製造方法に関する発明を用いた遺伝子組換え技術応用医薬品の製造の事業に関し、特許出願日の時点で、培養設備を稼働しての発明の方法の実施、臨床試験の治験計画書の厚生大臣（当時）への提出、新たな培養設備の建設の設計・設計監理の依頼、取締役会決議での設計計画の承認および設備見積りの依頼がなされていた事例に関して、先使用権の成立を肯定した。

　他方、先使用権の成立を否定した裁判例としては、東京地判平成21年8月27日裁判所ウェブサイト（平成19年（ワ）第3494号）がある。この裁判例は、球状活性炭を有効成分とする腎疾患治療薬に関して、後発品企業およびその製造委託先が、特許出願時点において、後発品の試作第1号〜第3号をすでに製造し、それらが製造時の規格に適合するかの確認試験も完了し、生物学的同等性試験を委託する契約まで締結したうえで、安定性試験の第1回評価まで完了していた事例に関するものであるが、裁判所は、試作第1号〜第3号が実質的に同一であると認めることができず、被告製品の内容が一義的に確定しておらず、事業の内容が確定していたとはいえないとして、先使用権の成立を否定した。

　また、高コレステロール血症治療剤に関する東京地判平成29年9月29日裁判所ウェブサイト（平成27年（ワ）第30872号）も、先使用権の成立を否定している。この事例において、裁判所は、特許出願日までに、被告の社内において、特許発明の内容を知らないでこれと同じ内容の発明がされていたと認めることは困難であるとし、さらに、この点を措くとしても、特許出願日までに、被告製品の内容が特許発明の構成要件を備えるものとして一義的に確定していたと認めることはできず、特許発明を用いた事業について被告が即時実施の意図を有し、かつ、その即時実施の意図が客観的に認識される態様、程度において表明されていたとはいえない、として先使用権の成立を否定した。この件では、被告による独自ルートの発明完成や、被告製品の仕様確定に関する証拠が不足していたために、先使用権が否定されたものと思われる。

　なお、同事件の控訴審判決（知財高判平成30年4月4日裁判所ウェブサイト（平成29年（ネ）第10090号））は、先使用権を否定した原審判決を維持した。同判決は、原告特許の出願前に被告が製造していたサンプル薬に具現

された技術的思想が、特許発明と同じ内容の発明とは認められないため、被告が特許法79条にいう「発明の実施である事業……の準備をしている者」に該当しないとして、先使用権の成立を否定しているものであり、その理由づけは、原審判決と異なっている。

　以上の裁判例に照らすと、後発事業者としては、先使用権の成立を主張するためには、特許出願時点で後発医薬品の仕様が確定していたことおよびその仕様の内容、ならびに、当該確定した仕様に基づいて、臨床試験の治験計画書の提出、製造設備の建設の設計、取締役会決議での設計計画の承認や、設備見積りの依頼等、後発品事業実施の意図を客観的に認識できる行為を行ったことを、証拠によって裏づける必要があるといえる。

〔山内真之〕

V 先発・後発事業者間の合意およびその他の知財関連契約と独占禁止法

1 知的財産制度と独占禁止法——共通の目的

　医薬・ヘルスケアの分野においては1件の特許のもつ意味が他の分野に比べ著しく大きい。先発事業者は、その特許が有効である限り、後発事業者による市場への参入から保護されている。知的財産権制度は、このように一定期間の独占を先行者に認めることで研究開発投資のインセンティブを付与しているが、製品の販売にこぎつけるまでに莫大な研究開発投資を必要とする医薬・ヘルスケア分野においては特にその意味は大きい。

　他方、独占禁止法は、事業者間の競争を促進することを目的とするところ、知的財産制度による上記のような独占権付与はその範囲で競争を制限することから、独占禁止法の目的と一見矛盾するかにみえる。しかしながら、独占禁止法は、知的財産制度により事業者の研究開発意欲が刺激され、新たな技術やその技術を利用した製品が生み出されることによって競争が促進されることもまた重要な価値として認めている。したがって、知的財産制度と独占禁止法は矛盾するものではなく、むしろ競争を促進することで産業経済の発展を指向する点で目標を共通にすると考えるのが今日の一般的な考え方である。

　独占禁止法21条が「この法律の規定は、著作権法、特許法、実用新案法、

図表2-V-1：知財制度の目的 vs. 独禁制度の目的

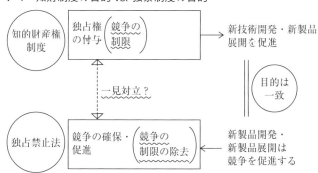

意匠法又は商標法による権利の行使と認められる行為にはこれを適用しない」と規定しているのも、知的財産制度に期待される競争促進効果を考慮し、そのような場合には独占禁止法は適用されないとの原則を確認したものと一般に解釈されている。

2 知的財産制度と独占禁止法の交錯

目的を共通にするとはいえ、知的財産制度のもとで独占禁止法の適用が完全に排除されるわけではない点には注意が必要である。上記1で述べた独占禁止法21条も知的財産権の行使と認められる行為には独占禁止法の適用がないと規定するが、裏を返せば、問題となる行為が知的財産制度の趣旨を逸脱した場合にはもはや同条の範囲ではなく、独占禁止法の適用の場面となる。

また、独占禁止法が規制の対象とする行為の範囲が幅広い点にも留意が必要である。大きく分けると、私的独占、不当な取引制限、不公正な取引方法の3つの類型があげられ（企業の合併や事業譲渡に伴う企業結合規制もあるが、本稿では触れない）、それぞれのなかでさらに問題となる具体的な行為態様が多岐にわたっている（各類型ごとにいくつか具体例をあげると**図表2-Ⅴ-2**のとおりである）。

そのため、知的財産制度と独占禁止法が交錯する場面も多様となるが、本稿では、そのいくつかをとりあげる。

図表2-Ⅴ-2：独占禁止法が規制の対象とする主な行為類型

行為類型	具体例
私的独占	市場においてある程度の支配力を有する企業が、その競争者を市場から排除したり、新規参入を妨害する行為
不当な取引制限	競争者間における価格引上げに関する合意（価格カルテル）、市場・取引先を分割する合意、入札談合
不公正な取引方法	取引拒絶、差別価格、不当廉売、再販売価格拘束、ぎまん的な方法や不当な利益による顧客誘引、大企業がその優越した地位を利用して、取引の相手方に無理な要求を押しつける行為

(1) 交錯の場面（その1）——ライセンス契約

ライセンス契約を典型とする知的財産権の利用の側面についても、独占禁止法はその競争促進的な効果を認めている。公正取引委員会が定めた「知的財産の利用に関する独占禁止法上の指針」（平成19年9月28日（最終改正：平成28年1月21日））においても、「技術取引が行われることにより、異なる技術の結合によって技術の一層効率的な利用が図られたり、新たに、技術やその技術を利用した製品の市場が形成され、又は競争単位の増加が図られ得るものであり、技術取引によって競争を促進する効果が生ずることが期待される」と明確に述べている。

そのうえで、同指針は、上記1で述べた独占禁止法21条の考え方に従い、知的財産制度の趣旨を逸脱した行為によって技術や製品をめぐる競争に悪影響が及ぶことのないようにすることが競争政策上重要であるとして、技術の利用に係る制限行為（同指針においては、技術の利用に係る制限行為とは、「ある技術に権利を有する者が、(1)他の者に当該技術を利用させないようにする行為、(2)他の者に当該技術を利用できる範囲を限定して許諾する行為及び(3)他の者に当該技術の利用を許諾する際に相手方が行う活動に制限を課す行為」を指す）に対する独占禁止法の適用に関する考え方を明らかにしており、知的財産権と独占禁止法が交錯しうる場面についての指針を提供している。

したがって、医薬・ヘルスケアの分野においても知的財産権に係るライセンス契約等を締結する際には、上記指針を参照することが独占禁止法の観点からは重要となる。とりわけ同指針中の不公正な取引方法の観点からの考え方に関する部分は、ライセンス契約において生じうるさまざまな行為態様を列挙して独占禁止法の観点から問題となるか否かについて指針を示しており参考となる（**図表2-V-3**）。

図表2-Ⅴ-3：「知的財産の利用に関する独占禁止法上の指針」中の「不公正な取引方法の観点からの考え方」においてとりあげられている行為態様の概観

① 技術を利用させないようにする行為
② 技術の利用範囲を制限する行為 　ⅰ　権利の一部の許諾 　ⅱ　製造に係る制限 　ⅲ　輸出に係る制限 　ⅳ　サブライセンス
③ 技術の利用に関し制限を課す行為 　ⅰ　原材料・部品に係る制限 　ⅱ　販売に係る制限 　ⅲ　販売価格・再販売価格の制限 　ⅳ　競争品の製造・販売または競争者との取引の制限 　ⅴ　最善実施努力義務 　ⅵ　ノウハウの秘密保持義務 　ⅶ　不争義務
④ その他の制限を課す行為 　ⅰ　一方的解約条件 　ⅱ　技術の利用と無関係なライセンス料の設定 　ⅲ　権利消滅後の制限 　ⅳ　一括ライセンス 　ⅴ　技術への機能追加 　ⅵ　非係争義務 　ⅶ　研究開発活動の制限 　ⅷ　改良技術の譲渡義務・独占的ライセンス義務 　ⅸ　改良技術の非独占的ライセンス義務 　ⅹ　取得知識、経験の報告義務

(2) 交錯の場面（その2）――先発・後発間の合意

　上記(1)で述べた「知的財産の利用に関する独占禁止法上の指針」では、不公正な取引方法に限らず、私的独占および不当な取引制限の観点からの検討についても考え方が述べられているが、いずれにせよライセンス契約を典型とする知的財産権の利用の側面に主に焦点を当てたものである。

ライセンス契約以外の場面において、独占禁止法の観点から問題が生じうる場面としては、競争事業者である（潜在的な競争事業者である場合も含む）先発事業者と後発事業者との間で何らかの形で競争を制限する内容の合意がされる場合があげられる。独占禁止法のもとでは、競争事業者間において競争制限的な合意がされた場合には不当な取引制限（独占禁止法2条6項）に該当しうる。典型的には、製品の価格・数量または取引先に関して合意がされた場合にはいわゆるカルテルとして独占禁止法違反となる。たとえば、先発事業者が後発事業者との間で後発事業者が市場に参入した後に価格について合意をした場合や取引先についてすみわけを合意した場合には基本的にこれに該当しうる。

　この関係で興味深い論点を提示するのが、先発事業者と後発事業者が後発事業者の参入時期に関して合意をする、いわゆるリバース・ペイメントの問題である。このリバース・ペイメントについては日本の独占禁止法や公正取引委員会の指針や先例には現れていないものの、近時、米国や欧州を中心にさかんに議論がされており、独占禁止法（ないしこれに相当する競争法。以下では特に区別せず「独占禁止法」という）を所管する当局の判断や裁判例が次々と出されている分野となっている。のみならず、この問題は、知的財産制度と独占禁止法が交錯する場面における調整のあり方について興味深い視点を提供しており、日本に対する示唆もあると思われることから項を改めて概要についてここに紹介する。

3　リバース・ペイメント

(1)　リバース・ペイメントとは何か

　リバース・ペイメントとは、典型的には医薬品の分野において、先発事業者（ブランド医薬品メーカー）と後発事業者（ジェネリック医薬品メーカー）との間において、先発事業者の特許の有効性・特許侵害について紛争が生じた場合に、後発事業者が市場への参入を遅らせる代わりに、先発事業者が金銭の支払いを合意する場合をいう。

(2) リバース・ペイメントの問題が現れる背景──先発・後発のインセンティブ

　リバース・ペイメントが行われる直接の背景は、先行者利益を確保したい先発事業者と、市場参入により利益にあずかりたい後発事業者との間における利害の衝突およびその調整にある。先発事業者は、医薬品について承認を取得しその販売により利益を上げることができるようになるまでに、膨大な時間および費用を投入して研究開発および事業化を行う必要がある。そのため承認を取得でき製品化にこぎつけた医薬品については、投下資本の回収のためにも特許権による利益を最大化しようとするインセンティブが働く。そして、仮にそこに後発事業者が参入してくる可能性がある場合には、その参入を遅らせることができれば上記インセンティブにかなう。これに対し、この市場に参入しようとする後発事業者としては、本来早期に市場に参入して利益を最大化していくインセンティブを有しており、後発医薬品の普及を促進しようとする場合にはこのような後発事業者の有するインセンティブをいかに後押しするかが政策課題となる。

　このように、先発事業者と後発事業者は本来異なるインセンティブを有しているのであるが、後発事業者の参入を遅らせることと引換えに先発事業者が後発事業者に対して後発事業者が参入により見込まれる利益を上回る利益を提供することが可能であれば、後発事業者としては参入をしないことも選択肢となってくる。ただ、この場合、先発事業者と後発事業者という競争事業者間における合意であり、新規参入を促進することを目的とする独占禁止法の観点からは、新規参入を遅らせることは競争を制限するものであって法の目的に反する。他方で、このような合意が先発事業者の特許権の効力の範囲内において行われる場合においては、知的財産制度の保護の範囲内とみる余地があり、必ずしも独占禁止法違反とはならないのではないかという主張もありうる。このように知的財産制度と独占禁止法が交錯する場面において、どのような観点から評価するべきかが問題となったのがリバース・ペイメントの問題である。

　そして、上記のようなインセンティブの対比が特に際立つ制度を採用しているのが米国であることから、リバース・ペイメントをめぐる議論も米国が最もさかんである。そのため米国の状況を理解すると問題状況の把握

がしやすい。

(3) 米国の規制状況——ハッチ・ワックスマン法

　米国では、医薬品の承認手続についていわゆるハッチ・ワックスマン法が定めている。まず、先発事業者は、当局（米国食品医薬品局（FDA））に対して新薬の申請をし、長期間の試験を経て承認が得られると販売を開始できる。このように先発医薬品についていったん承認が下りた場合には、後発医薬品についてはより簡易な手続（Abbreviated New Drug Application（ANDA））によって承認を得る道が用意されている。

　さらに、米国においては、関連する特許紛争を顕在化させてこれを解決する手続が用意されている。すなわち、先発事業者に対しては新薬申請手続のなかで関係する特許の情報を明らかにさせ、後発事業者に対しては当該特許を侵害していないことを ANDA の手続のなかで保証させることとしつつ、さらに、その保証の方法の1つとして、そのような特許が無効であるか後発事業者の後発医薬品の製造・使用・販売によって特許は侵害されないことを主張することでも足りるとしている。この結果、後発事業者がそのような主張を行った場合には、先発事業者による特許侵害訴訟の提起が可能となるのであるが、訴訟提起を甘受さえすれば後発事業者としては申請手続を進めることが可能である。

　以上に加えて、後発事業者による参入の大きなインセンティブとなっているのが、最初に ANDA の手続を通じて申請をした後発事業者に対して、当該後発医薬品の販売開始から 180 日間の独占期間を認めている点がある。

　つまり、後発事業者としては、ANDA の手続を経由した場合には、先発事業者との間の特許侵害訴訟を乗り越えて後発医薬品の販売開始にたどりつくことさえできれば大きな利益を上げる道が用意されている。無論、先発事業者との間の特許訴訟を克服するのが条件であるが、先発事業者としては、特許侵害訴訟において自らの特許が無効と判断される可能性もあることから、後発事業者に対して多額の支払いをする和解（リバース・ペイメント）をすることでそのような不確実性を回避することがさかんに行われるようになった。

図表 2-V-4：リバース・ペイメントをめぐる先発・後発事業者のインセンティブの構造

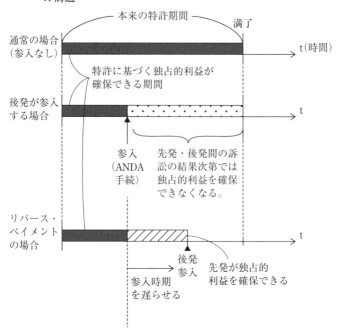

(4) Actavis 事件米国最高裁判決

上記のような実務に対し、米国の独占禁止法当局は、競争事業者間における反競争的な合意を禁ずる米国の独占禁止法に違反すると主張して訴訟を次々と提起し、裁判所の判断が分かれるなか、米国連邦最高裁まで争われたのが Actavis 事件である。

米国連邦最高裁は、特許侵害訴訟において先発事業者が後発事業者との間で和解をする際に、特許権の有効期間満了より一定期間前まで後発事業者の参入を遅らせることと引換えに金銭の支払いをする内容の和解をした案件において、支払いが「多額かつ正当化できない（"large and unjustified"）」ものである場合には米国の独占禁止法に違反する可能性があると判断をした（2013 年 7 月）。

とりわけ注目されるのは、控訴審が採用していた、当該特許権の本来的な排他的効果の範囲内にある限りは、反競争的な効果については独占禁止

法の評価が及ばないという考え方（"Scope of the Patent"）を排斥した点である。

すなわち、先発事業者の特許権が有効であればその特許期間中に認められる排他的な効力は認めつつ、その特許の効力の範囲内において先発事業者が後発事業者との間で特許の排他的効力に関して合意により変更を加えることは場合によっては独占禁止法違反になるとの考え方がとられた。

Actavis 事件における連邦最高裁判決はまた、「多額かつ正当化できない」支払いであるか否かの判断基準については個別事案における事実関係を精査して総合考量を行う合理の原則によるべきであるとしたことから、米国においては同判決をふまえ、具体的にどのような場合に「多額かつ正当化できない」支払いと評価されるのか、金銭の支払い以外の条件の場合にも判決の考え方が適用になるのかといった論点が議論となっている（たとえば、金銭の支払い以外の条件の例としては、先発事業者がオーソライズドジェネリックを販売しないと約束することや、先発事業者と後発事業者が販売・供給・共同開発等で提携契約を結ぶこと等が問題になっている）。

なお、本稿では米国の議論の状況を紹介したが、欧州でもリバース・ペイメントは論点となっている。欧州においては、まず、2008 年に、独占禁止法当局である欧州委員会が医薬品業界に対する市場調査を実施し、翌 2009 年にその結果を公表したが、その報告書のなかで後発医薬品の参入の遅れを問題として指摘するとともに、先発医薬品メーカーと後発医薬品メーカーの間におけるリバース・ペイメントの存在をその原因の 1 つとしてあげた。そして、これに引き続いて欧州委員会は 3 件の事件について調査のうえ、いずれも違法判断を出した。うち 2 件（Lundbeck 事件および Servier 事件）について不服申し立てがされたが、いずれも欧州一般裁判所が違法判断を維持し、2020 年 8 月現在上訴審である欧州司法裁判所に係属中であり、その判断が注目されるところである。

また、欧州のほか英国、韓国等でもリバース・ペイメントはとりあげられつつあり、リバース・ペイメントをめぐる先発事業者と後発事業者のインセンティブの構造が国を越えた共通のものであることがうかがわれる。のみならず、Actavis 事件の米国連邦最高裁判決においては排斥された、特許権の排他的効力の範囲内であれば独占禁止法の検討対象とならないという考え方（"Scope of the Patent"）が米国以外においても論点として提起され

ており、そのこともまた、特許法と独占禁止法の交錯場面におけるこの問題の一般性を示しているといえよう。

その意味で、規制状況といった環境の変化次第では日本でも同様の問題が生じるようになってもおかしくはなく、また、特許法と独占禁止法の交錯を考えるにあたり参考にすべき点があるように思われる。

(5) 日本への示唆
ア 問題の所在

リバース・ペイメントの合意がされた場合、日本においてはどのように評価されうるのであろうか。一方においては、先発事業者がその競争相手となる後発事業者との間で後発事業者の市場の参入時期について合意をしたとみることができ、そうとなれば、上記2(2)で述べたとおり独占禁止法上の不当な取引制限（独占禁止法3条後段、2条6項）が適用される可能性がある。他方においては、先発事業者の特許権の効力の範囲内における合意とみる余地もありそうであり、その場合、上記1でも触れた独占禁止法21条との関係で、そのような合意が特許法による権利の行使の範囲内と認められるかが問題となりうる。

そして、Actavis事件における米国連邦最高裁判決のように特許権の効力範囲には必ずしも拘泥しない考え方をとった場合には、独占禁止法違反の方向に傾くであろう。日本の独占禁止法の関係でいえば、上記1において独占禁止法21条に関して述べた、知的財産制度の趣旨を逸脱した行為によって技術や製品をめぐる競争に悪影響が及ぶ場合には独占禁止法の適用は排除されないという考え方に関して、「趣旨を逸脱」とはどのような場合をいうのかという問題と整理することになると思われる。

イ 実務の現状

ただ、現状においてはリバース・ペイメントの問題は日本においては顕在化していない。先発事業者と後発事業者がそれぞれ有するインセンティブの基本的な構造は米国等と変わらないが、両者をとりまく規制環境の違いが要因としては大きい。具体的には、薬価に対する規制の違い、および、後発医薬品の参入を促進する法制の違いがその主たる要因と思われる。日本のような薬価に関する規制がない米国においては後発事業者の参入に

よって先発事業者の医薬品の価格が著しく低下する可能性があり、先発事業者にとっては失うものが大きい。また、米国においては後発事業者にも

図表2-Ⅴ-5：日本と米国の制度の違いの対比

	米国	日本
後発医薬品メーカーの参入による価格の低下の度合い	薬価に関する規制がなく後発医薬品メーカーの参入により価格が著しく低下しうる	薬価基準により薬価が定められ、新規の後発医薬品の薬価については原則として先発医薬品の50％とされている
後発事業者の参入インセンティブ確保のために独占権を認める制度	最初の後発事業者に一定期間の独占を（先発事業者以外との関係で）認める制度あり	なし
先発事業者の特許との抵触の調整方法	訴訟による調整を想定 ・　先発事業者に対し、新薬申請手続において関係する特許を特定する情報（特許番号および存続期間満了日）を提出することを要求 ・　後発事業者に対しては、そのような特許を侵害していないことをANDAの手続のなかで保証させるが、保証は、先発医薬品特許が無効であるか後発医薬品の製造・使用・販売によって侵害されないことを主張する方法でも可能 ・　上記の方法による保証をもって特許侵害として先発医薬品メーカーは侵害訴訟を提起できる	訴訟による調整を必ずしも想定していない ・　先発医薬品の特許に後発医薬品が抵触する場合には、そもそも後発医薬品について製造販売の承認がされない（パテント・リンケージ） ・　薬価収載の申請の際に、先発事業者と後発事業者との間において事前の調整をすることが求められている（上記Ⅳ2の厚生労働省医政局経済課長通知）

Ⅴ　先発・後発事業者間の合意およびその他の知財関連契約と独占禁止法

一定期間の独占を認める制度となっており後発事業者にとっての参入インセンティブも大きい。さらに、後発事業者の参入により生じうる特許紛争について米国では訴訟による解決が指向されているのに対し、日本では先発医薬品の特許に後発医薬品が抵触する場合には、そもそも後発医薬品について製造販売の承認がされず（パテント・リンケージ）、後発医薬品について承認を取得したとしても、次の段階である薬価収載の手続において特許係争防止の観点から先発事業者との間で事前調整をすることが上記Ⅳ2の厚生労働省医政局経済課長通知によって求められる等、先発事業者と後発事業者との間の訴訟にそもそも発展しにくい制度となっている。

　したがって、現状において、リバース・ペイメントの問題がただちに日本において問題となる可能性は低い。ただし、今後、後発医薬品の普及がさらに進み、価格競争の観点からの参入インセンティブが強化され、また、後発医薬品の参入による価格低下が著しくなる等により環境が変化した場合には、先発事業者と後発事業者の利害の衝突が先鋭化してリバース・ペイメントが問題となるかもしれない。

　ウ　現在の実務への示唆

　以上述べたとおり、リバース・ペイメントそのものが日本においてただちに問題となる可能性は低い。しかしながら、リバース・ペイメントをめぐる問題が示唆している問題意識は日本においても参考にできる。

　すなわち、リバース・ペイメントをめぐる議論においては、特許権の効力範囲にあると思われる事項であっても、特許権者がその競争事業者との間の合意によって変更ないし処分する場合には、独占禁止法にも留意が必要であることを示唆している。知的財産権と独占禁止法が交錯する場面においては、市場における競争を減少・停止するような行為については、知的財産制度の趣旨を逸脱した行為として特許法の保護がもはや及ばず、独占禁止法の観点から違法と判断される場合がありうることは以前から指摘されていたことであるが、そこに知的財産権関連契約の際に考慮すべき新たな参考例が加わったことになる。したがって、ライフサイエンスの分野における知的財産権関連契約の検討・締結の際にも十分留意しておく必要があろう。

〔山田篤〕

コラム⑧：AI を利用した研究開発と知財

　医療・介護の分野では、AI の利用可能性に関する研究開発が進んでいる。たとえば、AI に過去の治療データを学習させ、医師による疾病の診断を補助するプログラムの研究開発、種々のパラメータから最適なケアプランを作成するプログラムの研究開発、AI による医薬品として有効な化合物の予測等である。

　法的には、AI の機械学習により得られた成果物をどのように保護するか、ということが、1つの大きな問題となる。

　AI を利用した研究開発においては、単純化すれば、①AI に学習をさせるためのデータの元となる生データ（および AI 学習用にそれを加工した学習用データ）、②学習用プログラム、③当該プログラムにデータを学習させて得られた学習済みモデル（学習により得られたソフトウェアとパラメータによる構成物）という成果物が登場する。①は社会活動から得られたデータであり、データベースの著作物（著作権法12条の2）として著作権法による保護を受ける可能性はあるものの、通常は不正競争防止法上の営業秘密（不正競争防止法2条6項）や限定提供データ（同条7項）として保護されるものであろう。②は、主として、プログラムの発明およびプログラムの著作物として、特許法および著作権法による保護の対象となりうる。

　問題は③である。③は、企業による研究開発活動の結果生じたものであれば、不正競争防止法上の営業秘密（「秘密として管理されている……事業活動に有用な技術上又は営業上の情報であって、公然と知られていないもの」）に該当する場合も少なくないと思われる。では、特許法または著作権法による保護はありうるか。特許法は、「発明」を「自然法則を利用した技術的思想の創作のうち高度のもの」と定義し（特許法2条1項）、著作権法は、「著作物」を「思想又は感情を創作的に表現したものであって、文芸、学術、美術又は音楽の範囲に属するもの」と定義している（著作権法2条1項1号）。今日では、「自然法則を利用した」や「思想又は感情を……表現した」という要件は比較的ゆるやかにとらえられている。しかし、それらはあくまで人間の創作活動の成果を保護し、創作活動を奨励しようという法律であって、機械学習に頼る部分が大きくなればなるほど、それは人間が「創作」したものとはいいがたくなる。現在でも、コンピューターによって理路整然と整理された膨大なデータから成るデータベースは、経済的価値は高いかもしれないが、技術的思想の創作や、創作性を有する表現ではないから、特許法や著作権法の保護の対象とはならない場合が多い。もっとも、データベースが既存の情報を体系的に構成したものであるのに対し、AI の学習済みモデルは、AI の学習用プログラムとしてどのようなものを採用するか、AI の学習のためにど

のようなデータを入力するかといったところに人間の知的創作が働く余地があり、そこから学習済みモデルという新たな物を生み出すものである。その成果が人間の創作的活動によるものであることが確認できる限りは、特許法および著作権法による保護を否定する理由はないように思われる。なお、特許に関し、特許庁は、従来の出願審査基準を適用することで問題なく出願審査を行えるとの立場に立っている（特許庁「AI関連技術に関する事例の追加について」特許庁ウェブサイト（平成31年1月30日））。

　AIは、ときに人間の予測を超えた結果を生み出すこともある。人間の予測を超えるというだけでは、発明性あるいは著作物性を否定する理由にはならない。しかし、特許を受けようと思えば発明を文章によって表現する必要があり、明細書の記載要件も満たさなければならない。著作権を行使しようと思えば、著作物性の立証が必要となる。不正競争防止法に基づく請求をしようと思えば、なぜ相手方の行為が不正競争にあたるのかを、請求者側が立証しなければならない。これらのことを考えると、結局、最終的にはAIによる学習の成果を人間が理解する必要があり、人間に理解不能なものは、事実上法的な保護も受けられないということにもなろう。

　ところで、AIを用いた研究開発は、共同研究として行われることが多い。共同研究を行う際に結ばれる共同研究契約は、生じた成果物に対する知的財産権の帰属を定めることが1つの重要な要素となる。通常の共同研究契約においては、いずれか一方の当事者の従業者等が行った発明に対する権利は当該当事者の単独帰属とし、双方の当事者の従業者等が共同で行った発明に関しては貢献度に応じた共有とする、というように、抽象的なルールのみを定め、後は協議と事実認定に委ねるという運用も多く見受けられる。しかし、上記のとおり、AIを用いた研究開発においては、誰が発明者であるかの認定に困難をきたす場合も少なくないし、発明を想定した規定を置いておいても、そもそも発明への該当性が否定される可能性もある。むしろ、発明に該当しないデータやパラメータの利用権をどう規定するかが重要になることもあるように思われる。契約にあたっては、そういった不確実性を考慮して、「どの成果が誰に帰属するか」という抽象的な定めにとどまらず、「当事者は成果を使ったどのような行為が可能で、どのような行為が禁じられるか」を、より具体的に定めておくことが望ましいといえよう。AIと共同研究に関しては、経済産業省が「AI・データの利用に関する契約ガイドライン」（データ編およびAI編）を策定し、公表している。さらなる議論の深化が注目されるところである。

〔村上遼〕

第3章 コーポレート分野におけるライフサイエンス

I 大学発バイオベンチャーの成功のための「7つの鍵」——ペプチドリーム社から学ぶ

1 はじめに

　ペプチドリーム株式会社は、東京大学発のバイオ医薬品企業であり、近年で最も成功した日本のバイオベンチャー企業の1つである。同社は2006年に設立され、独自に開発した創薬開発プラットフォーム・システムである「PDPS」(Peptide Discovery Platform System) により、多様性がきわめて高い特殊環状ペプチド（生体内タンパク質を構成する20種類のL体のアミノ酸だけではなく、特殊アミノ酸と呼ばれるD体のアミノ酸やNメチルアミノ酸等を含んだ特殊なペプチド）を数兆種類の単位で短時間に合成し、さらにそれを高速で評価することを可能にしたことで、創薬において重要なヒット化合物の創製やリード化合物の選択等を簡便に行える方法を実現した。それによって、創業から5年目からは欧米のビッグファーマとのアライアンスが本格的に開始して経営も黒字化し、2013年6月に東証マザーズに上場した際には公募価格2500円に対して7900円の初値をつけた。その後も順調に成長を重ね、同年12月には東証一部に市場変更をし、2017年6月期決算においては売上高が約49億円、経常利益が26億円以上（経常利益率は53％以上）、2020年5月現在の同社の時価総額は約5999億円となっている。

　このように、ペプチドリーム社は、日本の多くのバイオベンチャー企業（なかでも、特に大学発のもの）が創業後長年にわたって成長軌道に乗れず、赤字経営から脱することができないままでいる状況のなかで、稀有ともいえる急速かつ大規模な成功を遂げている。そこで、同社の成功を可能たらしめた主な要因を特定して分析し、それを可能な範囲で他社においても参

考にできる形で整理して一般化することは、今後の日本のバイオベンチャー企業全体の成功確率をあげるために一定の意義をもちうるものと考え、本稿を作成することとした（なお、筆者はペプチドリーム社の株式上場（IPO）の前後にわたって同社の顧問弁護士を務める機会を得たことから、本稿には筆者がそのような立場において感得しえたユニークな情報が一部含まれるが、もちろん、同社の機密情報を開示するものでは一切なく、かつ、本稿に含まれる見解はすべて筆者の私見であることをお断りする）。

2　ペプチドリーム社の何が「ユニーク」だったのか？＝成功のための「7つの鍵」

筆者が考えるペプチドリーム社（以下「PD社」という）の成功の主要な要因（「成功の鍵」）としては、以下の7点があげられる。これらの各点について、下記3以下で順に具体的に説明する。

①　コアテクノロジーの「生みの親」である研究者の会社経営・ビジネスへの関与のあり方
②　創業時のチーム（メンバー）組成
③　テクノロジー／知財戦略
④　ビジネスモデル
⑤　創業時の資金調達と活用のあり方
⑥　グローバルなマーケティング／事業開発（ビジネスデベロップメント）
⑦　優秀なR&D人材への潤沢なアクセス

3　コアテクノロジーの「生みの親」である研究者の会社経営・ビジネスへの関与のあり方

大学発ベンチャー企業の多くにみられる基本的な問題の1つが、会社のビジネスの基礎となる技術（コアテクノロジー）の「生みの親」である大学教授等の研究者が、「サイエンスの世界」において自らが生み出した技術（いわば自分の「子」）からいつまでも手離れできずに、創業後もその技術の「ビジネスの世界」における「将来」（＝事業戦略）に口を出し続けてしまう、ということである。一般的には、一定分野のサイエンスの専門家である研究者が、自己が開発した技術について、ビジネス市場におけるその技術の

価値や競争力を、第三者的な視点で客観的かつ公正・厳密に評価することはきわめて困難であると考えられる。なぜなら、ビジネス市場は、サイエンスとはまったく別の原理やルールで機能しているからであり、また、多くの研究者は、自分自身が手塩にかけて苦労して開発した技術に対して非常に強い思い入れをもっているために、その価値や競争力を過大に見積もりがちな傾向にあることも否めないためである。しかし実際には、大学発ベンチャー企業において、創業後も長期間にわたってそのような研究者が会社経営に対して大きな影響力をもち続けるケースが少なくないとみられ、その結果として、純粋なビジネス判断として行われるべき会社の経営判断にしばしば狂いや、ぶれが生じ、最終的に誤った経営判断が行われる確率が相当程度高まるおそれが否定できないものと思われる。

これに対し、PD 社においては、同社の共同創業者の 1 人であり、同社にとってのコアテクノロジーの生みの親であった菅裕明博士（東京大学教授）は、創業当初から、自らは同社の R&D（研究開発）戦略の基本方針等には社外取締役の立場でアドバイスを行うものの、具体的な業務執行やビジネス上の問題に対しては一切口を出さないことを明言し、その態度を一貫して崩さなかった。このことが、PD 社において厳格な「サイエンスとビジネスの峻別」を可能とし、結果として同社のビジネスの世界での成功の確率を高めることに寄与したものと考えられる。

それではなぜ、菅教授はそのような一貫した態度を維持することが可能だったのであろうか。この点も筆者の単なる推測にすぎないが、菅教授はアメリカでの研究生活が長く、アメリカで数多くのバイオベンチャー企業の成功例の情報に触れたことによって、成功するベンチャー企業の基本的な要件について十分な理解があり、また日本におけるアカデミックの世界とビジネスの世界の大きなギャップについてもよく認識されていたのではないかと推察される。さらに、下記 4 で詳しく述べるとおり、創業前に全幅の信頼をおける経営者（窪田氏）にめぐり会い、会社のビジョンをともに作り上げることができたことで、自らが開発したコアテクノロジーのビジネスの世界における活用について、安心して他者に全面的に委ねることができたものと考えられる。

4 創業時のチーム（メンバー）組成

　PD 社の共同創業者は、前述の菅教授と窪田規一氏の 2 名であった。PD 社創業時から代表取締役社長を務め、現在は取締役会長である窪田氏は、医薬・医療機器分野での事業開発について広く豊かな知見があり、かつ過去にベンチャー創業の経験も有していたことから、菅教授と出会ってから比較的短時間で、菅教授とともに PD 社の経営ビジョンとビジネスモデルを作り上げて共有することができた。また窪田氏は、独特の「ソフト」なマネジメント・スタイルによる卓越したチームビルディング能力の持主でもあり、それが組織としての同社の急速な成長を可能としたと考えられる。

　そして、この 2 人を PD 社誕生前に引き合わせたキーパーソンが、同社が株式上場（IPO）をするまで同社監査役を務めた片田江舞子博士である。東大エッジキャピタル（UTEC）所属のベンチャーキャピタリスト（現パートナー）である片田江氏は、菅教授が開発した基盤技術の商業的なポテンシャルを早期に正確に見抜き、UTEC による出資が決まる前であったにもかかわらず、自らの判断でそれを事業化できる経営人材を探索し、妥協のない人選を重ねた結果、窪田氏を見出して、菅教授と引き合わせた。このような片田江氏の「目利き力」と行動力こそが、ベンチャー起業のアクセラレーターであるベンチャーキャピタリストとしての真骨頂であり、同氏のサポートがなければ PD 社が創業されることはなかったかもしれない。

　さらに、現在 PD 社の代表取締役社長であるパトリック・リード博士（元・東京大学先端研究／国際産学共同研修センター特任教授）も、創業後間もなく同社の経営に参画し、研究開発および海外のライセンシーに対するビジネスデベロップメント（契約交渉等）を担当した。一般的に創業後間もない日本のバイオベンチャー企業の経営陣には国際性が乏しいケースが多いが、PD 社にはその点でも例外であった。リード氏が PD 社の成功において果たした具体的な役割については、後述する（下記 8）。

5 テクノロジー／知財戦略

　PD 社のコアテクノロジーである PDPS（Peptide Discovery Platform System）には、以下の 3 つの技術が含まれている。

> ① フレキシザイム：今まで無細胞翻訳系により組み込むことが困難であった特殊なアミノ酸を、簡単かつ迅速にペプチド合成のなかに組み込むことを可能とするテクノロジー
> ② FIT システム：フレキシザイム技術で創製できるようになった特殊ペプチドを、桁違いの多様性（数や種類）を持ったライブラリーとして構築するためのテクノロジー
> ③ RAPID ディスプレイ・システム：数千億から兆単位の数の特殊ペプチドを効率的かつ高速、正確にスクリーニングすることを可能とするテクノロジー

　このうち、PD 社創業前の時点ではフレキシザイムの原型しか存在していなかったところ、創業準備の過程で、菅教授と窪田氏が数か月にわたって会社のビジネスモデルについて議論した結果、フレキシザイムの完成型に加えて、FIT システムと RAPID ディスプレイ・システムの 3 つの技術がすべて揃わなければ、成長性・拡張性のあるビジネスとして成り立たせることは難しいとの結論に達した。この結論に基づいて PD 社は設立され、その後同社は苦労しつつも数年かけて 3 つの技術すべての開発に成功したことから、それ以降、それらを統合した PDPS をフル活用して本格的な事業化・収益化に邁進することが可能となったものである。
　このように、PD 社は創業前の時点ですでに、その時点で存在する技術に対してマーケットとビジネスの厳しい視点で評価を加えたうえで、収益を生むビジネスモデル構築の観点から不足している技術をあらかじめ特定していた。そのため、創業後ただちに、限られた経営資源をあらかじめ特定済みの欠けている技術の開発に集中することができたものであり、その結果として開発が成功する確率も大幅に高まったものと考えられる。このような早期の段階で、現在も変わらずに同社のコアテクノロジーであり続ける PDPS の内容がきわめて正確に特定されていたことは驚きであり、この点においても創業当初から同社の（技術およびビジネスの双方の観点での）先見性が際立っていたことは明らかである。
　また、このようにビジネスモデルとの関係で本質的な技術が絞り込まれていたために、それに対応する知的財産（特許）戦略も比較的立てやすかっ

たものと考えられ、実際に同社は、これらのコアテクノロジーについて戦略的な特許ポートフォリオを構築することに成功している。

6　ビジネスモデル

PD 社の基本的なビジネスモデルは、**図表 3-Ⅰ-1** に示されたとおりである。

図表 3-Ⅰ-1：PD 社のビジネスモデル

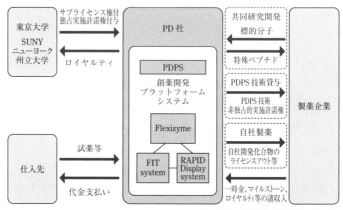

注：PD 社提供の資料に基づく

このうち、現在の主力事業は、製薬企業との共同研究開発契約をベースとする「創薬アライアンス事業」である。具体的には、

① 「特殊ペプチド」に関する独自・独占的な創薬開発基盤技術および特許群を保有している強みを活かし、契約締結段階からまとまった金額の「契約一時金」等を受領する。
② 共同研究開発の進捗により、「創薬開発権利金」や「目標達成報奨金」等の追加収入が生まれる。
③ 最終的に薬が上市されればその売上金額の一定料率を「売上ロイヤルティ」として受け取ることができる。

というビジネスモデルとなっている。これにより、創薬アライアンスの初期から売上げを生み出すことが可能となり、その後の創薬開発の各段階に

応じて収益を継続的に計上できるビジネスモデルを構築することに成功している。この点においてもPD社は、創業後何年にもわたって巨額の赤字を垂れ流すことが前提となっている一般の創薬ベンチャー企業のビジネスモデルとは、大きく異なっている。

創薬アライアンス事業のパートナーである国内外の製薬企業には、以下のような著名な大手企業が数多く含まれている。

海外企業	国内企業
・ Novartis ・ GSK ・ AstraZeneca ・ BMS ・ Amgen ・ IPSEN ・ Eli Lilly ・ Merck ・ Sanofi ・ Genentech（Roche） ・ Janssen Pharmaceuticals ・ Bayer AG	・ 第一三共 ・ 田辺三菱製薬 ・ 帝人ファーマ ・ 杏林製薬 ・ 塩野義製薬 ・ 旭化成 ・ 参天製薬

このように、PD社は創業時から、大手製薬企業とのアライアンスを組むことで、自社のリスクを巧みにコントロールしつつ、事業の規模を拡大してきた。すなわち、創業後間もない段階で自社単独での創薬をめざすことは、自社の財務的な体力にみあわない過大なリスクを負うことになるため、意図的にそのようなハイリスク・ハイリターンのビジネスは当面は回避したうえで、資金が潤沢な大手製薬企業とリスクをシェアできる創薬アライアンス事業に集中してきた。

しかし、IPOから数年が経過し、毎年十分な金額の利益を積み重ね、創薬にかかわる社内の人材も順調に育ってきたことから、自社単独または自社が中心となった創薬を手がけるための十分な体力（資金力、開発力等）が備わってきたと判断できる状況が生まれてきた。そこで、PD社は近年、ア

ライアンスによる創薬に加えて、自社による創薬にも本格的な取組みを開始しており、事業モデルがさらに拡張しつつある。

　以上のとおり、会社の成長段階に応じて適切な事業モデルの選択・拡張を行ってきたことも、PD社の成功の主要な要因の1つであったと考えられる。

7　創業時の資金調達と活用のあり方

(1)　ブートストラップ（自己資金による起業）

　PD社は、設立当初から約2年間は、役員メンバーや身内から集めた資金のみでやり繰りを行った。設立から2年後の2008年7月に、はじめての外部投資家からの資金調達として、株式会社東京エッジキャピタルが運営するユーテック1号ファンド等から合計1.5億円の投資を受けた。

(2)　ケチケチ戦略：「ケチは美徳なり」（by 窪田氏）

　PDPSの3つの技術すべての開発が完了して「稼げる体制」ができるまで、窪田氏自身は会社から一切報酬を受け取らず、菅教授の研究所の一部を間借りし（つまり家賃はゼロ）、東京大学の倉庫にあったテーブル・その他什器類をもらってくる等、削れる支出は極力削り、限られた手元資金の大部分を研究開発費や事業提携費に振り向けた。

(3)　リーマンショック

　2008年7月後半の最初のベンチャー・キャピタル投資後から2か月も経たない2008年9月半ばに起こったリーマンショックにより、経営環境が急激に悪化し、その後しばらく追加の資金調達も困難な状況に陥ったが、持ち前の徹底したローコスト経営により、手持ちの資金によりこの厳しい時期を乗り切ることができた。リーマンショックの時点で、RAPIDディスプレイ・システムはいまだ開発途中で出口がみえにくい状況ではあったが、手元資金を最大限有効に活用することで、当初の開発計画を大幅に変更することなく進めることができた。

8　グローバルなマーケティング／事業開発（ビジネスデベロップメント）

　一般に、日本の製薬会社は、業界内での評価がいまだ確立していない日本のバイオベンチャー企業からの技術導入にきわめて及び腰である。したがって、日本のバイオベンチャー企業にとっては、早期に売上げを立てて事業の実績を作るために、最初の顧客を海外に求める必要性がきわめて高いことになる。この点、PD 社には創業当初からリード氏というグローバルなマーケティングや事業開発に経験豊富な人材が経営に参画していたことから、一般の日本のバイオベンチャー企業に比べて、海外の大手製薬企業に対する事業開発力・契約交渉力がはるかに優れていたものと推測され、このことが、創業後比較的早期の段階（まだ会社や PDPS 技術のブランドや信頼性が業界内で確立されていない段階）での海外の大手製薬企業とのアライアンスの実現に大きく貢献したものと考えられる。

9　優秀な R&D 人材への潤沢なアクセス

　いかに優れたコアテクノロジーが存在していたとしても、それを実際の事業に活かして収益化していくのは生身の人間であるところ、日本においてはアーリーステージのベンチャー企業が優秀なエンジニア人材を十分に確保することが一般的には困難であるといわれる。しかし、PD 社においては、従業員数 120 名（2019 年 6 月末現在）のうち、研究開発（R&D）部門に所属するエンジニア（理系人材）が約 9 割で、しかもその半数以上が Ph. D. 保有者（いわゆるポスドク）とされている。これは、PD 社が「最も成功している東大発バイオベンチャー企業」としてのブランドのメリットをフルに活用して、東京大学をはじめとする一流大学の優秀な理系人材の獲得を有利に進めていることによるものと考えられる。

　また、これを理系人材（特にポスドク）側の視点からみると、日本ではかねてから、優秀なポスドク人材の就職難（あるいは仮に職がみつかったとしても、身分の不安定な任期付かつ低賃金のポジションに限られる等）が深刻な社会問題として認識されてきたにもかかわらず、その状況を大きく改善する方法はこれまでみつかっていない。そのようななかで、PD 社では、全社

員の圧倒的多数が研究開発部門に所属する理系人材（そのうちの半数以上がポスドク）であるという完全なR&D志向のベンチャー企業であり、しかも（PD社のきわめて高い利益率を背景に）社員の平均年収は約1000万円であるといわれる。このようなPD社は、現時点でその高い能力や経験に十分にみあわない待遇しか与えられていないポスドク人材の多くにとっては、雇用期限のない安定した立場で自分のやりたい研究に専念でき、かつその高度な知的労働に対して正当な対価が保証されている、まさに「夢のような就職先」ではないかとも考えられる。

10　まとめ

PD社がこれまでに収めた大きな成功は、日本の大学発バイオベンチャー企業であっても、世界の大手企業と対等なアライアンスを結んでグローバルに事業を展開し、シリコンバレーのベンチャー企業と比較しても決して見劣りしないほどの急速な成長を遂げることが可能であることを実証したという意味で、非常に大きな社会的な意義を持っていると筆者は考えている。問題は、「第2、第3のPD社」が日本からなかなか現れてこないことにある。本稿が、近い将来にPD社を凌駕するような大きな成功を果たす大学発ベンチャー企業が、日本でまた生まれることの一助となるとすれば、筆者としては存外の幸せである。

〔中町昭人〕

コラム⑨：ライフサイエンスと産学連携
1　ライフサイエンス分野における産学連携

　日本でも「オープン・イノベーション」という言葉をよく目にするようになったのは、2000年代中頃からであろうか。そのようなオープン・イノベーションの典型例の1つが、民間企業と大学等の公的研究機関との間で行われる研究コラボレーション、いわゆる産学連携である。

　折しも国立大学の法人化やそれに伴う運営費交付金の削減等の事情によって、「学」の側としても社会貢献や研究資金獲得の観点から民間企業との産学連携が積極的に推進されている背景もあり、民間企業と大学等との産学連携はさかんに行われるようになってきている。実際、文部科学省の統計によれば、わが国の大学等における民間企業からの研究資金等の受入額は共同研究費を中心に年々増加の一途をたどっており、平成30年度は約1077億円（前

年度比で約117億円増）となり、はじめて1000億円を超える規模にまで至っている（文部科学省「平成30年度大学等における産学連携等実施状況について」（令和2年6月26日更新））。

　多くの技術分野のなかでも、ライフサイエンス分野は伝統的に産学連携活動が活発な分野といえる。平成25年度の統計ではあるが、民間企業と大学等との共同研究のうち30％以上、受託研究に至ってはその約43％がライフサイエンス分野の研究を対象としている（**図表⑨**）。

図表⑨：共同研究・受託研究における技術分野

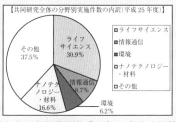 

出典：文部科学省「平成25年度大学等における産学連携等実施状況について」（平成26年11月28日）。

　ここでは、ライフサイエンス分野の産学連携における種々の形態および民間企業側からみた留意点を紹介したい。

2　共同研究・受託研究

　産学連携とひとくちにいっても、そのコラボレーションの形態はさまざまであるが、最も広く行われている形態は、共同研究や受託研究であろう。「共同研究」とは、民間企業と大学等が共通の課題についてそれぞれの役割分担のもとで協力的に行う研究開発活動であり、一方、「受託研究」は、あくまで民間企業が委託した特定のテーマに関して大学等が単独で研究を行う形をとる。日本では、米国とは異なり圧倒的に共同研究の形態をとることが多いというのは興味深い点である。

　ライフサイエンス分野の共同研究等の場合には、大学等の基礎研究から生じる創薬シーズ（候補化合物）や、新規な生体材料等の創出等が対象とされることが多く、あるいは、大学等が保有するバイオリソースへのアクセスを目的とするものもある。いずれにしても、比較的萌芽期の研究段階における連携を標榜するケースが多いことが特徴である。

　共同・受託研究のいずれの場合も、民間企業は研究費や研究者を大学等に提供することになるため、研究プロジェクトを開始する際には、大学等との間で研究契約を結ぶ必要がある。ライフサイエンス分野では比較的高額の研究費となる傾向がある。また、研究テーマによっては臨床研究法の要件を満たすことが必要となりうる。

このような研究契約で最も重要となるのは、研究成果である知的財産の帰属および実施を当事者間でどのように規定するかという点である。各大学が知的財産の取扱いについてどのようなポリシーを有しているかを事前に理解したうえで、契約交渉に臨むことが円滑な契約締結のために重要である。現在ではほとんどの大学が独自の研究契約ひな型をウェブ上で公表しているので容易に参照することができる。一般に、製薬等ライフサイエンス分野の企業は、成果知財が共有となる場合も含め将来にわたり独占的な実施を希望することが多いが、大学等との交渉が難航するようなケースは他の分野に比べて比較的少ないといわれている。

なお、近年では、ライフサイエンス分野における横断的な研究テーマに関して、コンソーシアムを形成し複数機関で行う大型の共同研究プロジェクトも増加している。そのようなコンソーシアム型プロジェクトにおける研究契約モデル（さくらツール）が文部科学省から公表されており参考になる（モデル作成にあたっては当事務所が事務局を務めている）。

3 特許ライセンス（技術移転）

大学等が独自の優れた研究成果についてすでに特許出願しまたは特許権を保有している場合には、民間企業がそのような特許についてライセンスを受けること、すなわち技術移転によって実用化をめざすようなケースも産学連携の1つの形態に含まれる。その場合には、大学の知的財産部門や技術移転機関（TLO）が、そのライセンス交渉の窓口となる。研究成果の実用化のために必要であれば特定の民間企業に独占的な実施を認めることも通常は許容される。しかし一定の場合、たとえば、創薬用スクリーニング方法や種々の疾患に適用可能性がある候補化合物に関する特許のような場合には、公的資金により研究を行う大学等として、研究成果の広い社会還元の観点から広く非独占的なライセンスとすることで実用化に取り組む企業を模索するというスタンスをとることもありうる。

なお、特許の対象である技術だけですぐに実用化できる段階になく、さらなる改良が必要であったり、あるいは発明者である大学等の研究者からの継続的なコミットメントが必要な場合には、特許のライセンスを受けつつ、同時に共同研究等に発展する場合も多い。

4 マテリアル・トランスファー（成果有体物の移転）

また、ライフサイエンス分野に特有なものとして、大学等が保有するバイオマテリアル（いわゆる「成果有体物」）が、ときとして特許よりも重要な価値を有する場合がある。たとえば、モノクローナル抗体やハイブリドーマ、遺伝子組換えマウス等である。大学からそれらマテリアルの提供を受ける場合には、成果有体物提供契約（MTA）を締結する必要がある。上記の特許のライセンスや共同研究に伴ってマテリアルの提供を受ける場合もみられる。

ほとんどの大学等では研究成果として得られた成果有体物は、研究者個人や研究室ではなく、大学等の機関に帰属するという内部ルールとなっている。したがって、MTA を締結する際の条件交渉は大学等との間で行うことが原則となる。そのような機関帰属のルールが定められている場合に、大学内の担当部門を通さずに、研究者個人や研究室との間で MTA を結びマテリアルの提供を受けることは契約の有効性や規則違反等の問題が生じるおそれがあるので、事前に大学等の内部ルールを十分に確認しておくことが重要である。

5　治験

　大学病院等で行われる治験も増加傾向にあり、治験に関する民間企業からの研究資金受入額は、平成 30 年度で約 196 億円に至っている（前述文部科学省「平成 30 年度大学等における産学連携等実施状況について」）。大学等が行う治験も、広い意味で医薬品創出をめざした産学連携の 1 形態として扱われている（治験の詳細については**第 1 章Ⅳ**をご参照いただきたい）。ただし、治験等の臨床研究に対しては、昨今、その透明性や利益相反のマネジメントが厳しく問われている状況であるため、研究者や治験主任医師との関係性等を事前に十分に検証することが求められる。なお、近年、公的資金等を用いた医師主導治験も行われるようになったが、民間企業が医師主導治験の支援等を行う場合についても同様の留意が必要となるであろう。

〔重森一輝〕

Ⅱ ベンチャー企業に対する投資

1 ライフサイエンス分野のベンチャー企業への投資の近時の傾向

　近年のベンチャー、スタートアップ企業（以下「ベンチャー企業」という）は、産業の新陳代謝のための政府の後押し、人材の流入等もあいまって、市場における役割は増す一方であり、平成30～平成31年・令和元年には国内未上場ベンチャー企業の資金調達額は過去最高レベルに達している（令和2年3月4日付日本経済新聞電子版）。ライフサイエンス業界においてもここ数年ではスコヒアファーマ、ボナック、メガカリオン等創薬関係を中心に大型の資金調達が目立ったが、健康関連企業においてもITの活用をうまく取り入れているベンチャー企業を中心に調達件数・金額は増加傾向にあり、今後のベンチャー企業の資金調達環境下においても、ライフサイエンス分野では社会のニーズにマッチした強みを発揮するのではないかと思われる。また、同業界は、他の分野と比べて、大学発や地方発のベンチャー企業が多いセクターとされている点にも特徴があるといえる。

2 ベンチャー企業への投資の目的

(1) 投資家の種類

　ベンチャー企業への投資の従来からの主たる担い手としては、いわゆるベンチャー・キャピタル（VC）があげられる。それに加えて、最近は事業

図表3-Ⅱ-1：ベンチャー企業の関係者

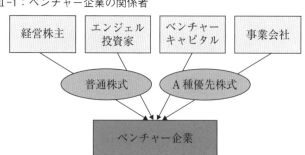

会社がベンチャー投資専門の組織としてコーポレート・ベンチャー・キャピタル（CVC）を立ち上げる等してベンチャー投資に加わるケースが目立っている。事業会社として、伝統的な製造業等の大会社だけでなく、ベンチャー企業から発展してきたような新興企業が取り組む例も多い。

(2) 投資家の目的

　ベンチャー・キャピタルがベンチャー投資を行う場合は、純粋にキャピタル・ゲインを目的とする場合がほとんどであるといえよう。それに対し、事業会社がベンチャー投資を行う場合には、キャピタル・ゲインのみを目的とする場合もないわけではないが、近年増加している事業会社によるベンチャー投資は、ベンチャー企業との間の何らかの協業を目的としている場合が多い。特にライフサイエンスの分野においては優秀な研究者、技術者がベンチャー企業を立ち上げ、有望なシーズを保有しているケースも多くみられ、事業会社は自社ビジネスとの組み合わせによる事業成長、新規事業の創出を企図するようになってきている。そのため、投資に際しては、投資契約、株主間契約とあわせて、共同研究開発や業務提携等のビジネス・アライアンスに係る契約を締結することになる。

(3) ベンチャー企業に対するデュー・ディリジェンス

ア　デュー・ディリジェンスの方法

　ベンチャー企業に対する投資である以上、投資対象たるベンチャー企業に対する一定のデュー・ディリジェンスを行い、法務の観点からは投資におけるリスクの発見および投資契約等への結果の反映の検討を行うことが必要となってこよう。もっとも、ベンチャー投資においては、マイノリティーでの投資であり、かつ投資金額自体もそれほど大きくはならないケースが多く、買収の場合のように企業全体を万遍なく精査するようなフル・デュー・ディリジェンスを行うことは時間的にも量的にもなかなか難しいため、対象範囲を絞って効率的に行うことが自然と求められる。

イ　デュー・ディリジェンスの対象

　一般的に法務デュー・ディリジェンスの対象としては、以下の各項目が考えられる。

①	会社組織	⑥	動産
②	株式	⑦	知的財産権
③	許認可・コンプライアンス	⑧	人事労務
④	契約	⑨	紛争
⑤	不動産	⑩	環境その他

　もっとも、上記のとおりベンチャー投資におけるものとして項目を絞るのであれば、まずベンチャー企業の事業のコアとなるような事項にフォーカスして確認することになろう。特に、ライフサイエンス業界におけるベンチャー企業については、薬機法上の許認可等に代表される、ベンチャー企業がその事業を営むうえで必要な許認可を有効に保持しており、関連する法令・規則等を遵守しているか、ベンチャー企業が保有している知的財産権が有効なものであり、また、当該知的財産権に起因する紛争等は存在しないか、といった点が重要といえる。また、事業会社がベンチャー企業とのライフサイエンス分野における協業をも目的として投資を行う場合には、想定、期待している協業を妨げるような事象がないかについての確認作業が重要となる。たとえば、協業に必要とされる権利についてライセンス契約により他社に独占的な使用権が許諾されていないか、ベンチャー投資がトリガー事由となってベンチャー企業に不利益が発生するような条項が規定されていないか、競業他社とすでに業務提携がなされており、自社との協業の効果が限定的とならないか等を中心にチェックしていくことになろう。なお、法務デュー・ディリジェンスの対象を絞り込んだ結果、精査の対象から外れた項目のうち重要な事項については、投資契約上、後述する表明および保証に関する規定により対応することが考えられる。

3　投資関連契約

(1)　投資関連契約の構成

　ライフサイエンス業界におけるベンチャー企業に対する投資にあたっては、投資家は、ベンチャー企業や創業者、経営者等の株主（以下、経営者である株主を「経営株主」という）との間で、投資関連契約としてさまざまな契約を締結することが一般的である。

①投資契約は、投資家が引き受けるベンチャー企業の株式の内容・払込金額（投資金額）等、ベンチャー企業が発行する新株の引受けに関する主要な条件を投資家とベンチャー企業との間で定めるものであり、ベンチャー企業に対する投資そのものを規定する投資の基本をなす契約である。また、投資家は通例、投資実行後にベンチャー企業の運営に一定程度の関与をすることを想定していることから、ベンチャー企業の運営に関する事項や、株式の処分に関する事項（詳細は下記(3)エ）等を規律するため、ベンチャー企業の株主（および、ベンチャー企業自体も含むことが多い）との間で②株主間契約が締結される。加えて、上記2(2)のとおり、特に投資家が事業会社であって、ベンチャー企業との間で共同研究開発や業務提携を行うことを目的とする場合には、投資による資本参加のタイミングで③共同研究開発契約や資本業務提携契約等の、ビジネス・アライアンスに関する契約を締結し、共同研究開発や業務提携の詳細について定める必要があろう。

　①投資契約は、突きつめればベンチャー企業による株式の発行と投資家による当該株式の引受けという、単発の取引に関するものであり、その後のベンチャー企業の運営等の問題とは区別されることや、ベンチャー企業の運営にあたって投資家以外の株主、特に創業者や経営株主を当事者とした権利義務を規定する必要があることから、①投資契約とは別のものとして②株主間契約が締結されることが少なくないように思われる。もっとも、かかる建付けは絶対的なものではなく、①投資契約において経営株主を投資契約の契約当事者にしつつ②株主間契約で規定されるような事項をあわせて規定することにより、②株主間契約を別に締結しない場合もある。このように、①ないし③の契約は、投資家の目的や関係者の意向等、さまざまな事情を考慮して締結されることになる。

　以下では、特に投資の側面に焦点を当て、①投資契約および②株主間契約において規定される主要な事項について概説しつつ、ベンチャー企業がライフサイエンス業界に属する場合における留意点等にも触れる。

図表3-Ⅱ-2：ベンチャー企業に関する契約関係

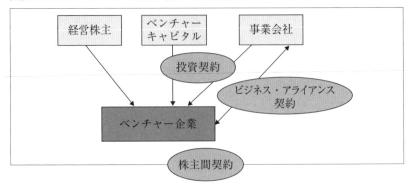

(2) 投資契約

ア 投資の対象

　投資家が引き受けるベンチャー企業の株式には、種類株式が利用されることが多い。その主な理由としては、投資家はリスクをとってベンチャー企業に投資する以上、投資に見合ったリターン・利益や一定の経営への関与を求めることが通常であるところ、種類株式では下記イに述べるようなバリエーションに富んだ設計が可能であることから、普通株式とは異なり、投資家のニーズに応えることが相対的に容易な面が認められることが考えられる。

　種類株式として認められる内容は会社法108条1項各号所定の事項に限定されるが、会社法の規定に従ってベンチャー企業の定款に規定され（会社法108条2項各号）、登記もされるものであり、投資家とベンチャー企業の間の債権的合意（契約）以上に、会社法に基づく絶対的な効力を有するものとすることができる点も、種類株式のメリットといえよう。

　投資家が引き受ける種類株式の内容は、通例、投資契約と一体のものとして、種類株式の発行要項（投資契約の別紙となる場合が多い）において定められる。

イ 種類株式の内容

　種類株式のうち、ベンチャー企業が発行する種類株式の典型的な内容は以下のとおりである。

> (ア) 優先株式
> (イ) 取得請求権付株式
> (ウ) 取得条項付株式
> (エ) 拒否権付株式
> (オ) 役員選任権付株式

　おおまかにいえば、(ア)ないし(ウ)は種類株式の経済的な側面を規律することを、他方、(エ)および(オ)はベンチャー企業の運営面を規律することを、それぞれ狙いとして導入される。(ア)ないし(オ)の事項は択一的な関係にあるわけではなく、複数の内容を兼ね備えることができるため、実際には、複数の内容を有する1個の種類株式が構成され、発行要項に規定される（その際、A種優先株式、B種優先株式といった形で、種類株式ごとに回号が付される。つまり、ラウンドが進むほど、種類株式のバリエーションも増えていくことになる）。たとえば、(ア)優先株式、(イ)取得請求権付株式、(ウ)取得条項付株式、および(エ)拒否権付株式としての性質を同時に具備する種類株式を発行することも可能である。

　　(ア)　優先株式

　優先株式とは、他の株式に先立って、①剰余金の配当（会社法108条1項1号）や、②残余財産の分配（会社法108条1項2号）を受ける権利を有する株式をいう。

　前者は、そもそもベンチャー企業が剰余金の配当を実施することは少なく、投資家がベンチャー企業に対する投資に際して剰余金の配当によるリターンを必ずしも期待していないと思われることから、特段定めを設けない例も少なくない。対照的に、後者は、ベンチャー企業が発行する大半の種類株式において規定されていると思われる。

　①剰余金の配当に関する優先株式では、ⅰ優先配当額に加えて、ⅱ参加型・非参加型の別、ⅲ累積型・非累積型の別を確定する必要がある。ⅱ参加型・非参加型は、投資家が他の株主に優先してⅰの配当金の支払いを受けた後、さらに残余の分配可能額からの配当も追加で受け取ることができるかによって区別される。他方、ⅲ累積型・非累積型は、ある事業年度にⅰの配当金の支払いが行われなかった場合に、不足分について翌期以降の

分配可能額から補填支払いがなされるかによって区別される。ベンチャー企業では、ⅱについては参加型も多いが、ⅲについては非累積型がその大半を占める。上記のとおり、投資家がベンチャー企業から剰余金の配当を受けられることは少ないため、ⅲ非累積型とすることも合理的である一方、配当が生じる場合には有利な取扱いとなるようⅱ参加型とされているものと考えられる。

剰余金の配当に関する条項例（参加型・非累積型）

(1) A種優先配当金
　当会社は、剰余金の配当を行うときは、当該剰余金の配当の基準日の最終の株主名簿に記載又は記録されたA種優先株式を有する株主（以下「A種優先株主」という。）又はA種優先株式の登録株式質権者（以下「A種優先登録株式質権者」という。）に対し、同日の最終の株主名簿に記載又は記録された普通株式を有する株主（以下「普通株主」という。）又は普通株式の登録株式質権者（以下「普通登録株式質権者」という。）に先立ち、A種優先株式1株につき、A種優先株式1株当たりの払込金額相当額（但し、A種優先株式につき、株式分割、株式無償割当て（会社法第185条に定める株式無償割当てをいう。以下同じ。）、株式の併合又はこれに類する事由があった場合には、適切に調整される。）に対し、年率〇%に基づき、当該基準日が属する事業年度の初日（同日を含む。）から当該配当の基準日（同日を含む。）までの期間につき月割計算（但し、1か月未満の期間については年365日の日割計算として、円位未満は切り捨てる。）により算出される額の配当金（以下「A種優先配当金」という。）を支払う。但し、当該事業年度に属する日を基準日として、A種優先株主又はA種優先登録株式質権者に対してA種優先配当金の全部又は一部を支払ったときは、当該配当額を控除した額とする。

(2) 非累積条項
　ある事業年度においてA種優先株主又はA種優先登録株式質権者に対して行う剰余金の配当の額がA種優先配当金の額に達しないときは、その不足額は翌事業年度以降に累積しない。

(3) 参加条項
　当会社は、A種優先株主又はA種優先登録株式質権者に対して、第①号に定めるA種優先配当金のほか、普通株主又は普通登録株式質権者に対して行う剰余金の配当と同額の剰余金の配当を行う。

②残余財産の分配に関する優先株式では、当該株式の払込金額相当額が残余財産の優先分配額とされることが多いように思われる。これは、ベンチャー企業が解散および清算に至った場合には、最低限、投資額の限度で回収を図るという発想によるものであろう。また、①剰余金の配当に関する優先株式と同様、参加型・非参加型に分類されており、投資家が他の株主に優先して残余財産の分配を受けた後、なお残余財産がある場合に、残余財産の分配を追加で受け取ることができるかによって区別される。ベンチャー企業の株主間契約では、M&Aによる企業売却が行われるときに各株式への譲渡価格の割当てについて残余財産の分配規定を準用するいわゆるみなし清算の規定が設けられることが多いが、そのような場面での適用を意識して参加型が選択されることが多いものと考えられる。

残余財産の分配に関する条項例（参加型）

(1) 当会社は、残余財産を分配するときは、A種優先株主又はA種優先登録株式質権者に対して、普通株主又は普通登録株式質権者に先立ち、A種優先株式1株につき、A種優先株式1株当たりの払込金額（但し、A種優先株式につき、株式分割、株式無償割当て、株式の併合又はこれに類する事由があった場合には、適切に調整される。以下「A種優先残余財産分配額」という。）を支払う。

(2) A種優先株主又はA種優先登録株式質権者に対して分配する残余財産が、A種優先株主又はA種優先登録株式質権者に対し、A種優先残余財産分配額の全額を支払うのに不足する場合には、普通株主又は普通登録株式質権者に先立ち、A種優先株主又はA種優先登録株式質権者に対し、その有するA種優先残余財産分配額に比例して当該残余財産を分配する。

(3) A種優先株主又はA種優先登録株式質権者に対してA種優先残余財産分配額の全額が分配された後、なお残余財産がある場合には、A種優先株主又はA種優先登録株式質権者及び普通株主又は普通登録株式質権者には、その持株比率に応じて（但し、A種優先株式については、その時点において普通株式に転換されたと仮定して算定する。）残余財産を分配する。

(イ) 取得請求権付株式

取得請求権付株式とは、株主が株式会社に対してその株式の取得を請求することができる株式をいう（会社法108条1項5号）。

会社法上、当該株式の取得と引換えに株式会社が交付する対価は、株式、社債、新株予約権、新株予約権付社債、金銭等、広く認められているが、ベンチャー企業では、普通株式が選択されることがほとんどである。もっとも、会社分割や事業譲渡の場合における投資家の EXIT（投資家がベンチャー企業の株式を売却することによって、投資の回収を図ることをいう。売却の契機としては、ベンチャー企業を対象とする M&A が実行される場合、ベンチャー企業が上場する場合、投資家の組成するファンドの存続期限の関係で、株式を手放す必要がある場合等がある）の1つの手段として、現金を対価とする取得請求権があわせて規定される例も存在する。

　また、取得請求権付株式および下記(ウ)の取得条項付株式では、取得価額の調整条項があわせて規定されることが通常である。これは、たとえば、ある取得請求権付株式が発行された後に、当該取得請求権付株式の1株あたりの取得価額を下回る払込金額で普通株式が発行されたような場合に、先に発行された取得請求権付株式の価値が毀損されることを防止するための規定であり、希薄化防止条項とも称される。調整の方法として広く採用されているのは、①加重平均方式（コンバージョンプライス方式）である。具体的には、取得請求権付株式の調整前の取得価額について、新たに発行等される株式の数と、当該株式の払込金額に応じた加重平均をとり、取得請求権付株式の調整後の取得価額が算定される。これに対して、投資家の交渉力が強い場合等には、②新たに発行等される株式の払込金額が取得請求権付株式の取得価額を下回る場合に、取得金額が当該払込金額に下方修正されるフルラチェット方式が採用されることもある。

　(ウ)　取得条項付株式

　取得条項付株式とは、株式会社が一定の事由が生じたことを条件として取得することができる株式をいう（会社法108条1項6号）。

　多くのベンチャー企業は、取得請求権付株式の内容として、上場申請を行うことを取締役会の決議により決定し、かつ、上場に関する主幹事証券会社から要請を受けた場合に普通株式を対価とする取得条項の行使が可能である旨規定している。これは、実務上、上場申請に際して、主幹事証券会社や取引所が、ベンチャー企業が発行している種類株式を普通株式に転換するよう、ベンチャー企業に要請することが通常であることにかんがみ、

取得価額の調整に関する条項例

(i) 加重平均方式（コンバージョンプライス方式）

調整前の取得価額を下回る払込金額をもって当会社の普通株式を発行又は当会社が保有する普通株式を処分する場合（無償割当ての場合、普通株式の交付と引換えに取得される株式若しくは新株予約権（新株予約権付社債に付されたものを含む。）の取得による場合又は普通株式を目的とする新株予約権の行使による場合を除く。）、次の算式（以下「取得価額調整式」という。）により取得価額を調整する。

$$\text{調整後取得価額} = \text{調整前取得価額} \times \frac{（発行済普通株式数 － 当会社が保有する普通株式の数）＋ \dfrac{新たに発行する普通株式の数 \times 1株当たり払込金額}{調整前取得価額}}{（発行済普通株式数 － 当会社が保有する普通株式の数）＋ 新たに発行する普通株式の数}$$

(ii) フルラチェット方式

調整前の取得価額を下回る払込金額をもって当会社の普通株式を発行又は当会社が保有する普通株式を処分する場合（無償割当ての場合、普通株式の交付と引換えに取得される株式若しくは新株予約権（新株予約権付社債に付されたものを含む。）の取得による場合又は普通株式を目的とする新株予約権の行使による場合を除く。）、当該株式の1株当たりの払込金額をもって調整後の取得価額とする。

そのような場面における種類株式の転換をスムーズに実施することを見越したものである。

(エ) 拒否権付株式

拒否権付株式とは、株主総会、取締役会または清算人会において決議すべき事項のうち、当該決議のほか、当該種類株式の種類株主を構成員とする種類株主総会の決議を必要とする株式をいう（会社法108条1項8号）。

実務上は、定款変更や株式の発行のような株主総会決議事項に限らず、第三者への貸付や知的財産権の譲渡等の取締役会決議事項を拒否権の対象とする例も見受けられる。これらの重要事項については、下記(3)イのとおり、株主間契約において株主（投資家）の事前承認を要する事項として規定されることも多いが、ベンチャー企業に対する投資家としては、株主間契約上の手当てのみならず、知的財産権の処分等に関する事項、第三者との業務提携契約その他のビジネス・アライアンス契約の締結等に関する事項等を拒否権の対象に加えることにより、ベンチャー企業に対する一定のコ

ントロールを確実なものとすることも検討に値する。

　(オ)　役員選任権付株式

　役員選任権付株式とは、当該種類株式の種類株主を構成員とする種類株主総会において役員を選任することを定めた株式をいう（会社法108条1項9号）。

　もっとも、実務上は、株主間契約等において役員指名権が規定されることが多いこともあり、役員選任権を種類株式の内容としても規定する例はそれほど多くはないように思われる。

　ウ　投資契約におけるその他の主要な条項：表明保証

　上記2(3)のとおり、投資家はベンチャー企業への投資にあたって通例デュー・ディリジェンスを実施するが、かかるデュー・ディリジェンスは時間的・量的制約のもとで行われるため、実務上、投資家とベンチャー企業とのリスク分担の観点から、ベンチャー企業から投資家に対して、一定の事項が真実かつ正確であるであることを表明および保証させることが一般的である。表明保証の対象となる事項は多岐にわたるが、ライフサイエンス業界に属するベンチャー企業に対しては、とりわけ、知的財産権に関する事項（事業上必要な知的財産権を保有または適法に使用する権利を有していること、当該知的財産権に関するライセンス契約等、知的財産権の自由な利用を妨げる合意等の不存在、第三者の知的財産権を侵害している事実その他知的財産権関連の紛争の不存在等）、他社とのビジネス・アライアンスに関する事項（投資家との提携を阻害するビジネス・アライアンス契約の不存在等）、許認可等に関する事項（事業上必要な許認可等を適法に取得、維持しており、取り消されるおそれがないこと、当該許認可等を所管する監督官庁から指導等を受けていないこと等）といった事項をカバーしておくことが重要といえる。

(3)　株主間契約

　以下では、株主間契約において規定される事項のうち、代表的な規定について簡潔に説明する。

　ア　取締役・オブザーバーの派遣

　投資家がベンチャー企業の経営に一定程度関与することを企図している場合には、役員（特に取締役）の指名権やオブザーバーの派遣に関する権利

を規定することで対応する。投資家としては、取締役の指名（派遣）権を得られればベンチャー企業の経営に直接関与することができるが、他の投資家の取締役指名権との兼ね合いや、投資家のコミットの度合い（投資金額）等をふまえ、取締役の派遣ができないこともある。このような場合には、オブザーバー（投資家が指名する、ベンチャー企業の取締役会その他の経営上の重要な会議体への出席権・発言権を有する者）の派遣に関する条項を設けるよう、ベンチャー企業と交渉することになろう。オブザーバーを派遣する場合、投資家としては、株主間契約において、オブザーバーとしての活動を通じて得た情報を投資家に共有することができるよう手当てし、さらに、必要に応じて、ビジネス・アライアンスに関する契約において、投資家が当該情報を利用することができるように定めておくことが求められる。一方、オブザーバーはベンチャー企業に対して当然に守秘義務を負うわけではないため、ベンチャー企業としては、オブザーバーに対して合理的な範囲で守秘義務を課すことを検討する必要がある。

イ　重要事項に関する事前承諾・事前協議

投資家がベンチャー企業に取締役を派遣することができたとしても、派遣取締役のみで取締役会の多数派を構成することは通常考えがたいため、創業者や経営株主等の過半数取締役によって、投資家の意向に沿わない取締役会の決議がなされる可能性がある。このような事態に対処するため、取締役会において一定の重要事項を決議する場合に、①投資家から事前に承諾を得ること、または、事前承諾が難しいような場合には、②投資家との間で事前協議することを規定することが考えられる。

事前承諾または事前協議の対象は契約の定めによることになるが、ライフサイエンス業界に属するベンチャー企業への投資家としては、知的財産権の処分（知的財産権の譲渡のほか、（独占的）ライセンスの供与を含む）や、他社とのビジネス・アライアンスが無制限に行われることのないよう、事前承諾事項を整備する必要性が高い。ただし、ベンチャー企業からしてみれば、自社の自由かつ機動的な経営を阻害する要因となるものであるから、投資家の投資額・出資割合等による交渉力もふまえながらその内容・程度を交渉していくことになろう。

ウ　経営株主の職務専念義務

　ベンチャー企業の事業上、経営株主の存在が不可欠である場合、経営株主が継続して経営に関与することを確保する必要性が高い。そこで、経営株主に対して、①自らベンチャー企業の役員・従業員を辞任しないことや、②当該ベンチャー企業の役員・従業員としての職務の遂行に専念し、他の会社等の役員・従業員を兼務しないこと等を規定することが考えられる。特にライフサイエンス分野におけるベンチャー企業の場合、その企業価値の源泉となる技術・ノウハウを有する研究者・技術者が経営株主である場合が多いため、いわゆるキーマンとして当該ベンチャー企業にとどまることを約束してもらうことは重要である。

エ　株式の処分に関する事項

　経営株主が経営者として関与することを担保するため、少なくとも一定期間、創業者・経営株主が保有するベンチャー企業の株式の譲渡その他の処分を制限する条項が規定されることが比較的多い。また、株主が保有する株式の譲渡が行われようとする場合に関しては、①先買権（Right of first refusal）、②共同売却権（Co-sale right, Tag-along right）、③強制売却権（Drag-along right）が設けられることがある。

　①先買権は、株主がその保有するベンチャー企業の株式を第三者に譲渡しようとする場合に、事前に投資家に対して当該株式を自ら買い取る機会を与える旨の規定である。これによって、投資家は、新たな第三者がベンチャー企業の株主として参入することを防ぐとともに、株式の保有割合を増加させることができるが、ベンチャー・キャピタルのように、一定期限でのEXITが予定されている場合には、必ずしも先買権を行使することを望まないこともありうる。

　②共同売却権は、株主が保有する株式を第三者に譲渡しようとする場合に、投資家も一緒に当該譲渡に参加する（一定割合の株式を、同一の条件で譲渡する）ことを認める規定である。創業者・経営株主は、共同売却権が行使された場合に自らの保有する全株式を譲渡することができないおそれがあることを考慮して株式の譲渡を思いとどまらせる方向に作用するため、共同売却権は、創業者・経営株主が、ベンチャー企業へのコミットを高める方向で作用する効用もある。

③強制売却権は、投資家が第三者に対して自らの保有するベンチャー企業の株式を譲渡しようとする場合、他の株主に対して、その保有するベンチャー企業の株式を一緒に第三者に譲渡するよう強制する規定である。このように効果の強い規定であることから、強制売却権が投資家に付与されるのは、投資家が相当割合の株式を保有していて交渉力が強い場合に限られる。

　さらに、ベンチャー企業や経営株主に投資契約または株主間契約上重大な義務違反が認められる場合等に、ベンチャー企業（さらに、経営株主を含める場合もある）に対して投資家の保有する株式の買取りを要求することができる規定（プット・オプション）が定められることがあり、両契約の実効性を高める規定として機能し、EXITの一手段となる場合もある。

〔龍野滋幹＝甲斐聖也〕

Ⅲ 医薬品および医療機器業界における M&A

1 最近の医薬品および医療機器業界における M&A

医薬品業界においては、1990年代以降、研究開発費の増加等を理由に規模の拡大をめざした欧米の製薬会社の間でグローバルな再編が進み、近時も引き続き活発に M&A が行われている。

日本の医薬品業界においても、平成10年代以降、再編が本格化した。また、日本企業が国内外の製薬会社を買収する事例も増えており、特に本書執筆中に発表された武田薬品工業によるバイオ医薬大手シャイアー（アイルランド）の買収は世界中の注目を集めている。以下は、近時（平成29年以降）の日本企業による製薬会社またはその事業の買収の事例の一部である。

図表 3-Ⅲ-1：近時の日本企業による製薬会社関連の M&A

時期	買収者（親会社）	対象会社等	売主（製薬会社等の場合）
平成29年2月	武田薬品工業	アリアド・ファーマシューティカルズ（米国）	—
平成29年10月	田辺三菱製薬	ニューロダーム（イスラエル）	—
平成30年7月	明治ホールディングス	化学及血清療法研究所の事業承継会社	化学及血清療法研究所
平成30年7月	富士フイルムホールディングス	富山化学工業	大正製薬ホールディングス
平成31年1月	武田薬品工業	シャイアー（アイルランド）	—
平成31年4月	日医工	エルメッドエーザイ	エーザイ

令和元年7月	大正製薬ホールディングス	UPSA（フランス）	ブリストル・マイヤーズスクイブ（米国）
令和2年1月	アステラス製薬	オーデンテス・セラピューティクス（米国）	―
令和2年3月	旭化成	ベロキシス・ファーマシューティカルズ（デンマーク、米国）	―

　国内においては、このほかに長期収載品事業の売却・買収も多く行われている（**コラム⑩：長期収載品に関する事業承継**参照）。また、厚生労働省が平成27年にまとめた「医薬品産業強化総合戦略」においては、「M&A等による事業規模の拡大も視野に入れるべき」とされており、今後、さらに国内における、あるいは、海外も交えた再編が進む可能性もあろう。

　一方、医療機器業界についても、大きなところでは平成28年3月にキヤノンによる東芝メディカルシステムズの買収が行われたり、令和元年12月に富士フイルムホールディングスによる日立製作所の画像診断関連事業の買収が公表される等、近時M&Aの件数も増えているが、国内外において成長が予想されている分野であり、今後も市場への参入やマーケットシェアの拡大にM&Aの利用が見込まれる。

　本稿では、医薬品および医療機器業界におけるM&Aのなかでも、主に日本国内における医薬品または医療機器の製造販売に係る事業を営む株式会社あるいは当該事業の買収（支配権の取得）を念頭に置いて、法務の面からどのような点に留意すべきかについて説明する。以下、買収対象となる会社（その一部の事業が買収対象となる場合を含む）を「対象会社」、買収対象となる事業を「対象事業」という。

2　スキームによる着眼点の違い

　M&A一般に共通することであるが、M&Aをどのような方法（スキーム）で行うかにより、デュー・ディリジェンス（以下「DD」という）において検討すべき点が異なってきうることには注意が必要である。M&Aのスキー

ムとしては、株式譲渡、合併・会社分割・株式交換等の組織再編、事業譲渡等が考えられるが、対象会社が有する許認可や締結している契約等が買収後もそのまま引き継がれるかという点は、M&Aのスキームによって異なりうる。

(1) 対象会社の全事業を買収する場合

まず、対象会社をその全体に対する支配権を取得する形で買収するという方法としては、株式譲渡が最もよく利用される。株式譲渡以外の方法としては、合併および株式交換ならびに令和元年会社法改正によって導入された株式交付といった会社法上の組織再編もあげられる。株式譲渡と合併を組み合わせ、買収のために設立した会社(特別目的会社またはSPCなどと呼ばれる)を通じて株式譲渡により対象会社を買収し、SPCと対象会社が対象会社を消滅会社とするかたちで合併するというスキームがとられることもある。

株式譲渡や株式交換のように対象会社の組織に変更がない場合は許認可も契約もそのまま承継されるのが原則である。ただし、支配権の移転等を解除事由等とする条項(「チェンジオブコントロール条項」と呼ばれる。下記3(2)ア(ア)参照)等には注意が必要である。

一方、合併においては、当事会社の権利義務関係は包括承継されると解されており、契約については原則としてそのまま承継されるが(ただし、チェンジオブコントロール条項に加え、合併を含む組織再編等を解除事由等とする条項には注意が必要である)、許認可に関しては、合併における消滅会社が保有するものは承継されないことも多いため、個別に検討することが必要である。

図表 3-Ⅲ-2：対象会社の全事業を買収する場合のスキーム

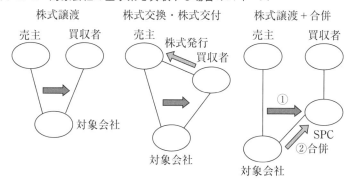

(2) 対象会社の一部事業を買収する場合

次に、対象会社のすべてではなく、その一部の事業を買収する方法としては、会社分割（吸収分割・新設分割）や事業譲渡があげられる。会社分割や事業譲渡により、いったん、対象事業を別の会社に切り出したうえで、その別の会社の株式の譲渡を受けるという形もしばしば用いられる。

会社分割においても、会社分割の対象となる事業に関する権利義務は、合併同様、包括承継されると解されており、契約については原則として承継されることになる（チェンジオブコントロール条項や組織再編等を解除事由等とする条項には注意が必要である点は合併同様である）。しかしながら、会社分割に関しては、会社をすべて承継する合併とは異なり、契約の譲渡を禁止する条項についても、場合によっては当事者の意思解釈として会社分割をも禁止していると理解される可能性があり、合併の場合と比べてより慎重な検討が必要になる。他方、許認可に関しても、承継されないことが多いため、対象となる許認可ごとに検討する必要がある。

一方、事業譲渡は、法律的には個別の権利義務の移転であるため、契約を移転するためには原則として契約の相手方の個別の同意が必要であり、許認可も承継できないことが多い。

図表3-Ⅲ-3：対象会社の一部事業を買収する場合のスキーム

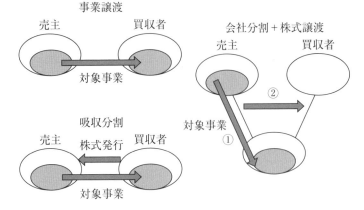

3 法務DDにおける留意点

(1) 法務DDにおいて一般に検討すべき事項

　M&Aを実施するにあたっては、通常、事前に対象会社の事業・法務・会計・税務等に関するDDを行ったうえで、買収に係るリスクの評価を行い、対象会社ないし対象事業のバリュエーションや価格に反映させ、また、M&Aに係る契約書において手当てを行うといったことが行われる。

　そのうち法務DDにおいて一般的に確認の対象となる事項としては、①会社組織、②株式、③契約、④資産・負債、⑤知的財産権、⑥人事労務、⑦許認可、⑧コンプライアンス、⑨紛争、⑩環境、⑪保険等に関連する事項があげられる。このなかで、医薬品または医療機器関連の企業において特に重要、あるいは、そのような企業特有の問題がある可能性が高いと思われる事項としては、③ライセンス契約等を中心とした契約関係、⑤知的財産権、⑦許認可、⑧コンプライアンス等の項目があげられる。

　以下では、法務DDにおいて医薬品または医療機器関連の企業において特に重要と考えられる項目について、上記の順に、スキームごとに留意すべき点もふまえてみていきたい。

(2) 医薬品または医療機器関連の企業の法務 DD において特に留意すべき事項

ア 契約（ライセンス契約を含む）

(ア) 解除等のリスク

　知的財産権が重要である医薬品または医療機器関連の企業においても、買収対象となる企業が必ずしも自らその事業に必要な知的財産権のすべてを有しておらず、そのような知的財産権については契約によりライセンスを受けることによって事業を行っていることも多い。また、事業の売上げを生み出す販売契約、事業に必要な原材料等を仕入れる仕入契約等の契約も、買収対象の事業を継続して運営していくためには不可欠な契約である。これらの契約が買収後も変わらず継続するか否かを確認することは、法務 DD における最も重要な確認事項の 1 つである。

　このような観点から、M&A において特に問題となりがちな条項として、いわゆる「チェンジオブコントロール条項」がある。チェンジオブコントロール条項とは、一般に、株主等の支配権を有する者が変更されることが、解除事由・期限の利益喪失事由になることや損害賠償義務・通知義務を生じさせる等、契約関係に何らかの影響を与えることを定めた条項をいう。支配権の移転がトリガーとなるため、株式譲渡に限らずすべての M&A のスキームの類型で問題となりうる。なお、チェンジオブコントロール条項のなかでも通知義務を発生させるだけのものは、通知を履行すればよいという意味では比較的問題は小さいが、通知を怠った場合には契約違反により解除事由等になりうるため、注意が必要である。

　また、チェンジオブコントロール条項以外に、M&A が解除事由等になる条項としては、会社法上の組織再編や事業譲渡を解除事由等として掲げるものがある。さらに、契約の譲渡禁止を定めた条項がある場合、上記 2 (2)のとおり、会社分割においては、当該条項の趣旨によっては、相手方の同意なしに承継することが契約違反（ひいては解除事由）に該当する場合がありうる。

　一方、重要な契約が M&A 後も継続するかという観点からは、特に M&A を直接の理由として解除されないとしても、そのような重要な契約の期間が短く、更新拒絶が可能であったり、あるいは、中途解約が可能であった

りしないかという点についても留意が必要である。特にライセンス契約の期間や解約の条件等は重要な確認事項である。

　(イ)　契約に関するその他の問題

　一方、解約のリスク以外にも、重要な契約については、買収後の事業計画等もふまえて、その内容を精査することが必要であり、また、それ以外の契約についても、少なくとも、その契約の内容が不利なものであったり、あるいは、（独占禁止法違反等の）違法な条項を含むものがあったりしないか等の点に関して、確認が必要である。

　まず、ライセンス契約に関しては、上記(ア)の期間や解約に関する事項以外にも、ライセンスの地域的な制限や使用料の金額・支払条件その他の事項についても、確認・検討の必要がある。

　次に、共同研究開発契約も医薬品または医療機器関連の企業に多い契約類型であるが、成果物に係る知的財産権の帰属を含め、対象会社の活動を拘束・制約することになる条項に注意が必要である。

　さらに、売主や売主グループ全体として相手方と締結している契約（クロスライセンス契約等）や、売上グループ内のグループ会社間契約については、承継できないことが多いため、対応を検討する必要がある。

　その他の契約も含めて、医薬品または医療機器関連企業のDDにおいて問題点として指摘されることが比較的多い契約条項の事例をあげると、以下のようなものがあげられる。

図表3-Ⅲ-4：医薬品または医療機器関連企業のDDにおいて問題となりやすい事項

条項の種類	内容
競業避止	同種の製品の製造または販売等、契約の相手方と競合するような行為を禁止する条項
最低購入義務	仕入契約において、対象会社の最低購入単位等の形で一定量の購入義務を定める条項
最恵国待遇	第三者との同種の契約と比較して不利にならないような取扱い（条件変更）をすることを相手方に約束する条項

独占販売	対象会社が、契約の相手方に対して販売している製品を、第三者に販売しない旨等を定める条項
リベート	一定の売上実績があった相手方に対して、あらかじめ取り決めた率等により売上代金の返金等を行う旨を定める条項
販売制限	販売先に関して地域等の制限を定める条項
仕入制限	仕入先を一定の先に制限する条項

イ　知的財産権
　(ア)　知的財産権に関する紛争等
　知的財産権については、まず、対象会社がどのような知的財産権をもっているのかについて確認する必要があり、特許権等の登録の対象となるものについてはその登録内容も確認し、その権利のステータスや存続期間等（なお、医薬品に係る特許権の存続期間延長について第2章Ⅰ3参照）を確認する必要がある。

　このような知的財産権の内容等の確認および上記のライセンス契約等の契約に関する事項以外で、知的財産権に関して特に確認されるべき事項としては、対象会社において知的財産権をめぐる紛争がないかという点があげられる。すなわち、対象会社による他社の知的財産権の侵害、他社による対象会社の知的財産権の侵害、または対象会社の知的財産権の有効性等に関する紛争（潜在的なものを含む）の有無について確認する必要がある。紛争がある場合には、関連資料によりその内容および見通しを確認する必要がある。

　また、職務発明に関する対応についても確認の必要がある。職務発明に係る特許権を契約や勤務規則等に基づき従業員から取得・承継するにあたっては、「相当の利益」を提供する必要があるとされており（特許法35条4項。なお、平成27年の特許法改正前は「相当の対価」とされていたが、同改正後は金銭に限らない経済上の利益が含まれることとなった）、かかる利益の提供がなされていない場合には、対象会社が予期せぬ債務を負うリスクがある。この相当の利益については、利益の額を決定するための基準の策定に関して使用者等と従業者等との間で行われる協議の状況、基準の開示の状況、利益の算定にあたっての従業員等からの意見の聴取の状況等を考慮し

て、不合理でないかが判断される（同条5項）。なお、平成27年の特許法改正後は同条6項に基づく経済産業大臣による指針が設けられており、特に同改正後の職務発明に対する相当の利益についての上記の判断にあたっては、当該ガイドラインも参照されることになる。以上のとおり、職務発明の取得・承継にあたって相当な利益が提供されているか否かについては、上記のような利益の額の決定にあたっての手続的な側面を確認のうえ、基準に従った利益が提供されているか否かを確認する必要がある。なお、職務発明に係る特許権を平成16年の特許法改正以前に従業員から承継した場合には、同改正前の特許法が適用されるが、同改正前の特許法にはこのような手続的な側面を考慮して相当な利益の額を認定する旨の条項が存在しなかったため、よりリスクが大きい。

　(ｲ)　知的財産権の承継

　特に対象会社の一部の事業のみを譲り受ける場合、その事業を行うために必要な知的財産権も承継できるよう確保することが重要である。対象会社の一部の事業を譲り受ける方法としては会社分割と事業譲渡があるが、譲り受ける事業にのみ用いられる知的財産権については、当該知的財産権も承継の対象に含まれるようにすればよい。しかしながら、当該知的財産権が、承継される事業と元の会社に残る事業の両方に用いられるものである場合には、M&Aの実行後、当該知的財産権がいずれの会社に属することになるかを定める必要がある。その結果として、当該知的財産権を承継できない（元の会社に残る）場合には、ライセンス契約の締結等により対応することが必要になる。なお、株式譲渡等により対象会社をすべて譲り受ける場合であっても、企業グループのなかで親会社等が知的財産権をまとめて所有・管理しているケースもあり、そのような場合は、株式譲渡等に加えて、対象会社の事業に必要な知的財産権を特定して譲り受けることもある。

　必要な知的財産権が第三者との共有であるということもある。特許権等が共有の場合、これを譲渡またはライセンスするためには共有者の同意が必要であり（特許法73条等）、M&Aの相手方との交渉のみによっては当該特許権を移転させることができない。共有者がまったくの第三者である場合、そのような同意が取得できるか否かが重要な問題となりうる。

以上のとおり、特に対象会社の一部の事業のみを譲り受ける会社分割や事業譲渡の場合、法務DDにおいて、承継する事業のために必要な知的財産権を確定し、そのような知的財産権を承継できるか否か、また、承継できない場合の手当てを検討する必要がある。

ウ　許認可

(ア)　許認可の有無・要否の確認

まず、対象会社が、その事業を行うために必要な許認可を取得し、有効に維持しているかにつき、確認する必要がある。医薬品または医療機器関連の企業であれば、特に、薬機法上の許認可が問題となると考えられる。

薬機法上の許認可の詳細については**第1章 I** 2(2)、3(2)をご参照いただきたいが、医薬品および医療機器の製造販売に関する薬機法上の許認可は、大きく、医薬品や医療機器の製造販売等を業として行うことの「許可」等と、医薬品や医療機器そのものの「承認」等とに分けられる。たとえば、企業が自ら医薬品を製造し販売する場合には、当該企業として医薬品製造販売業許可を取得し、かつ、各製造所について医薬品製造業許可を取得したうえで、さらに各医薬品について品目ごとの製造販売承認が必要になる。このような薬機法上の許認可の構造をふまえたうえで、法務DDにおいては、必要な業許可等と承認等とが取得されていることを、許可証や承認書等により確認することとなる。

また、M&Aに関しては、M&Aを実行するにあたって必要となる許認可もありうる。医薬品等に関連して特に問題となりうる許認可として、買収者が一定の外資系企業等である場合の対内直接投資等の事前届出（外為法27条1項）がある。従前、対象会社が、生物学的製剤製造業を営んでいる場合には、そのような対象会社の買収等にあたって、対内直接投資等の事前届出が必要とされていたが、令和2年6月の告示の改正により、感染症に対する医薬品（医薬品中間物を含む）に係る製造業、および、高度管理医療機器（附属品・部分品を含む）に係る製造業もその対象に加えられた。なお、事前届出後の実行禁止期間は原則30日であるが、通常2週間に短縮される（同条2項、対内直接投資等に関する命令10条2項）。

(イ)　許認可の承継

M&Aによって薬機法上の許認可が影響を受ける場合がある。まず、株

式譲渡や株式交換、合併における存続会社においては、薬機法上の許認可は影響を受けないので、許認可を取得し直す必要はない。ただし、たとえば、医薬品製造販売業許可に関しては、主たる機能を有する事務所の名称や、業務を行う役員の氏名等の事項について、変更したときから30日以内に変更の届出をしなければならない（薬機法19条1項、薬機法施行規則99条1項）。したがって、M&Aの結果、業許可の対象となっている事務所の名称や業務を行う役員に変更があった場合には、変更の届出をしなければならない。

次に、合併における消滅会社や会社分割の場合であるが、医薬品や医療機器の製造販売等の承認については、事前に届出を行うことにより、その承継を認める規定がある（薬機法14条の8第1項・3項、23条の2の11第1項・3項）。一方で、製造販売業等の業許可についてはそのような承継を認める規定が存在しない。したがって、合併における消滅会社や会社分割における分割会社が業許可を有しており、存続会社や承継会社が業許可を有していないような場合には、これを改めて取得し直す必要がある。なお、対象会社を消滅会社とする吸収合併を行う等のスキームの場合に、実務上、業許可をすでに取得している対象会社から事業所や統括製造販売責任者等の責任者等を承継することにより業許可の取得要件を充足することを前提として、合併等の効力発生日付で許可取得ができるよう業許可取得の申請を行うことが行われている（その場合、審査も対象会社の事業所や責任者等について行われる）。新たに業許可を取得する場合に必要とされる期間については、東京都健康安全研究センターのウェブサイトによれば、たとえば、医薬品製造販売業許可についてはその標準処理期間が35営業日、医療機器・体外診断用医薬品の製造販売業許可についても同じく35営業日とされている。しかしながら、実務上の処理期間としては、特に上記のようなスキームの場合、それ以上の期間を要することも想定して、事前に管轄都道府県の担当部署に対してスケジュールを確認すべきである。

最後に、事業譲渡の場合には、事前に届出を行うことにより、契約に基づいて医薬品や医療機器の製造販売等の承認を承継することが可能である（薬機法14条の8第2項・3項、23条の2の11第2項・3項）。一方、製造販売業等の業許可について改めて取得し直す必要がありうることは、合併の消

滅会社や会社分割の場合と同様である。

エ　コンプライアンス

(ア)　許認可に関連して遵守すべきルール（GMP、GQPおよびGVP等）

　コンプライアンスの観点からは、薬機法上遵守すべき事項を遵守しているかについても確認が必要となる。これも詳細については、**第1章Ⅰ**をご参照いただきたいが、たとえば、医薬品の製造販売承認にあたっては、当該医薬品の製造所における製造管理および品質管理の方法がGMP省令に適合していることが必要である。また、医薬品の製造販売業許可にあたっては、品質管理の方法がGQP省令に適合し、かつ、製品販売後安全管理の方法がGVP省令に適合することが必要である。法務DDにおいては、これらのように対象会社が遵守すべき基準等が遵守されているかについての確認も必要である。

　なお、人事労務の面とも関連するが、許認可との関係で必要な一定の資格要件を満たした者が必要とされる。たとえば、医薬品製造販売業における総括製造販売責任者、品質保証責任者および安全管理責任者等である（**第1章Ⅰ**2(2)イ(イ)参照）。したがって、法務DDにおいては、対象会社における必要な人材の維持・確保のための手当ての要否等についても確認が必要である。

(イ)　販売に関連して遵守すべきルール

　医薬品や医療機器の販売に関しては、一定のルールを遵守することが必要となる。詳細については、**第1章Ⅲ**1をご参照いただきたいが、まず、販売のための広告に関するルールとして、薬機法における広告に関する規定（薬機法66条等）や医薬品等適正広告基準等、さらには景品表示法等に基づく一般的な広告規制を遵守する必要がある。

　また、販売のための医療関係者に対する利益供与に関するルールとして、公務員である医療関係者や社会医療法人の役員等に対する贈賄罪（刑法198条、医療法81条）に加えて（**第1章Ⅲ**2(2)参照）、公正競争規約等があげられる（**第1章Ⅲ**2(3)参照）。たとえば、過剰な接待や金品の提供等は、公正競争規約に違反するおそれがある行為である。

　法務DDにおいては、医薬品や医療機器の販売にあたって、これらのルー

ルが遵守されているかについても確認すべきである。

　オ　その他

　上記に加え、医薬品または医療機器関連企業の M&A に関して留意すべきは、製品事故や製品に関するクレーム等である。医薬品または医療機器による事故は、製造物責任の対象になりうるばかりでなく、重大な健康被害等につながる場合がある。製品に関してリコールないし自主回収がなされることもあり、確認の必要がある。なお、すでに回収が行われている場合には、独立行政法人医薬品医療機器総合機構（PMDA）のウェブサイトにおいて、回収情報を確認することができる。

　また、製品事故等のリスクが保険によって適切にカバーされているか否かについても確認すべきである。

4　DD における発見事項に対する対応（M&A 契約における手当て等）

　法務 DD を含む DD の結果として、発見された問題点や対応すべき事項についてはこれをふまえた対応がなされる必要がある。

　まず、致命的な問題点が発見された場合には当該 M&A を実行しないということもありうる。また、問題点に関して対価を減額する形で対応されることもある。

　一方で、法務的な観点からの対応としては、まず、問題がある部分を譲渡対象から除く（たとえば、対象会社の株式譲渡ではなく事業の一部の譲渡に変更する）等、スキーム変更による対応が考えられる。ただ、最も多いのは、当該 M&A に係る契約のなかで問題点について何らかの手当てを行うことによる対応である。

　DD において発見された問題点が契約において手当てされる場合、株式譲渡や事業譲渡の場合には、株式譲渡契約や事業譲渡契約において手当てのための条項が定められる（なお、上場会社の支配権が移転する株式譲渡は公開買付けによることになり、株式譲渡契約は締結されないため、買付者と対象者との間において別途の契約が締結されることがあり、その契約のなかでそのような条項が合意されることがある）。一方で、合併や会社分割等の組織再編においては、合併契約や吸収分割契約等の法定契約は開示の対象になること等

から、かかる契約とは別に当事者の取引全体に関する合意を定めた契約（一般に「法定外契約」などと呼ばれる）が締結され、そこにおいて DD で発見された問題点に対応するための条項等が定められることが多い。

　そのような契約において、DD で発見された問題点に対応するための主な条項としては、以下のようなものがあげられる。

(1)　誓約事項・前提条件

　たとえば、ライセンス契約等、対象会社ないし対象事業にとって重要な契約において、上記 3(2)ア(ｱ)でみたようなチェンジオブコントロール条項等が定められている場合には、M&A に関する契約において、そのような契約の相手方から、事前に M&A の実行についての同意を取得することが売主等の義務として定められることが多い。このように、M&A に関する契約上、当事者が取引の実行とは別に履行すべき義務を定めた事項を誓約事項あるいはコベナンツなどと呼ぶ。DD において発見された問題点について何らかの行為等による対応を必要とする場合には、当該行為等が売主の（M&A 実行前の）誓約事項として定められることが多い。

　また、このような契約の相手方からの同意が得られないまま M&A を実行し、実行後に当該契約が解除等された場合には、買収した事業の運営に支障をきたすことになりかねない。そのような観点からは、重要な契約の相手方の同意の取得は、売主の誓約事項としてのみならず、買収者による M&A の実行の前提条件としても規定される必要がある。このように、誓約事項の履行を含め、DD において発見された特に重要な問題点が解決されることが、買収者による M&A の実行の前提条件として定められることが多い。

　なお、このような契約の相手方からの同意の取得の可否は当該相手方の意向次第であり、売主の努力のみで確実に取得できるものではないため、売主の誓約事項としては同意取得の努力義務にとどめ、同意が取得できることを買収者による M&A の実行の前提条件とすることも多い。

　また、必要な許認可の取得等も誓約事項や前提条件として定められるものの典型例の 1 つであるが、許認可については買収者側が取得することが必要なものはその取得に必要な行為が買収者の誓約事項とされたり、また、

その取得が買収者および売主双方による M&A の実行の前提条件として定められることも多い。

(2) 表明保証

M&A に関する契約においては、表明保証に関する条項が置かれることが多い。表明保証とは、一般に、契約の対象に関する事実関係または法律関係について、ある時点において、その真実性および正確性を表明し、保証することをいう。もともとは英米法上の概念であったものが、M&A に関する契約等を中心に、日本においても実務上用いられるようになったものである。

売主による表明保証においては、対象会社ないし対象事業に関する事項が幅広くカバーされることが通常である。まず、DD において確認しきれなかった事項等について、売主による表明保証が規定されることになる。たとえば、DD においてリスクと認識されつつも、DD の期間中に十分な資料が開示されなかった等の理由に十分に確認を尽くせなかったような事項に関しては、この表明保証により手当てすることが考えられる。また、DD において開示された事項についても、たとえば、対象会社が事業を行うために必要な許認可を有していることや、対象会社に（DD において開示されたもの以外に）紛争がないこと等は、典型的に表明保証の対象とされる事項の例であるが、これらの内容を売主に表明保証させることによって、売主による表明保証の対象になった事項に関する情報の開示もれがないことを担保することにもなる。

表明保証の効果としては、まず、表明保証が（しばしば「重要な点において」との限定がつけられるが）正確かつ真実であることは、相手方による M&A の実行の前提条件とされることが通常である。すなわち、クロージング前に売主の（重要な点に関する）表明保証違反が明らかになった場合、買収者は M&A を実行しないという対応をとることができる。

また、表明保証違反により損害が生じた場合、下記(3)において述べる補償の対象となる。

(3) 補償

　M&A に関する契約においては、上記(1)、(2)のような誓約事項や表明保証の条項とあわせ、これらの違反に基づく損害についての補償を認める条項が規定されることが通常である。このような当事者の義務および表明保証の違反に基づく損害についての補償は、しばしば「一般補償」と呼ばれ、当事者のリスクの限定等の観点から、補償金額の上限および下限（下限は些少な額の請求による煩雑さを避けるため）や、補償請求の期間の制限が設けられることが通常である。

　一方で、DD の結果、M&A 契約の締結の時点において損害が発生する可能性が見込まれる事項（たとえば、M&A 契約の締結時点において、対象会社が損害賠償請求訴訟を提起されているという場合）というものもありうる。そのような事項は開示済みの事項として表明保証の対象から除外されることが多く、その場合には表明保証違反に基づく補償の対象から外れることとなる。このようにすでに発見されている問題点に基づく補償や、また、現時点において問題が発見されているわけではないが、問題が生じた場合に特にリスクが大きい事項（たとえば、知的財産権が重要な取引における知的財産権や、環境に関するリスクが大きい場合の環境に関する事項等）に関する補償については、一般補償とは別枠の補償の対象とすることがある。このような補償を「特別補償」と呼ぶ。特別補償については、補償金額や補償請求の期間に関して、特段の制限が設けられなかったり、一般補償とは異なる制限が設けられることが多い。

〔青柳良則〕

コラム⑩：長期収載品に関する事業承継
1　長期収載品とは
　長期収載品とは、法令上の定義はないが、通常、先発品であってすでに関連する特許の有効期間が満了し、再審査期間が終了したものを指す。長期収載品の効果や安全性は、関連するデータが蓄積しており、相当程度確立しているといえる。一方で、特許の有効期間および再審査期間が満了しているため、後発品の参入障壁がない状態にある。そのため、すでに後発品が参入しており、薬価が引き下げられているものも多い。他方で、長期収載品については、継続供給を求める医療機関の意見が強く、安定供給に対するニーズは

高いという実情がある。
2　長期収載品事業の承継

上記のとおり、長期収載品については、効果や安全性が一定程度確立しているという利点がある。また、すでに薬価が引き下げられているために、一般的に利益率はあまり高くないものの、他方で、需要が安定しており事業の収益性を予測しやすいという利点も、長期収載品事業には肯定しうる。

以上の利点にかんがみて、新規に医薬品事業に参入する際には、自ら研究開発を行って先発品を発売する選択肢、および、後発品を発売する選択肢だけではなく、先発品企業から長期収載品に関する事業を承継するという選択肢も検討対象となりうる。

そして、長期収載品に関する事業を承継する場合には、研究開発のコストとリスクを避けられるという点で、先発品ビジネスとしての参入に比べてのメリットがある。また、後発品ビジネスとしての参入に比べれば、適切なライセンス条件（あるいは権利不行使条件）を付すことにより、特許権侵害に関するリスクを低減することができる、というメリットがある。そして、このような長期収載品事業の承継は、先発品企業間や先発企業・後発企業間において行われることもあれば、事業再編の一環として行われることもありうる。

3　承継の対象

(1)　製造販売承認

長期収載品事業の承継は、通常、「製品譲渡」と呼ばれるが、法的には事業譲渡契約の形で行われる。事業譲渡の対象として、最も重要な要素は、製造販売承認である。製造販売承認は、相続、合併や分割の場合に限らず、契約によって移転することも可能である。その際には、承継に係る医薬品に関する品質、有効性および安全性についての一切の資料および情報を、承継を受ける者に譲渡しなければならない。したがって、事業譲渡契約において定めるべき重要な事項の1つは、かかる譲渡の対象となる資料および情報の特定である。

(2)　委受託契約

また、製造委託がされていた長期収載品事業の譲渡に際しては、委託先である医薬品製造業者との委受託契約の承継も必要となるところ、契約上の地位の移転については、相手方の同意が必要となる。そこで、事業譲渡契約の契約実行（クロージング）の条件として、製造委託先から、契約承継に関する同意が取得済みであることを規定することとなる。

なお、事業譲渡人自身が当該長期収載品の製造を行っていた場合、譲受人としては譲渡人に対して委託をして製造を続けてもらうか、新たな製造委託先を自ら探す必要がある。このような場合を含め、事業の承継に伴って、医

薬品の品質、有効性および安全性に影響を与えうる変更が製造工程において生じる場合には、適宜必要な手続（製造販売承認事項の軽微変更申請や一部変更申請）を行う必要が生じる。

(3) 商標

長期収載品については、通常、事業の承継に伴って商品名に変更は生じない（むしろ、もともとのブランドネームを維持するところに、長期収載品の事業を承継する意義がある）。したがって、長期収載品事業の承継にあたっては、医薬品の商品名に関する商標権についても、承継の対象に含めるべきである。なお、剤型が錠剤である場合において、錠剤に製造販売承認者の社名やロゴが刻印されていること等がある。事業譲渡に伴って、かかる社名やロゴを変更する場合には、追加的な設備投資や安定性の確認試験が必要となる可能性があるため、その費用も考慮して、事業譲渡の対価は定められるべきである。また、元の商品名に社名が入っている場合には、商品名を変更する必要があるので、それに要する時間を見込んでおく必要がある。

4 取引実行前後の当事者間の連携

長期収載品事業の承継の際には、効果や安全性に関するデータの移転に加えて、製造委託先に提供すべき情報や、品質および安全性を確保するためのノウハウの移管等において、譲渡人側と譲受人側との間で、取引実行の後も緊密な連携が必要となることが多い。したがって、取引実行前のみならず取引実行後についても、担当者間で行われるべき情報交換を目的とした会合について、開催の頻度や運営方法に関する合意を、事業譲渡契約中において行っておくことが望ましいといえる。

特に、技術移管のスケジュールの関係で、通常、事業譲渡の取引実行（対価の支払いと効果や安全性に関するデータや商標権の移転）のタイミングよりも、製造販売承認の承継のタイミングは遅くなる。この観点からも、取引実行後製造販売承認の承継までの期間における両当事者の緊密な連携は、医薬品の安定した供給の観点からも重要性が高い。

〔山内真之〕

Ⅳ 医療法人のM&A

1 医療法人のM&Aの増加

　上記Ⅲにおいて、医薬品および医療機器業界におけるM&Aについて取りあげたが、ヘルスケア業界に関連するM&Aの中で、製薬会社および医療機器製造業者のM&Aとはその理由を異にするものの、最近増えているM&Aの類型の1つが、医療法人のM&Aである。

　近時、医療法人のM&Aが増えているのは、筆者の知る限りでは、事業承継の理由に基づくものが多い。すなわち、病院の経営者が適切な後継者を病院内あるいは親族内などで見つけられずに、第三者に病院を譲渡するというケースである。

　医療法人のM&Aは、その対象が医療法人という非営利法人である点で、通常は株式会社が対象である他のM&Aとは異なる点が多い。以下では、そのように近時増加している医療法人のM&Aについて、株式会社のM&Aと異なる点を中心に、法務の面から留意すべき点について説明する。

　なお、病院の運営主体としては、国、地方自治体、公的団体、公益法人、学校法人等によるものもあるが、本稿においては全国の病院の大半を占め、近時のM&Aの対象となっている医療法人のM&Aについてのみ説明を行う。

2 医療法人の類型と機関

　まず、医療法人の類型についてであるが、医療法人は社団である医療法人（以下「社団医療法人」という）と財団である医療法人（以下「財団医療法人」という）に分類できる（医療法39条）。医療法人の多くは社団医療法人であるが、社団医療法人はさらに持分の定めのある社団医療法人と持分の定めのない社団医療法人に分類される。平成18年改正の医療法施行後は持分の定めのない社団医療法人が原則とされ、新たに持分の定めのある社団医療法人を設立することはできなくなった（経過措置としてすでに設立された持分の定めのある社団医療法人については存続を認められる（医療法平成

18年法律84号改正法附則10条2項))。もっとも、医療法人の大半は社団医療法人であり、また、社団医療法人の中では、上記改正後は新設が認められなくなったとはいえ、依然として持分の定めのある社団医療法人がその多くを占めている。

また、上記以外の医療法人の類型としては、出資額限度法人、基金供出型医療法人、社会医療法人、特定医療法人といった分類があるため、以下、簡単に説明する。

出資額限度法人とは、持分の定めのある社団医療法人で、その定款において、社員の退社時における出資持分払戻請求権や解散時における残余財産分配請求権の範囲について、払込出資額を限度とする旨の定めがある法人をいう。

基金拠出型医療法人とは、持分の定めのない社団医療法人で、法人の活動の原資となる資金の調達手段として、定款の定めるところにより、基金の制度を採用しているものをいう（医療法施行規則30条の37）。基金の拠出者は、医療法人に対して劣後債権に類似した権利を有するにすぎない。

社会医療法人とは、救急医療、周産期医療、へき地医療など、地域における公益性の高い医療を担う医療法人として、都道府県知事の認定を受けた医療法人をいう（医療法42条の2）。特定医療法人とは、その事業が医療の普及と向上、社会福祉への貢献その他公益の増進に著しく寄与し、かつ公的に運営されているとして、国税庁長官の承認を受けた医療法人である（租税特別措置法67条の2）。社会医療法人と特定医療法人は、社団医療法人も財団医療法人もその対象となるが、社団医療法人の場合には持分の定めのない社団医療法人のうち基金拠出型医療法人以外のもののみがその対象となる。

次に、医療法人の機関について説明する。まず、社団医療法人の機関としては、大まかにいえば株式会社の株主総会、取締役会、取締役、代表取締役、監査役に類似するものとして、それぞれ社員総会、理事会、理事、理事長、監事がある（医療法46条の2第1項、46条の6）。しかしながら、社団医療法人の社員が株式会社の株主と大きく異なる点として、医療法人の設立等にあたって財産を拠出した出資者と社員は必ずしも一致しないという点がある（出資者が社員とは限らず、社員が出資者とは限らない。また、持分

図表3-Ⅳ-1：医療法人の類型

医療法人の基本的な類型			備考
社団医療法人	持分の定めのある社団医療法人	出資額限度法人	社会医療法人の認定・特定医療法人の承認を受けることはできない
		（出資限度額がない）持分の定めのある社団医療法人	
	持分の定めのない社団医療法人	基金拠出型医療法人	社会医療法人の認定・特定医療法人の承認を受けることが可能
		（基金を利用しない）持分の定めのない社団医療法人	
財団医療法人			

の定めのない社団医療法人においては、そもそも出資者が存在しない）。また、社員の社員総会における議決権は1人1議決権である（医療法46条の3の3第1項。持分の定めのある社団医療法人において、出資者が社員であった場合にも、議決権は出資額に比例しない）。社団医療法人における最高の意思決定機関は社員総会であり、また、業務執行を行う理事を選任するのも（医療法46条の5第2項）、さらに、通常、その構成員である社員の入社を承認するのも（入社に加えて、定款上の定めとして、退社についても社員総会の承認を要求する医療法人もある）、社員総会である。したがって、持分の定めがある社団医療法人において、株式会社における株式譲渡により株主を変更する形のM&Aを行うためには、単に持分を譲渡するだけでなく、それに加えて、社員の入退社の手続を行い、買収者側で社員の過半数を占める必要がある。さらに、持分の定めのない社団医療法人においては、持分がない以上そもそも出資者は存在せず、やはり、社員の入退社により、買収者側で社員の過半数を占めることにより、医療法人の支配を握る必要がある（このような、持分譲渡ないし社員の入退社による社団医療法人の支配を握る形のM&Aの形態を、以下「社員変更等」という）。

一方、財団医療法人には、社員はおらず、評議員会、評議員、理事会、理事、理事長、監事といった機関がある（医療法46条の2第2項、46条の6）。

なお、社会医療法人や特定医療法人については、その要件として機関に

関しても一定の制約が課されており、たとえば、社会医療法人である社団医療法人については、①役員のうちに、各役員について、その役員と特殊の関係がある者が役員の総数の3分の1を超えて含まれることがないこと、②社員のうちに、各社員について、その社員と特殊の関係がある者が社員の総数の3分の1を超えて含まれることがないこと等の要件（医療法42条の2第1項等）が課されている。

社団医療法人と財団医療法人の機関を、株式会社の機関と大まかに比較してまとめた表は以下のとおりである。

図表3-Ⅳ-2：医療法人の機関

社団医療法人	財団医療法人	株式会社 （相当する機関）	備考
社員総会	―	株主総会	社団医療法人の最高意思決定機関。法律上の定めではないが、社員は3名以上必要と指導されている。
理事／理事会	理事／理事会	取締役／取締役会	業務執行を行う。理事は原則として3名以上必要（医療法46条の5第1項）。
理事長	理事長	代表取締役	法人の代表権あり。1名
監事	監事	監査役	監査を行う。原則として1名以上（医療法46条の5第1項）。
―	評議員／評議員会	―	評議員の数は理事の定数を上回る必要あり（医療法46条の4の2第1項）。

3 医療法人のM&Aの方法

医療法人のM&Aの方法としては、組織再編（合併・分割）、事業譲渡、および、社員変更等があげられる。

上記Ⅲ2において述べた視点に従えば、対象となる医療法人の全事業を買収する方法としては合併および社員変更等、一部事業を買収する方法と

して、分割および事業譲渡があげられる。もっとも、上記のとおり、医療法人のM&Aは事業承継を理由とするものが多く、したがって、全事業が譲渡の対象となるケースが多い。そして、全事業を買収する方法としては、合併よりも手続が簡便であり、また、買収者側が買収時点において医療法人を保有していなくとも利用可能な社員変更等によるケースが多い。一方で、多数の病院を広域的に運営する医療法人において一部地域の病院などを譲渡する場合には、一部事業を買収する方法によることもあり得るが、事例としては多くない。

以下では、まず、社員変更等以外の医療法人のM&A手法について簡単に説明し、その後に社員変更等について説明する。

(1) 合併

医療法人は合併をすることができ（医療法57条）、株式会社等の合併と同様、消滅する医療法人のすべての権利義務を、存続する医療法人が承継する吸収合併（医療法58条）と、新設の医療法人が承継する新設合併（医療法59条）とがある。持分の定めがある社団医療法人と持分の定めがない社団医療法人の間の合併も、社団医療法人と財団医療法人の間の合併も可能だが、持分の定めがある社団医療法人同士の合併でない限り、存続法人が持分の定めがある社団医療法人となることはない。また、財団医療法人は寄附行為に吸収合併または新設合併できる旨の定めがない限り、これを行うことができない（医療法58条の2第2項、59条の2）。

医療法人の合併における主な手続として、社団医療法人の場合には、①合併契約の締結、②総社員の同意（医療法58条の2第1項、59条の2）、③合併にかかわる都道府県知事の認可（医療法58条の2第4項、59条の2）、④財産目録・貸借対照表の作成・備置（医療法58条の3、59条の2）、⑤債権者保護手続（医療法58条の4、59条の2）、⑥登記（医療法58条の6、59条の4）があげられる。

①合併契約においては、合併後に存続する医療法人の合併後2年間の事業計画またはその要旨等を記載する必要がある（医療法58条、59条、医療法施行規則35条、35条の4）。また、株主総会における特別決議で足りる株式会社の合併と異なり、②社員総会における総社員の同意が必要であること

には留意が必要である。

③合併にかかわる都道府県知事の認可を得るためには、申請書に、合併についての理由書等の添付書類を付して、都道府県庁に届け出る必要がある。このように、合併をすることについての認可を取得することは必要であるが、合併は消滅医療法人のすべての権利義務を存続医療法人が承継するものであって、厚生労働省医政局指導課長による「医療法人の合併及び分割について」（平成28年3月25日医政発0325第5号）においても、消滅医療法人が取得済みの病院開設許可等については、自動的かつ包括的に存続医療法人が承継するとされており、そのような考え方に従えば、存続法人がこのような病院開設許可を改めて取得すること等は必要でないはずである。しかしながら、都道府県によっては、存続医療法人による病院開設許可等の手続が必要とする運用をしていることがあるため、確認が必要である。

医療法人は、合併についての認可の通知があってから2週間以内に、④財産目録および貸借対照表を作成し、かつ、⑤その債権者に対し、異議があれば一定の期間（最低でも2か月）内に申し出るべき旨を公告し、かつ、判明している債権者に対しては、各別にこれを催告しなければならない。債権者保護手続の期間についても、株式会社の合併の1か月よりも長い期間が定められていることに留意が必要である。

さらに、新設合併のみならず、吸収合併においても、⑥登記が合併の効力発生要件であることにも留意が必要である。⑤までの手続の完了後、2週間以内に主たる事務所の所在地において、3週間以内に従たる事務所の所在地において登記を行う必要があり、前者の登記の完了により合併の効力が生じる。

(2) **分割**

株式会社等の会社分割と同様、医療法人がその事業に関して有する権利義務の全部または一部を、分割して、他の既存の医療法人に承継させる吸収分割（医療法60条）と、分割により設立する新設の医療法人に承継させる新設分割（医療法61条）とがある。組織再編であるため、譲渡対象となる権利義務については包括承継されることになる。社団医療法人のうちでは、持分の定めがない社団医療法人のみが分割を利用できる（持分の定めがあ

る社団医療法人は利用できない）ことには留意が必要である（医療法 60 条、医療法施行規則 35 条の 6）。また、社会医療法人や特定医療法人等も分割を利用できない。さらに、財団医療法人は寄附行為に吸収分割または新設分割できる旨の定めがない限り、これを行うことができない（医療法 60 条の 3 第 2 項、61 条の 3）。

　医療法人の分割における主な手続として、社団医療法人の場合には、①吸収分割契約の締結・新設分割計画の作成、②総社員の同意（医療法 60 条の 3 第 1 項、61 条の 3）、③分割に係る都道府県知事の認可（医療法 60 条の 3 第 4 項、61 条の 3）、④財産目録・貸借対照表の作成・備置（医療法 60 条の 4、61 条の 3）、⑤債権者保護手続（医療法 60 条の 5、61 条の 3）、⑥登記（医療法 60 条の 7、61 条の 5）があげられる。合併と共通する部分が多く、留意点に関しても、上記の合併に係る留意点を参照されたい。

(3) 事業譲渡

　合併および分割の組織再編と異なり、事業譲渡については医療法上の規定はないが、医療法人も事業譲渡を行うことが可能である。

　株式会社等の事業譲渡と同様、医療法人に関しても、事業譲渡は譲渡対象の事業に関する個別の権利義務の移転である。医療法人の事業譲渡における主な手続としては、社団医療法人の場合には、①事業譲渡契約の締結、②法人内部の手続（社員総会における承認等）、③個別の権利義務移転手続、④病院開設許可の手続等があげられる。

　②法人内部の手続については、株式会社等における事業譲渡と異なり、社団医療法人の社員総会において、事業譲渡に関してどのような決議を必要とするかの法律上の規定はないが、その重要性にかんがみて、社員総会の決議が必要になることが多いものと考えられる。

　また、組織再編と異なり、許可等を承継できる根拠がないため、④病院開設許可の手続等も、譲受医療法人において行うことが必要となる。

(4) 社員変更等

　すでに述べたとおり、医療法人の M&A は社員変更等によるケースが多い。以下では、持分の定めのある社団医療法人の場合と持分の定めのない

社団医療法人の場合とに分けて、社員変更等によるM&Aの留意点について、説明する。

なお、財団医療法人には社員がいないため、社団法人における社員変更等に相当する方法で財団医療法人の支配を取得するためには、業務執行を行う理事についてその過半数を掌握することが必要となり、また、理事は評議員会の決議によって選任されるため、評議員についてもその過半数を掌握する必要がある。

ア　持分の定めのある社団医療法人の場合

上記2において述べたとおり、社団医療法人の支配を取得するためには社員総会において過半数を取得する必要がある。具体的には、社団医療法人においては社員の地位自体を譲渡することはできないため、社員の地位を退いてもよいという社員から、持分（もしあれば）を譲り受けるとともに、買収者側の社員の入社についての社員総会決議において入社に賛成してもらうとともに、当該社員自身には退社してもらうことになる。

ところで、すでに述べたとおり、社団医療法人においては、出資者と社員とは必ずしも一致しない。実際には出資者と社員が一致している場合も多い（そのため持分も譲り受けることとなる）が、社員は、出資の有無にかかわらず、また、出資している場合であっても出資割合にかかわらず、1人1議決権である。したがって、買収者としては、社員名簿、議事録、インタビュー等により、社員および出資者をそれぞれすべて把握したうえで、どの範囲の社員から持分を取得し、また、社員の入退社への協力を求めれば、社員総会において過半数を占めることができるかを検討する必要がある。また、持分を有しない社員の協力を得るためには、当該社員が持分を譲渡する社員の影響下にある場合には、持分を譲渡する社員をしてそのような社員の協力を得させる義務を課すとともに、持分を有しない社員に対しては理事等の医療法人の役職員としての退職金の支払い等を条件に協力を取り付けることが考えられる（持分を譲渡する社員に対しても、持分譲渡の対価に加えて退職金の支払い等についても合意することも考えられる）。

そして、買収者としては、社員の入退社により医療法人の支配を取得することを確実にするためには、持分取得の対価や退職金の支払い前に、少なくとも、退社する社員らをして、医療法人において、持分譲渡の実行等

を条件として、買収者側が希望する社員の入社についての社員総会の決議（定款上、退社についても社員総会の決議が必要な場合には、退社する社員の退社についても）を通させておくなど、対価を支払うまでに、対価支払い後に社員総会において過半数を占めることができることを確実にしておくことが望ましい。

なお、医療法人の非営利性から、株式会社等の営利法人は出資者となることはできても、社員となることはできない。また、都道府県によっては、同一株式会社等の営利法人の役員ないし従業員が社員の過半数を占めることについても不適当であるとする指導がされている。一方、営利法人ではない法人は、出資者となることも社員となることもいずれか一方であれば可能であるが、出資者と社員とを兼ねることはできないとされている。したがって、買収者側において法人が持分の譲渡を受ける場合には、買収者側の社員としては自然人を入社させることとなる。また、上記のとおり、社員は3名以上でなければいけないため（**図表3-Ⅳ-2**参照）、買収者が法人であると自然人であるとを問わず、少なくとも複数の買収者側社員が必要となる。

最後に、持分の移転の方法に関して、持分を退社する社員から買収者に対して譲渡する方法ではなく、退社する社員に対して医療法人から持分の払戻しを行い、買収者側が新たに出資を行い、社員を入社させる方法もあり得る。もっとも、持分の払戻しの場合、退社する社員側は、払戻額の剰余金に対応する部分は配当所得として課税を受けることになり、譲渡所得として課税を受けるよりも不利になる可能性があるため注意が必要である。このような払戻しの方式によった場合、払戻額は医療法人の時価純資産額を基に計算されるが、上記の出資額限度法人の場合には、払戻額は当該社員の払込出資額が上限となる。

　イ　持分の定めのない社団医療法人の場合

持分の定めのない社団医療法人においても、社団医療法人の支配を取得するためには社員総会において過半数を取得する必要があることは変わりない。しかしながら、持分がないため、持分の取得に対する対価という形で、社員の地位を退く社員に対して対価を支払うことができない。したがって、理事等の医療法人の役職員としての退職金や、さらには退職金として

支給できる金額には税務面での制約もあるため、当該社員が保有する医療法人に関する資産（MS法人の株式等。なお、MS法人については下記4(1)参照）もあわせて譲り受けることによりこれに対する対価の形等で、M&Aの対価を支払うことになる。役職員として退職金の支払いは、買収者自身ではなく、あくまで医療法人が行うことになるため、医療法人に十分な現金があるのか、ない場合にはどのように調達するのか（場合によっては、一括支払いではなく、分割支払いにするのか等）についても、検討が必要になる。

持分の定めのない社団医療法人が、基金拠出型医療法人の場合には、退社する社員に対して、基金を払い戻すことになる。もっとも、基金の払戻しは、純資産額が基金の総額等を超えた部分に限られるため（医療法施行規則30条の38第2項）、ただちに基金を払戻しすることができない場合もあることには留意が必要である。

4　法務DDにおける留意点およびこれに対する対応

医療法人のM&Aにおいても、法務DDで確認すべき大きな分野については、上記Ⅲ3においてみた通常のM&Aに関するものと大きな変わりはなく、①法人組織、②持分（ある場合）・社員、③契約、④資産・負債、⑤知的財産権、⑥人事労務、⑦許認可、⑧コンプライアンス、⑨紛争、⑩環境（廃棄物処理等）、⑪保険等の項目について確認することになると考えられる。以下では、その中でも、特に、医療法人のM&Aにおいて問題となりやすい点について説明する。

(1)　MS法人その他売主関係者との間の取引

医療法人の非営利性の観点から問題となる事項として、MS法人の問題がある。MS法人とは、メディカルサービス法人の略称で、医療機関の事務、医療材料の仕入れ、医療施設の不動産や医療機器の賃貸・リース等の診療行為以外のサービスを医療法人に提供する営利法人をいう。MS法人の活用は医療法人の医師をして診療行為に専念させ、医療の質の向上につながるというメリットがある。一方で、医療法人の非営利性の観点から、医療法人から営利法人に対する利益の移転がなされたり、営利法人による医療法人の実質的支配につながったりしないための規制がなされており、MS

法人もそのような規制に服する。

　具体的には、医療機関の開設・経営上利害関係にある営利法人等の役職員は、一定の例外にあたる場合を除き、当該医療機関の開設者および管理者、ならびに、開設者である法人の役員にはなることができないものとされている。

　また、そのような兼任禁止には抵触しないとしても、MS法人との取引において、業務委託料等として不当な対価を支払っている場合には、医療法人の非営利性に基づく配当の禁止の潜脱に該当するおそれがある。そのような取引条件の妥当性等については、会計・ビジネスDDの担当者も交えた確認が必要である。

　もし、買収対象の医療法人において、MS法人との間で許容される例外にあたらない役員の兼任があった場合や不当な条件の取引が行われていた場合（特に、医療法人の買収とあわせてMS法人も買収の対象とされ、買収後も当該MS法人との取引の継続が予定されているような場合）には、このような違反を是正する必要がある。なお、このような兼任や不当な条件の取引の禁止については、買収後に買収者側において新たなMS法人を設立して医療法人との間の取引を行う場合においても留意が必要である。

　一方で、MS法人を買収しない場合に限らず、医療法人において買収後も売主側に残る個人や法人との間で、あるいは、退社する社員等との縁故等に基づく相手方との間で、代替性のない取引を行っていないかについても確認が必要であり（たとえば、退任する院長との関係で大学病院等から医師の派遣を受けている場合に、派遣を打ち切られた場合に医師が足りなくならないか等）、そのような取引が存在する場合には、売主側ないし当該相手方との間において、買収にあたって、これを一定期間継続する旨の合意を行う等の手当てが必要になる。

(2) 医療法等の規制

　上記(1)で述べたMS法人に関する規制も医療法に基づく規制であるが、それ以外にも、医療法人には、医療法上さまざまな規制が課されている。その一例として広告に関する規制があげられるが、医療法は、原則として医療機関に関する広告を禁止し、病院名、診療科名、医師の氏名、医師等

の略歴等、提供する医療の内容等、一定の事項に限って広告することができると定めており、また、①内容が虚偽にわたる広告、②比較広告、③誇大広告、④客観的事実であることを証明できない内容の広告、⑤公序良俗に反する内容の広告を禁止している（医療法6条の5）。したがって、買収対象の医療法人が広告を行っている場合には、広告に関する一般法である景品表示法に加え、このような規制に係る違反がないか確認の必要がある（医薬品や医療機器などに関する広告については薬機法上の広告規制にも留意する必要がある）。

これ以外の医療法に基づく規制以外にも、医療法人およびその事業に適用される法令、監督官庁（厚生労働省および都道府県等）の告示、通知、ガイドライン等は数多くある。したがって、医療法人の法務DDにおいては、これらの規制に関するコンプライアンスの状況についても確認のうえ、違反については売主側に是正を求めたり、買収後に是正を行うことが必要となる。

(3) その他

医療法人において、偶発債務として想定される典型的なものとしては、医療過誤等の患者との間の紛争があげられる。そのような紛争の有無や（ある場合）見込まれる損害額、保険による塡補の可能性とその範囲等についても確認が必要である。

また、医療行為に伴い必然的に産業廃棄物が生じ得るところ、産業廃棄物の処理がきちんと行われているかについてや、医療法人においては病歴等の要配慮個人情報を含むセンシティブな個人情報を取り扱うところ、そのような個人情報の管理がきちんと行われているか（なお、個人情報保護法については、第1章Ⅴ参照）について等も確認が必要である。

さらに、株式会社の法務DDにおける株主の確認と共通する点であるが、社団医療法人において誰が社員あるいは出資者であるかの確認も重要である。非上場の株式会社と同様、社団医療法人によっては社員および出資者の管理・記録が十分に行われず、社員名簿にもきちんと反映されていないこともあり、その場合、特に歴史の長い社団医療法人においては確認が困難を伴う場合もある。

〔青柳良則＝飛岡和明〕

Ⅴ 導入・導出ライセンス条項の解説と留意点

1 はじめに

　ライセンス契約とは、ライセンサーが、ライセンシーに対し、一定の知的財産等の実施を許諾する契約である。医薬品の販売には、原則として国や地域ごとに承認を取得する必要があり、また、国や地域によって医薬品の開発や販売に必要なノウハウやリソースも大きく異なる。そのため、ある製薬会社がグループ会社等を有しない国外で自社の医薬品の販売を行う場合には、当該国の製薬会社等との間でライセンス契約を締結することが一般的である。すなわち、日本の製薬会社が自社の医薬品を海外で販売する場合には、日本の製薬会社（ライセンサー）が海外の製薬会社（ライセンシー）とライセンス契約を締結し、海外の製薬会社に対し海外での医薬品の販売等を委ねる（導出ライセンス）。他方、海外の製薬会社が自社の医薬品を日本で販売する場合には、日本の製薬会社（ライセンシー）は、海外の製薬会社（ライセンサー）との間で、日本での医薬品の販売等の権限を取得するライセンス契約を締結する（導入ライセンス）。

　本項では、医薬品の導入および導出に関するライセンス契約における主要条項の類型について、基本的な説明をあげたうえで、主要条項ごとに、ライセンス契約の作成に際してライセンサーやライセンシーの観点から考慮すべき事項を解説する。また、ライセンス契約の大半は英文で締結されるが、説明上有益と思われる場合には単純化した和文の条項例を示した。なお、言うまでもないが、下記の条項例と解説はあくまで典型的なライセンス契約を想定したものであり、また説明の便宜上、現実の契約では異なる条項に規定されることの多い内容を1つの項目にまとめたり、逆にいくつかの項目に分けて説明したりしていることも多い。実際の契約ドラフトに際しては、その具体的な案件に即した規定や構造を検討する必要があることには留意が必要である。

2　主要条項

(1)　定義規定

　契約において、繰り返し使用される用語は定義されることが一般的であり、ライセンス契約のように一定程度の分量を有する契約の場合には、独立した定義規定を契約の前文の次に設けることが多い。定義語の数も、数十から、場合によっては100を超えることも稀ではない。定義される用語やその重要性は契約によって異なるが、一般的に、ライセンス契約において、他の条項との関係で重要な意味をもつ定義語について解説する。

　ア　対象製品

　　(ア)　意義と内容

> (条項例)
> 「本対象製品」とは、●を有効成分として●●mg含有する注射剤をいう。

　対象領域や対象地域（下記イおよびウ参照）等と合わせてライセンスの許諾の範囲（下記(2)参照）を特定するため、知的財産等の実施を許諾する対象となる製品を特定する。通常は、API等で対象製品を特定する。

　対象製品の範囲は、ライセンスの許諾の範囲だけでなく、ロイヤルティの支払い（下記(8)参照）や競業避止（下記(14)参照）といったさまざまな条項で基準となる。

　　(イ)　考慮事項

　有効成分量や剤形によって対象製品を限定すべきか、また、配合剤を含める（または排除する）べきかといった検討が必要となる。上記の条項例は、有効成分量と剤形によって対象製品を比較的狭く限定している。配合剤を明示的に排除しているとはいえないが、有効成分量と剤形を特定すれば、当該ライセンス契約のもとでの配合剤の展開の可能性は狭いといえる。

　たとえば、有効成分量や剤形によって対象製品を限定していなければ、締結時点で想定されている有効成分量や剤形が拡張されたとしても、対象製品に該当することとなるので、特約等を設けない限り、さまざまな有効成分量や剤形の製品であっても許諾の範囲に含まれ、当初のライセンス契

約が適用される。それによってライセンサーにとっては、受領するランニングロイヤルティ金額やライセンシーによる製剤または原薬の購入量が増えることは期待できるが、他方で再度契約を締結してイニシャルペイメント等を得たり、さらには別のライセンシーを選択するといったことは原則としてできなくなる。そのため、ライセンサーとしては、有効成分量や剤形の拡張が予想される場合には、有効成分量や剤形によって対象製品を限定すべきか否かを戦略的に検討する必要がある。

　また、競業避止（下記(14)参照）の観点からは、有効成分や対象領域（下記イ参照）が同じでも、剤形が異なればターゲットとする患者層も異なる、といったようにさまざまな要因によって現実の競争状況が異なる場合がある。このような場合において対象製品を剤形等で限定しないときは、実感としての競合製品の範囲以上に競業避止義務の範囲が広がることから、特にライセンシーとしては注意を要する。なお、対象製品の範囲と競業避止の範囲を別個に設定することも、当事者が合意すれば可能である。

　イ　対象領域
　　㋐　意義と内容

（条項例）
「本対象領域」とは、ヒトの肺がんの治療をいう。

　1つの対象製品に複数の適応症が認められていたり、将来的に適応症が拡大されたりすることも多いことから、ライセンスの許諾の範囲（下記(2)参照）を特定するため、知的財産等の実施を許諾する対象となる対象製品の適応対象の疾患領域（対象領域）も特定することになる。上記アと同様に、対象領域の範囲は、ライセンスの許諾の範囲だけでなく、競業避止（下記(14)参照）等の基準の1つになることが多い。

　　㋑　考慮事項
　将来追加されうる領域に関してはライセンシーの販売力が弱い、ライセンシーが当該領域の競合製品を有していて販売意欲に疑問がある、等の事情がある場合には、適応拡大の際に自動的に現在のライセンシーに許諾が与えられないように、対象領域を限定する必要がある。他方で競業避止（下

記(14)参照）の観点からは、対象領域を広く記載した方がライセンシーに課す競業避止の範囲も広がることが多い。条項例では非常に簡単に規定しているが、実際には作用機序等によってさらに細かく規定する例も多い。

　ウ　対象地域（テリトリー）
　　㋐　意義と内容
　ライセンスの許諾の範囲（下記(2)参照）を特定するため、知的財産等の実施を許諾する地域も特定するのが一般的である。通常は、ライセンシーが対象製品の販売等を行う国がテリトリーとなる。上記アおよびイと同様に、テリトリーの範囲は、ライセンスの許諾の範囲だけでなく、競業避止（下記(14)参照）等の基準の1つになる。
　　㋑　考慮事項
　たとえば、日本の製薬会社が東欧の製薬会社との間で1本のライセンス契約を締結し、東欧各国での対象製品の販売等を委ねる場合のように、テリトリーに複数の国が含まれる場合の処理は非常に複雑になる。特に、テリトリーに含まれる国ごとに（部分的な）契約の終了を認めるか否かが問題となる。前述の例を引き合いに出すと、ポーランドでの上市が期限内に達成できず、契約の解除事由（下記(15)参照）に該当したとして、東欧各国を対象とするライセンス契約全体を解除するのか、それともポーランドに関してだけライセンス契約を部分的に終了させるのかという問題である。仮に国ごとの契約の終了を認めたとしても、1本の契約の中で契約が存続している国と契約が終了している国とで効果を書き分けることになるので、契約のドラフティングには慎重を期す必要がある。また、実際には、国ごとに上市時期が異なる可能性が高いので、ライセンス契約中での時期・年度の計算の統一も煩雑となる。

　なお、同じライセンシーとの間で、国ごとにライセンス契約を個別に締結することも考えられる。その場合、国ごとに契約の終了を認めたとしても、契約書中の効果の書き分けの問題は生じない。他方で、1つの国で生じた契約の解除事由により他の国のライセンス契約も解除したい場合（たとえば、ポーランドでの上市が期限内に達成できなかったため、東欧全体でのビジネスプランの見直しを迫られ、東欧全体でのライセンスを終了したい場合）には、各ライセンス契約にその旨の解除規定を設ける必要があり、結局は、1本

のライセンス契約を締結する場合と同程度の煩雑さが生じることになると思われる。

　また、テリトリーに複数の国や地域が含まれる場合には、一部の国や地域についてサブライセンスを行うことが前提となることも多い。サブライセンスに関しては、下記(2)参照。

(2) ライセンスの許諾
　ア　意義と内容

> （条項例）
> 1　ライセンサーは、ライセンシーに対し、本契約の有効期間中、本テリトリーの範囲内で、本対象領域において、本対象製品の開発、製造、輸入、使用、販売の提案、販売および販促活動を行うために、本特許、本商標および本技術情報の独占的な実施を許諾する。
> 2　ライセンシーは、本テリトリーの範囲内で、本対象領域において、本子会社に対してのみ、前項に定める実施権に基づき、再実施権を与える権利を有する。ただし、ライセンシーが本子会社に再実施権を与えた場合には、直ちに、ライセンシーはライセンサーに対し、当該本子会社の名称、所在地および事業内容を通知しなければならない。

　ライセンス契約の大きな枠組みは、ライセンサーがライセンシーに対し、対象製品の開発や販売のために一定の知的財産等の実施を許諾し、ライセンサーはライセンシーからその対価として一定の金銭等（下記(8)参照）を受け取ることである。そのため、まずは、ライセンスの許諾に関する規定が設けられることが通常である。

　ライセンシーにとっては、ライセンスの許諾の範囲内でしか知的財産等を利用できず、また、ライセンサーにとっては、ライセンスの許諾の範囲内であればライセンシーによる知的財産等の利用を自由に認めなければならないので、ライセンスの許諾の範囲は両当事者にとって重要である。
　イ　考慮事項
　許諾の対象となる知的財産等には、通常は特許とデータが含まれる。
　　(ア)　特許の許諾
　特許の許諾に関しては、医薬品以外のライセンス契約（たとえば機械製品

等に関する特許許諾契約）と本質的には異なるところはなく、ライセンサーが本来特許権に基づいて有している、第三者に対する差止請求権等を、一定の条件の下にライセンシーに対しては行使しないことを約束するものである。有効な特許が存続している場合には、許諾の中心となるのは特許である。

(イ) 技術情報（データ）の許諾

データの許諾は医薬品に特徴的であり、実際にはきわめて重要であるが、データ自体は通常は知的財産権の対象ではないので、不正競争防止法等によって保護されることはあるものの、ライセンサーが物権的な専有権をもっているわけではない。したがって、データの使用許諾の法的性質は、特許等の知的財産権の使用許諾とは異なる。データの使用許諾を分析的に見れば、一般的に、データを開示する約束と、当該データの取扱いに関する債権的な合意である。

また、一定の場合には、商標を許諾の対象とすることを検討することがある。典型的には、ライセンサーがすでに周辺地域で対象製品を一定ブランドで展開しており、テリトリー内でも戦略上同一ブランドを使用しつつ、ライセンサーが当該ブランドを管理したいような場合である。ほかにも、特許がないまたは特許の有効期間が短い等の場合には、ライセンサーとしては、自ら保有・管理する商標も許諾対象とすることで、実質的にテリトリー内の対象製品ビジネスに対してある程度のコントロールを及ぼすことが可能となる。また、特許消滅後にもランニングロイヤルティの支払いを一定期間継続する際に、商標も許諾対象に含めて商標使用許諾に対するロイヤルティ支払いを発生させることが考えられる。ただし、ロイヤルティに関しては租税条約上の取扱い等、特に源泉徴収の要否をめぐって税務上の考慮も必要となる。

許諾の範囲は、通常、対象製品、対象領域およびテリトリー（上記(1)参照）が基準となるため、これらの定義の範囲を定めるにあたっては、それが許諾の範囲と連動することを意識しておく必要がある。

許諾の対象行為は比較的定型化されているが、製造行為を含めるか、また、どのような範囲の製造行為を含めるかは、ライセンサーの独占供給権の有無やライセンサーが供給する場合の供給態様等に応じて定める必要が

ある。

　ライセンシーによるサブライセンスを認めるか否か、また、認める場合の範囲や手続も検討する必要がある。通常は、契約交渉が開始する頃にはライセンシーの大凡のビジネスプランは共有されており、特にテリトリーに複数の国を含むような場合には、対象領域内かつテリトリー内でのサブライセンスについては、ライセンサー側も通常は想定していると思われるが、ライセンサーとしては、一定の競合他社にサブライセンスされることは避けたいという考慮もありうる。サブライセンスを無制限に認める例も多いところではあるが、冒頭の条項例では、サブライセンシーの範囲を、ライセンシーの子会社に限定している。また、冒頭の条項例では、サブライセンス時の事後報告のみを定めているが、ライセンサーとしては、ライセンサーの事前承認を要求することで、サブライセンスを制限することも考えられる。他方、ライセンシーとしては、サブライセンスが当初から想定されている場合や契約期間が長いときに柔軟性を確保したい場合もあるため、そのようなビジネスプランが機能しなくならないよう、サブライセンスの範囲や手続の制限には注意を要する。

(3)　ライセンサーによる技術情報の開示
ア　意義と内容

> （条項例）
> ライセンサーは、ライセンシーに対し、本対象製品の開発、製造、輸入、使用、販売の提案、販売および販促活動を行うために合理的に必要とライセンサーが判断する範囲内で、ライセンサーが本契約締結日時点において有する本技術情報を開示しなければならない。

　ライセンシーが対象製品についてテリトリー内で承認取得等の開発行為や販売等を行うためにはライセンサーが有する既存の技術情報を利用する必要があるとして、ライセンサーがライセンシーに対し既存の技術情報を提供する義務が定められるのが一般的である。契約後にライセンサーが取得する情報が対象に含まれることもある。上記(2)のライセンスの許諾の具体的な内容の一部をなす条項であり、ライセンス期間を上市前と上市後に

大別するならば、上市前の活動の中心である開発活動にとってきわめて重要な柱の1つとなる規定である。また、ライセンシーが対象製品の開発について一定の（努力）義務を負う場合には、ライセンサーによる情報開示が当該義務の前提条件となる。条項例は非常に簡潔なものをあげているが、下記の考慮事項等を解決しようとすると非常に複雑になることも多い。

イ　考慮事項

ライセンサーとしては、まずは開示義務を負う範囲を明確にしておく必要がある。この範囲が不明確であると、ライセンサーは、最悪の場合には、予定していなかった追加の臨床試験の実施等を強いられるおそれが生じるほか、開示の期限が確定的に定められているような場合には、後になって当初の開示の範囲が不充分であったとして予想外の場面で債務不履行を問われるおそれがある。また、ライセンサーとしては、自社の他剤に関連する情報や対象製品の製造原価等ライセンシーに開示したくない情報も存在しうる。そのため、ライセンサーのコントロールが及ぶ方向で、技術情報の定義を明確にするほか、開示の必要性を誰が判断するのかも明記することが考えられる。

他方、ライセンシーとしては、テリトリー内での承認取得等のためにはライセンサーから供与される技術情報が通常不可欠である一方で、承認取得等で監督官庁との実質的な折衝を必要とするような場合には、どのような情報が必要なのか事前に抽象的に規定することは難しい。特に、ライセンシーが対象製品の開発について一定の（努力）義務を負う場合には、開発が不成功に終わった際に、ライセンシーとしてはライセンサーによる技術情報の提供が不十分なために開発が不成功になったと考えていても、技術情報の提供は十分であったと事後的に判断されて開発（努力）義務違反を認定されるおそれもあるので、ライセンシーとしては、必要な情報の開示を確保する方向で契約交渉を進める必要がある。

このようなライセンサー・ライセンシー相互の懸念を解決するように規定を調整していくことは時間を要することもあり、また案件ごとの具体的な状況によって解決策も異なるので、モデル条項やサンプル契約に頼ることは難しい。契約締結後の情報も開示対象に含める場合には、双方にとっての不確定要素が増えるため、調整の難易度はさらに上がることとなる。

また、上記の条項例では省略したが、たとえば、ライセンサーが対象製品を第三者と共同開発している場合やライセンサー自身が第三者からライセンスを受けているような場合には、当該第三者が開発した情報の取扱いについても注意が必要である。特に、当該第三者との間の契約等に基づき、当該第三者に対して守秘義務や利用範囲の制限等を負っているような情報に関しては、ライセンサーとしては当該契約等の内容を精査したうえで、それと齟齬を来さないように規定する必要がある。

　なお、あまり法的な論点ではないが、翻訳費用は多額にのぼることがあるため、翻訳を必要とする情報について、翻訳の責任・費用負担と翻訳範囲を規定しておくことは実務的には重要となる。

(4)　ガバナンス
　ア　意義と内容
　ライセンス契約に従い、対象製品の開発、上市、販売等を実行するためには、ライセンサーとライセンシーの継続的な協働が不可欠である。また、その協働の内容は、規制当局の態度や情勢、市場の状況等に応じて柔軟に対応する必要があるために、契約時点において契約条項にすべてを盛り込むことは不可能なので、契約の内容を補う具体的な開発計画や販売計画等を契約締結後に随時作成・更新していく必要がある。このような両者間の協議や合意のプロセスを定めるため、ガバナンスに関する規定が設けられる。

　列挙事項が多いこともあって、条項の量は契約中で相当な割合にのぼるものの、規定される内容は比較的定型化されており、1つまたは複数の委員会が設けられ、委員会の構成員、開催頻度、権限の範囲および意思決定方法および合意に至らなかった場合の最終判断権者・判断方法等が定められることが一般的である。権限の範囲としては、たとえば、開発計画や販売計画の協議および承認、開発や販売の進捗に関する報告の検討、規制当局への届出の進捗管理、安全性に関する問題への対応等が含まれる。

　イ　考慮事項
　法律的な論点は多くないが、両者が合意に至らなかった場合の最終判断権者・判断方法をどう定めるかは重要であり、それに応じて、委員会の権

限の範囲も調整する必要がある。たとえば、一方当事者が最終判断権者となる場合には、相手方の契約上の権利を害することはできない旨を注意的に規定することが一般的ではあるが、その適用範囲の不明確さは否めない。他方当事者としては絶対に譲ることのできない事項は委員会の権限の範囲から除外することを検討すべきと考えられる。

(5) 開発・上市前の規制事項
　ア　意義と内容
　テリトリーにおける承認取得等を目指す開発活動は、上記(3)でも述べたとおり、上市前における中心的な活動である。承認取得等のためには、承認申請のためのドシエの作成のほか、日本等では薬価の交渉を行う必要があるが、場合によっては、ライセンサーから提供を受けた技術情報（データ）だけでは不十分で、追加で非臨床試験や臨床試験等を実施しなければならないこともあり、そのような行為が規定されることとなる。開発行為は、ライセンサーとライセンシーとの間で、または上記(4)の委員会において合意された開発計画に従い、基本的にライセンシーが担うが、ライセンシーに対し、開発活動をどの程度の強度の義務として規定するかは要検討事項である。また、非臨床試験や臨床試験等が行われる場合には特に、費用負担を定めておくことが重要である。
　ライセンシーによる開発行為によって得られた開発情報の帰属や使用許諾については、下記(10)を参照されたい。
　イ　考慮事項
　ライセンサーとしては、対象製品が上市されずに期待された収入が得られなくなることを防ぐために、必要な開発行為をライセンシーに対してどのように義務付けるかがポイントとなる。他方、ライセンシーとしては、自らの支配を超える要素が大きいことから、厳格な義務を負うことには懸念がある。このように、両当事者の利害の対立の大きな事項ではあるが、必要な開発行為の内容や程度については、ライセンス契約締結時までにはデュー・ディリジェンスが完了しているのが通常であり、ある程度の見込みは双方で共有しているはずなので、具体的な状況に沿って規定することとなろう。なお、ライセンシーの開発（努力）義務による代わりに、または

あわせて、承認取得や上市等の客観的な指標と期限を定めて、達成されなかった場合を契約解除事由とすることもある。また、契約条項ではなく、高額のイニシャルペイメントといった経済条件によって、ライセンシーに対して開発完了のインセンティブを与える（ライセンサーは利益を先取りしておく）という方法もある。

　ライセンシーとしては、開発に関してある程度の義務やペナルティを負う場合には、ライセンサーからの既存技術情報の開示（上記(3)参照）がなければ必要な開発を実施することが難しくなることから、ライセンサーの協力をどのように確保するかを検討しなければならない。

　また、ライセンサーの立場からは、ライセンシーの開発活動、特に当局との折衝や資料提出等についての同意権等、どの程度のコントロールを得ておくべきかも問題となる。

(6) 上市後の規制事項
ア　意義と内容

　テリトリーにおける上市後の規制事項として定められる一般的な内容は、以下のとおりである。

---

① 承認を維持する義務およびそれに要する費用の負担
② テリトリー内で適用される薬事規制の遵守
③ 法令違反や安全問題が発覚した場合の対応（法定のリコールおよび自主的なリコールを含む）
④ ライセンシーによる対象製品の製造拠点への監査
⑤ 規制当局による対象製品の製造拠点への監査時の対応

イ　考慮事項

　法令上リコールが強制される場合にはいずれにせよ対応が必要となることには違いないのであまり考慮事項は多くない。他方で、自主的なリコール（法令上義務付けられていない場合のリコール）を実施する場合、ライセンシーがどの程度の裁量を有すべきかは検討を要する。たとえば、ライセンサーに有利な構成としては、自主的なリコールの決定においてはライセンサーが最終的な決定権を有する（ライセンシーが自主的なリコールを提案す

る場合であっても、リコールの実施にはライセンサーの事前承認を要求する）という構成が考えられる。また、リコール費用は多額にのぼるので、その費用負担も契約上明記すべきと考えられる。リコール費用の規定は、リコールの決定におけるライセンシーの裁量の幅とも相関する。

　また、特にライセンサーが対象製品や原薬等を供給する場合には、テリトリー内の薬事規制（であって、ライセンサー本国の規制と異なるもの）についてのライセンサーの遵守義務が問題となる。もちろん、テリトリー内の薬事規制を遵守しないという選択肢は現実的ではないので、遵守は必要であるが、その場合の増加費用をいずれが負担するか、またライセンサーはテリトリー内の薬事規制を自ら調査する義務を負うか等といった点が問題となる。

(7)　商業化・上市
　ア　意義と内容
　ライセンシーがテリトリーにおける承認を取得したら、次は実際に対象製品の販売（およびそれに伴う営業活動等）を開始することになり、ライセンシーは対象製品の販売等の開始が義務付けられる。

　また、対象製品の販売開始に先立ち、対象製品の販売計画が策定されるが、その際の意思決定方法や決定権者の定めは問題となりうる（上記(4)参照）。

　さらに、日本の製薬会社が海外の製薬会社の対象製品を日本に導入する場合には、対象製品に対して決定される薬価によって当事者のビジネスプランは大きく左右される。そこで、目標となる薬価や薬価の最低額を規定する場合もある。

　イ　考慮事項
　ライセンサーとしては、早期に対象製品の販売を開始し、ロイヤルティの受領や製剤・原薬等の供給をしたいため、上市の期限を客観的に定め、その期限を達成できないことを契約の解除事由（下記(15)参照）とすることが考えられる。他方、ライセンシーとしては、承認取得・上市は、監督当局の姿勢等自らの管理できない要素に左右されうるため、そのような規定の受け入れには慎重を要する。これに対して、確定期限ではなく承認取得か

ら一定期間内に上市する義務を規定することは、比較的よく見られる。

　また、テリトリー内での営業活動はライセンシーにより行われることから、ライセンサーとしては、ライセンシーによる活発な営業活動を促すため、ライセンシー側の営業体制に一定の条件を設ける場合もある（対象製品専任のMRを何名以上配置する等）。これは、対価の支払い（下記(8)参照）等の構造にも左右される。たとえば、イニシャルペイメントが低く、主に売上げに応じたロイヤルティによりライセンサーが利益を確保する構成になっているのであれば、ライセンサーとしては、ライセンシーによる活発な営業活動を促すため、ライセンシー側の営業体制の充実を契約上も求めることが望ましい。

(8)　支払い

ア　意義と内容

　上記(2)のとおり、ライセンサーがライセンシーに対し、一定の知的財産等の実施を許諾することの対価として、ライセンシーは、ライセンサーに対し、一定の金銭等を支払う。この支払いは、①イニシャルペイメント（契約一時金・アップフロント）、②マイルストーンペイメントおよび③ロイヤルティの組み合わせで定められることが一般的である。

> ①　イニシャルペイメント：契約締結時に一定額を支払う。
> ②　マイルストーンペイメント：一定のマイルストーンとなる事象（特定のフェーズの臨床試験の成功、承認申請・取得、一定額の売上の達成等）の発生に応じて、一定額を支払う。
> ③　ロイヤルティ：上市後、一定期間ごとに一定の計算による額を支払う。毎年のロイヤルティ額の設定としては、たとえば、上市から5年目までは対象製品の年間純売上の10％、6年目から10年目までは年間売上の5％、11年目以降はロイヤルティなしといった構成が考えられる。

イ　考慮事項

　支払いについては、法的な論点というよりもビジネスからの考慮要素が強く働くが、ライセンサーが得る経済的な利得（広い意味でのライセンスの対価）は、上記の直接の支払いだけではなく、下記(9)のような原薬や製剤

の供給によって達成される場合もある。いずれにせよ、このような経済的な構造が契約全体の構成を左右するといっても過言ではなく、さまざまな条項を検討・交渉する際には経済的な構造との整合性に留意する必要がある。

　また、ロイヤルティについては、ロイヤルティをいつまで支払うか（たとえば、特許の有効期間と連動させるか）も問題となりうる。

(9) 供給
ア　意義と内容

　ライセンサーがライセンシーに対し原薬や製剤を供給する場合には、供給に関する規定もライセンス契約に設けられる。また、治験薬の供給も必要であれば、その点もライセンス契約に別途規定することとなる。ただし、いずれも詳細は供給契約として別途定めることが通常である。供給契約も含めて考えると、供給に関する一般的な条項は以下のとおりである。

---
① 独占供給とするか否か
② 最低購入量を定めるか否か
③ 発注予測と受発注、それら変更のメカニズム
④ 引渡し・検収
⑤ 取引価格
⑥ 薬価改訂、原材料費や為替レートの変動の場合の対応

イ　考慮事項

　独占ライセンスの場合、何らかの事情で対象製品のビジネスがライセンシーの中での優先度を失い、ライセンシーが積極的に対象製品の販売活動を行わなくなると、対象製品が塩漬けにされてしまう可能性がある。そこで、ライセンサーとしては、そのような塩漬けのリスクを防ぐため、たとえば最低購入量を規定することが考えられる。もっとも、イニシャルペイメント等が相当の水準であって、ライセンサーとしてはある程度十分に利益を確保できているのであれば（逆にライセンシーに対し、イニシャルペイメントの分を取り戻すだけの営業活動を行うインセンティブを十分に課しているといえるのであれば）、最低購入量を規定する必要はないと考えることもで

きる。他方でライセンシーにとっては、テリトリーに対象製品と競合する他剤の参入が見込まれる場合（特に、対象製品の後発薬の参入が見込まれる場合）には、ライセンシーの営業努力だけで対象製品の売上の落ち込みを避けるのは難しいため、ライセンシーとしては最低購入量の負担が重くなる懸念を有することとなる。

⑽　開発情報

> （条項例）
> 　本契約に基づく活動に関連していずれかの当事者が本対象製品に関する発明（「本発明」）を行った場合は、本発明に対する特許権は発明を行った当事者に帰属し、両当事者が共同で発明を行った場合には両当事者が特許権を共有する。
> 　ライセンシーは、本開発活動に関して何らかの情報、データおよび書類（「本開発情報」）を得、または単独で本発明を行った場合には、速やかにその内容をライセンサーに開示する。ライセンシーは、ライセンサーに対して、本開発情報ならびにライセンシーが単独で行った本発明およびかかる本発明に対する特許権を、本テリトリー外において、目的を問わず非独占的に使用する権利（第三者への再使用許諾権を含む）を、無償で許諾する。

　ア　意義と内容

　ライセンシーは、上記⑸の開発の過程や販売の過程において、対象製品に関してさまざまな情報を得ることがある。特にライセンシーによる臨床試験の実施等が想定されている場合には尚更である。このような情報には、場合によって、テリトリーの内外を問わず新たな製品開発や対象製品の適応拡大等のライフサイクルマネジメントにとって重要な情報も含まれうるので、ライセンサーとしては、そのような情報を使用する権利を何らかの形で確保したいと考える。他方でライセンシーにとっては、これは自ら取得した情報であるし、自らの事業活動や、場合によっては自ら有する他の製剤に関連することもある。そのため、そのような情報の帰属や使用許諾等は、ライセンス契約の焦点の１つとなることも多い。

　具体的には、開発情報により特許等の知的財産権が成立する場合には知的財産権の帰属と使用許諾が、知的財産権の成立に至らない場合には、開

発情報の使用許諾が定められる。

　イ　考慮事項

　使用許諾については、知的財産権のライセンス一般に共通する問題ではあるが、その範囲をどうするか（テリトリー内に限定するか、それともテリトリー外を含めるか、また、疾病領域を限定するか否か、それぞれについて専属的とするか）、有償にするか否か、といった点が問題となる。ライセンス契約終了後の取扱い（下記(16)参照）についても大きな問題となる。

　条項例においては、特許が得られた場合には発明を行った当事者に帰属するものとしつつ、ライセンシーが発明を行った場合には、開発情報とともに、ライセンサーに対してテリトリー外・目的無限定・非独占・無償のライセンスを許諾する構成としている。契約終了の効果（下記(16)参照）において特に規定しなければ、ライセンスの存続期間はライセンス契約期間と同一ということになろう。

　また、条項例では割愛しているが、開発情報や発明について、ライセンシーに対して一定の制限（ライセンサーの同意がない場合における、目的外使用の禁止・公表の禁止・特許申請の禁止等）を加えることもある。

(11)　副作用情報・品質管理

　通常、どの国であっても医薬品については副作用情報の報告や品質管理に関する薬事規制が定められていることから、これらの薬事規制を遵守する旨の規定が設けられることが一般的である。内容は比較的定型である。

(12)　守秘義務

　ライセンス契約のもとでは、対象薬剤に関する情報や、開発関連の情報、さらには販売計画等、さまざまな秘密情報が交換されるため、秘密保持の条項は必須である。ただし、その内容は比較的定型的であることが多い。

(13)　表明保証、補償、第三者紛争等

　医薬品ライセンス契約においても、他の大規模契約と同様に、相互の表明保証、契約違反等の場合における補償（損害賠償）、第三者との紛争が生じた場合の処理等が規定される。

開発に関して、上市期限等を規定した場合には、それを達成できなかった場合に補償の対象となるかは論点となりうる。

テリトリー内における第三者との間の知的財産権紛争については、ライセンサーとライセンシーのいずれのイニシアティブで対処するかは論点になることが比較的多い。

(14) 競業避止

> (条項例)
> 「本競合製品」とは、本対象領域における医家向けの注射剤をいう。
> 本契約の期間中および終了後1年間、ライセンシーは、本テリトリーにおいて、本競合製品の製造、輸入、販売の提案、販売または販促活動を行ってはならず、また関連会社その他の第三者をして行わせてはならない。

ア　意義と内容

ライセンシーが対象製品の競合製品を取り扱えば、テリトリーにおける対象製品の売上げが減少する結果にもなりかねないことから、少なくとも、ライセンス契約の有効期間中は、テリトリー内での競業避止義務が定められることが通例である。

イ　考慮事項

競業避止義務を定めるにあたっては、まずは競合製品の範囲をどのように定めるかが問題となる。ライセンシーのみが競業避止義務を負う場合、競合製品の範囲を広げればライセンサーに有利になり、狭めればライセンシーに有利になる。競合製品を「本対象製品と同じ疾患を対象とする医薬品」と定義すれば、競合製品の範囲は広くなるし、対象製品の範囲を有効成分、剤形および有効成分量で限定したうえで（上記(1)ア参照）、競合製品を「本対象製品と有効成分、有効成分量、剤形および適用症が同一の医薬品」と定義すれば、競合製品の範囲は狭くなる。

また、ライセンス契約終了後も競合避止義務を負うか否かについても検討が必要となる。ライセンサーとしては、ライセンス契約終了後に別の第三者と新たにライセンス契約を締結しテリトリーにおける対象製品の販売を委ねる（またはライセンサー自身が対象製品の販売を開始する）可能性があ

れば、ライセンス契約終了後もライセンシーに対し競合避止義務を課した方が望ましい。他方、ライセンシーとしては、テリトリーにおける将来の自らの事業に支障が及ばないか考慮する必要がある。

また、逆にライセンサーがテリトリー内で競合製品を取り扱えばライセンシーによる対象製品事業の妨害となる。実際にそのおそれがありうる場合には相互の競業避止義務が規定されることも多い。

条項例では、競合製品の範囲を別途定義していることを前提に、ライセンシーのみが契約期間中およびその後1年間、テリトリー内での競業避止義務を負うこととしている。

(15) 契約の解除事由

ア　意義と内容

相手方の契約違反等の場合には、法律上の解除権が発生するとしても、それだけでは不十分であることが多いため、契約においては約定による解除権を定めることが通常である。主な解除事由は以下のとおりである。

---
① 契約違反
② 相手方当事者の支払停止、破産手続開始等
③ 相手方当事者の解散、事業の廃止等
④ 相手方当事者の必要な許認可等の喪失
⑤ 一定期限までの開発や上市の失敗
⑥ 相手方当事者の支配権の変動（いわゆるCOC条項）

イ　考慮事項

約定解除は医薬品に関係するライセンス契約に限らず、各種の契約に定められることから、医薬品に関係するライセンス契約において特に検討を要する解除事由に言及する。

⑤について、ライセンサーとしては、早期の開発や上市が望ましいことから、開発や上市に最終期限を設定するとともに、その期限を徒過した場合をライセンス契約の解除事由として定めることにより、ライセンシーに対して早期の開発や上市を事実上促すことが考えられる。

また、⑥について、ライセンサーとしては、ライセンシーの支配権を有

する者（親会社等）が変更されると、テリトリーにおける対象製品の販売戦略等も変更を余儀なくされる可能性もあることや、新たな親会社等によっては対象製品に関する情報を渡したくないこともありうることから、支配権の異動を解除事由とすることも一考に値する。

⒃　契約終了の効果
　ア　意義と内容
　ライセンス契約終了後には、テリトリーにおける対象製品に係るビジネスの帰趨が問題となり、①ライセンサーが対象製品の販売を継続する、②ライセンシーが対象製品の販売を継続する、③ライセンサーおよびライセンシーの両方がそれぞれ対象製品の販売を継続するという３つの場合に大別できる。
　イ　考慮事項
　上記①〜③に応じて、対象製品にかかわる承認等の承継の要否、知的財産等の使用許諾、対象製品の回収・引渡し、販売情報の提供、販売の移行の際の協力、競業避止に関して規定が設けられる。
　たとえば、①の場合であれば、ライセンサー（またはライセンサーが指定する者）自らがテリトリーにおいて対象製品を販売する以上、ライセンサー（またはライセンサーが指定する者）は対象製品に係る承認を（制度上可能であれば）ライセンシーから承継することが望ましい。また、ライセンサーはライセンシーから対象製品の在庫を回収することとなる。さらに、ライセンサーがテリトリーにおける販売活動をスムーズに行うためにも、これまでの販売情報をライセンシーから提供してもらったり、販売の移行の際の協力を取り付けたりすることが望ましい。加えて、ライセンシーによる競合製品の取扱いを一定期間禁止することで、ライセンサーによる事業を保護することが可能となる。
　これに対して、②の場合であれば、引き続きライセンシーが対象製品の販売を行うので、承認の承継、対象製品の回収、販売情報の提供および販売の移行の際の協力は不要である。他方、ライセンシーは、当初のライセンス契約で許諾の対象となっていた知的財産等を引き続き利用しなければ、テリトリーにおいて対象製品を販売することができない。そのため、契約

終了後もライセンシーによる当該知的財産等の利用を（無償で）許諾してもらう必要がある。加えて、ライセンサーが対象製品の競合製品の販売を開始すると、ライセンシーの対象製品の売上げが減少することから、ライセンシーとしては、ライセンサーに対し競業避止義務を課すことが考えられる。

　上記(10)で論じた開発情報についての許諾も、上記と平仄を合わせて処理することとなる。

(17)　その他

　以上のほかに、一般的なライセンス契約と同様に、たとえば、契約期間や、一般条項（準拠法、紛争解決、通知、分離可能性、完全合意、不可抗力等）が定められる。実務上、紛争解決等、重要な条項も少なくないが、必ずしも医薬品に関するライセンス契約において特別の考慮が求められるわけではないことから、これらの条項について解説は他の文献に譲ることとする。

〔近藤純一＝中林憲一〕

VI　ヘルスケア業界への参入（医療機器分野を中心として）

1　背景

　わが国においては世界最高水準の平均寿命を達成している一方において、今や少子高齢化は最大の社会問題といってよい。65歳以上の高齢者が総人口に占める割合（高齢化率）は、平成30年（2018）年10月1日現在で28.1％にまで上昇しており、2065年には38.4％に達すると予想されている。このような状況において、政府は課題解決先進国として、健康長寿社会の形成に向け、世界最先端の医療技術・サービスを実現する等の目標を掲げ、平成25年6月には関係閣僚申合せによる「健康・医療戦略」を策定した。さらには平成26年5月の通常国会において「健康・医療戦略推進法」が成立し、新たな「健康・医療戦略」が健康・医療戦略推進法に基づくものとして同年7月に閣議決定され、その後随時見直されている。

　この「健康・医療戦略」においては、1つの重要目標として、医療分野を「戦略市場創造プラン」の1つとして、産業としての育成・活性化を図ることが規定されている。

　産業としての観点からは、平成28年の国内における医薬品の市場規模は約10.6兆円、医療機器の市場規模は約2.9兆円となっている。医療機器の市場は、医薬品に比べれば小さいものの、日本医療機器産業連合会の資料によれば、医療機器の国内市場規模の同年までの5年間の年平均成長率は3.9％であり、同時期における輸出額の年平均成長率は4.0％、輸入額の年平均成長率は8.0％と大きく伸びている。

　このような成長の大部分が既存メーカー等によって担われているであろうことは想像にかたくないが、筆者の経験上も、他業種からヘルスケア分野に新規参入する企業が増えている。もっとも、ヘルスケア分野とはいっても、国内における医療行為そのものや医療関連行為は私企業の参入がそもそも規制されている分野が多い。製薬分野は研究開発に膨大な費用と時間を要するうえ、新薬開発の成功率は3万分の1などといわれており、完全な新規参入は非常にハードルが高い（スタートアップへの投資や買収の形

による参入については、上記ⅡおよびⅢを参照されたい）。これに対して、医療機器の場合にはさまざまな製品が存在し、他分野の製造業者であっても自社の従来のものづくりの技術と親和性のある製品を比較的みつけやすいという特徴がある。そこで、本稿においては、異業種からの医療機器業界への新規参入時の主要ポイントを解説したい。なお、医療機器に適用される基本的な薬機法の構造や規制等については、第1章Ⅰ3を参照されたい。

2　参入形態

ひとくちに医療機器業界に参入するといっても、その参入の仕方はさまざまである。取引の流れにおける立場に沿って分類すれば、大きく分けて部品・部材の供給業者、完成品の製造業者、完成品の製造販売業者といった立場での参入がありうるが、この順で参入態様が本格化していくのに比例して、一般的に規制が強くなっていく。

図表3-Ⅵ-1：参入態様と難易度の相関イメージ

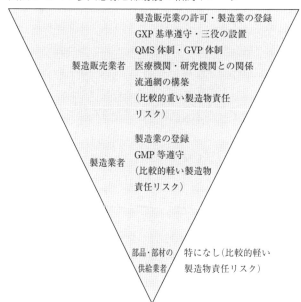

(1) 部品・部材の供給業者としての参入

　部品・部材の供給業者にとどまる場合には、日本では当該部品・部材自体が医療機器に該当しない限り、薬機法の規制は及ばない。ただし、最終品メーカーから製造管理・品質管理の一環としてISO認証等の取得やその他の品質基準等の遵守を求められることがある。また、下記5の製造物責任のリスクには留意する必要があるが、製造物責任のリスクは、同じ部品・部材の供給業者であっても設計への関与等によって異なってくる。メーカーから仕様等の指定を受けて納入する場合には、その仕様等から生じた欠陥については過失がない限り責任を問われないこととなる（製造物責任法4条2号）。これに対して、最終的には部品・部材の供給にとどまっていたとしても共同開発に近いような場合には設計の安全性についても責任を負う可能性が高くなる。いずれの場合であっても、メーカーとの間で責任の範囲をあらかじめ明確に取り決めておくことが望ましい。

(2) 製造業者としての参入

　製造業者として関与する場合には、まずは製造業の登録を行う必要があり、製造においては当然ながらGMP等を遵守する必要が生じる。しかし、製品に関する承認取得や認証、届出等を行うのは製造販売業者であり、製品開発や改良、市販後安全性調査等も、製造販売業者の責任となる。製造物責任との関係では、上記(1)で述べたことがほぼ同様にあてはまり、設計への関与の度合いによってリスクの大きさが変化することとなる。

(3) 製造販売業者としての参入

　製造販売業者となる場合には、上記(2)にあげたような薬機法に基づく手続等を、原則としてすべて自己の責任において行うこととなる。

　医療機器の定義と分類、およびそのクラス分類によって必要となる許認可の種類については第1章Ⅰ3(1)、(2)においても簡潔に触れたが、いずれのクラスであっても、製造販売業者となる場合には、製品についての責任を負うものとして、総括製造販売責任者、国内品質業務運営責任者および安全管理責任者の、いわゆる三役を置く必要がある（それぞれの資格要件は、医療機器のクラスによって異なるが、一定の従事経験を要するものが多い）。し

たがって、最低限でもこれらの人員の手配が必要である。

　また、これも第 1 章 Ⅰ 3 (2)で述べたように、GCP、GMP 等のいわゆる GXP 基準を満たすほか、QMS 体制・GVP 体制を整える必要がある。GMP 基準や QMS 体制等の生産工程における品質管理は、他業種であってもメーカーならば比較的取り組みやすいかもしれない。また、承認申請時等にかかわる GCP 等は完全に未知の制度かもしれないが、開発業務受託機関（CRO）やコンサルタント等の援助を得やすい局面でもある。これらに対して、GVP 体制、特に市販後安全対策における不具合報告は、新規参入企業にとっては特になじみづらい可能性がある。製造販売業者が医療機器の不具合事象を知った場合には PMDA に報告する必要があるが、それが既知か未知かの区別、および重篤性によって報告期限が詳細に規定されており、またその報告義務が発動する契機が定型的でない。すなわち、不具合事象の情報は必ずしも医療機関からの定型のレポートで知らされるわけではなく、一見してあまり関係のなさそうな論文や、医師から営業担当者への（当該不具合事象以外の事柄を主題とする）通信のなかに含まれていることもある。将来的には AI によるサーチが有効になることが期待されるが、現状では人の目でチェックするほかはない。特に不具合事象の情報が第一次的に営業担当者にもたらされることも多いので、営業担当者に対する日常的な教育は肝要である。また、下記のように不具合事象を迅速に拾い上げて社内で共有することは製造物責任の有無に影響することもある。

　製造販売業者として医療機器業界に参入する場合には、これらの法的な義務や責任に加えて、当然ながら製造販売元としての事業上の責任も負うこととなる。まず製品の開発や改良等に関する責任を負うという意味においては、大学その他の医療機関に属する医師との間で、共同研究や研究委託を行ったり意見を徴する等、さまざまな場面での接触が生じることとなる。研究者との交流や実際の使用者からの意見徴収等の機会は医療機器の分野に限ったことではないが、医療機器の分野においてこのような交流が生じる場合にはさまざまな法令等の規制を受けることとなる。たとえば、医師が医療機器に関して臨床研究を行う場合には、それが承認取得目的であれば薬機法の適用対象となり GCP 省令の遵守が必要となるが、そうでない場合であっても臨床研究法の適用を受ける可能性がある（第 1 章 Ⅳ 参

照)。また、医師等に対して研究やアドバイス等の対価を支払う場合には、景品表示法の適用の可能性があり、公正競争規約の遵守が求められることに加えて、支払いの事実や内容等を透明性ガイドラインに基づいて開示する必要が生じる場合がある。

　また、製品の販売についても、全面的に他社に委託する場合を別として通常は自ら行うこととなる。新規参入者であっても他分野における販売網をすでに有しているかもしれないが、最終販売先となる医療機関は、誰とでも取引するわけではなく、あらかじめ取引口座を有するディーラー（流通業者）以外は納入できないことも多い。したがって、新規参入にあたっては、そのような流通網を新たに構築する必要が生じることもある。

3　保険制度

　薬機法等に基づく許認可等の取得や基準の遵守は医療機器に関して最も重要な要素であることは疑いがないが、事業という観点からは健康保険の適用等に関する戦略が、それに劣らないほど重要である。保険の仕組みは、医薬品の場合には比較的単純で、通常は1錠・1管等の単位量ごとに薬価（保険点数）が定められている。患者にとっては、医療機関で診療を受けて処方箋をもらい、薬局で薬剤を受け取って原則3割の自己負担分を支払うが、薬局は残りの7割について保険制度からの償還を受ける。薬局が受領する薬価があらかじめ固定されているため、医薬品メーカー（実際には卸）は、この薬価を意識しながら薬局等と価格交渉をすることとなる。

　これに対して、保険制度における医療機器の扱いは複雑であり、個別に償還価格が定められた医療機器は多くない。

　最も単純なのは区分A1（包括）である。縫合糸、注射器、手術用手袋、電子体温計等、一般に安価で使用頻度も高いものについて、それらの費用を平均的に包括して医療機関の技術料に含めて評価することとされている。したがって、個々の機器についての保険償還はなされない。たとえば、手術に際しては手術用手袋や縫合糸等、さまざまな医療機器が使用されるが、医療機関に支払われるのは当該手術に対する技術料であって、医療機関はその技術料をもって医師や看護師等の人件費や施設の減価償却費その他の費用とともに、手術に使用されるA1区分の医療機器の費用をまかなうこ

図表3-Ⅵ-2：保険のしくみ

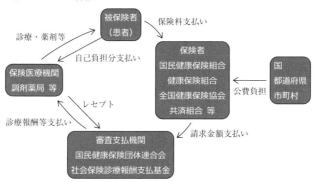

ととなる。次に区分 A2（特定包括）では、やはり機器の費用は包括して技術料に含めて評価され、個々の機器についての保険償還はなされない。特定の医療技術においてのみ使用されるものや医療機関から貸出しの形態をとるために技術料の加算として評価されるもの（在宅用酸素ボンベや超音波凝固切開装置等）、および技術と一体化している材料（MRI装置、脳波計、心電計等）がこの分類に該当する。たとえばMRI装置を使用した断層撮影には、使用するMRI機器の出力等に応じて詳細に技術料が定められており、その技術料の算定に際しては、使用するMRI機器の価格（償却費用）が考慮されている。

　これらに対して、区分B（個別評価）では、使用される医療機器が保険上個別に評価され、技術料とは別に保険償還がなされる。原則として一度の治療で使い切る医療機器であって、関連する技術料と比較して相対的に価格の高いものや市場規模の大きいものが該当する。血管カテーテルやICD、ペースメーカー、人工関節等、高額なものも多いが、歯冠用硬質レジン等のように市場規模は大きくとも単価は比較的低いものも含まれる。上記とは別に、新規性が高く従来の機能区分に該当しない医療機器について区分Cがある。区分Cは、さらに、それを扱う医療技術が既存の技術料で評価されているか否かに応じて、C1（新機能）と、C2（新機能・新技術）に分かれる。区分Cに該当する場合には、原則として当該機器と最も類似した、既存の機能区分の医療機器の価格がベースとなり、一定の条件が満たされた場合には最大100％までの加算（程度に応じて改良加算・有用性加算または

画期性加算）が行われ、また希少疾病用医療機器と指定された場合やその他対象患者数が少ないと認められる場合には最大10％までの市場性加算が行われる。また、例外的に既存の機能区分に類似したものがない場合には、原価を積み上げたうえで一定の営業利益を加算する方式をもって決定される。ただし、外国における平均価格を基にした上限価格が適用されることがある。

保険適用を希望する場合には、製造販売承認または認証取得後に、保険適用希望書を提出する。新医療機器に該当せず、承認も認証も必要の無い一般医療機器（クラスⅠ）では、申請が免除されている。

4　福祉用具等

ヘルスケア関連機器は、必ずしも薬機法上の医療機器に該当しないことも多い。特に、医療機器への該当性は必ずしも機器自体の特性のみによって定まるものではなく、機能・目的の表示や説明等による部分も大きいので、場合によってはヘルスケア関連機器を発売するに際して医療機器として発売するべきか否かについてある程度選択ができる場合がある。

医療機器に該当しない機器には健康保険制度が適用されないために、原則として使用者が自費で購入することとなるが、一定のヘルスケア関連機器については公的給付の対象となることがある。そのなかで最も規模が大きいのは、介護保険法に基づく介護保険制度である。介護保険制度のもとで、要介護または要支援の認定を受けた人が介護機器（福祉用具）をレンタルまたは購入する場合には、介護保険から一定の給付がなされる。

具体的には、要介護認定を受けた被保険者は、在宅サービス、施設サービス等のさまざまな介護サービスを組み合わせて利用することができる。これには入浴・食事等の介助サービス、家事援助、デイサービス、ショートステイ等のほか、福祉用具貸与、訪問看護等が含まれる。利用できる介護サービスの総量（支給限度額）は要介護度によって月額が定められており、各月において支給限度額の枠内（および、各用具について貸与価格上限の範囲内）であれば原則として自己負担1割で利用することができる（残り9割は保険から償還される）。介護機器はレンタルが原則だが、レンタルになじまないもの（排泄・入浴補助道具等）については購入が認められており、この

場合には各月の支給限度額とは別に年間10万円を限度に、やはり自己負担1割で購入することができる。厚生労働省によれば、この規模は、平成28年度のレンタル給付額が約3086億円、平成26年度の購入費給付額が約140億円となっている。なお、日本福祉用具・生活支援用具協会の調査によれば、平成29年度の福祉用具の市場規模は1兆4979億円で対前年比103.0％とのことである。制度の対象となる福祉用具の範囲については、厚生労働省が個々の品目を指定しており、それぞれについて詳細な仕様も定められている。JIS規格のある製品については、JISへの該当または準ずることが必要である。従来の介護保険の対象となっていない新たな製品が福祉用具に指定されるためのものとして、厚生労働省の審議会において以下の7つの要件が提言されている。

ただし、医療機器への該当性が微妙な機器について、医療機器に該当しないと判断して発売した後に、当局によって医療機器に該当するものと扱われ、薬機法違反という結果となってしまうリスクを避けるため、判断は慎重に行う必要があることには留意すべきである。また、医療機器に該当

図表3-Ⅵ-3：福祉用具の範囲

①	要介護者等の自立の促進または介助者の負担の軽減を図るもの
②	要介護者等でない者も使用する一般の生活用品でなく、介護のために新たな価値づけを有するもの
③	治療用等医療の観点から使用するものではなく、日常生活の場面で使用するもの
④	在宅で使用するもの
⑤	起居や移動等の基本動作の支援を目的とするものであり、身体の一部の欠損または低下した特定の機能を補完することを主たる目的ではないもの
⑥	ある程度の経済的負担があり、給付対象となることにより利用促進が図られるもの
⑦	取付けに住宅改修工事を伴わず、賃貸住宅の居住者でも一般的に利用に支障のないもの

出典：平成28年7月20日の社会保障審議会介護保険部会参考資料2「福祉用具・住宅改修」。

せず、したがって薬機法の規制が及ばない場合であっても、その機器の性質等によって別の法令の規制を受けることがある。このような法令には、たとえば電気用品安全法、消費生活用製品安全法、家庭用品品質表示法等がある。また、任意の認証規格として、工業標準化法に基づくJISや、SGマーク等がある。

5 製造物責任

(1) 総論

医療機器分野に参入しようとする場合におそらく最大の懸念の1つとなるのが、製造物責任（PL）であろう。もっとも、筆者の経験に照らすと、この点に関しては、医療機器に参入しようとする企業が一般的に心配しすぎるきらいがあるように思われる。医療機器は人の身体や健康に直結する製品であり、万一不具合があれば医療事故に直結する可能性が高いことはいうまでもない。したがって、医療機器への参入にあたって製品の安全性を徹底すること必要性はいうまでもないが、必要以上におそれることは参入の機を逸すること等にもつながりかねない。本節においては、医療機器における製造物責任のポイントについて、実際の裁判例に基づいて説明する。

製造物責任法は平成6年に民法の特別法として制定された。民法においては事故等の場合の損害賠償の請求は、当事者間に契約関係がある場合と契約関係がない場合に大別される。交通事故や医療事故における患者と医薬・医療機器メーカーの間には直接の契約関係がないのが一般的であり、その間の損害賠償請求は、通常は不法行為のレジームで処理される。しかしながら不法行為として損害賠償を請求するためには加害者に故意または過失のあったことを証明する必要があり、ハードルが高い。そこで製造物責任法においては、製造物の欠陥によって損害が生じた場合には損害賠償請求ができることとして、故意・過失という主観的要件を不要としている。製造物責任の中心的要件は「欠陥」であるといってよい。

製造物責任法において「欠陥」とは、「当該製造物の特性、その通常予見される使用形態、その製造業者等が当該製造物を引き渡した時期その他の当該製造物に係る事情を考慮して、当該製造物が通常有すべき安全性を欠いていること」と定義されている（製造物責任法2条2項）。すなわち、欠陥

の有無の判断においては、当該時点における科学・技術水準が前提とされる。医薬分野においては未解明の事象も多く、新規参入企業にとっては「何か未知の事故が起こるのではないか」といった懸念ももつことも多いが、当該時点の科学・技術水準においてまったく未知であり予見が不可能であった事故は、欠陥を構成しないことも考慮すべきであろう。

なお、上記の欠陥の定義には「通常予見される使用形態」という要素もあるが、医薬品・医療機器においてはこれが必ずしも適応内使用を意味しないことには注意が必要である。適応外使用であっても広く行われている場合や、さらには想定されうる誤使用等は、「通常予見される使用形態」に含まれると考えられる。なお、製造物の欠陥は、それが生じる過程・工程に応じて、講学上「設計上の欠陥」、「製造上の欠陥」、「表示・警告上の欠陥」の3種に分類するのが一般的であるので、以下においてもこれらの分類を使用する。

(2) 裁判例

次に、医療機器の製造物責任に関する裁判例を紹介する。従来からいわゆる「薬害」訴訟は大きく報道されており、近年においても抗がん剤イレッサをめぐる製造物責任訴訟が耳目を集めたこともあって、医薬分野においてはPLが大きな問題であるというイメージをもたれることが多い。しかし実際には過去20年程度をさかのぼって公刊された裁判例を調査しても、医薬品・医療機器の製造物責任に関する裁判例はそれぞれ数件程度にとどまる。ただし、近時において安全管理制度が非常に整備されてきている医薬品の場合には、上記のイレッサ訴訟を含め、裁判において製造物責任が最終的に否定された例がほとんどであるのに対して、誤使用・誤操作等のリスクのある医療機器の場合には製造物責任の認められた事例がいくつか存する。以下では近時において医療機器の製造物責任が認められた事例をあげる。

ア 東京高判平成14年2月7日判時1789号78頁

原告は人工心肺装置を用いた心臓手術を受けたところ、手術中に送血ポンプのチューブに亀裂が生じ、空気が混入して脳梗塞を引き起こし、脳機能障害の後遺障害を負った。原告は、送血ポンプを操作していた臨床工学

技士と、装置を製造販売したメーカーに対して損害賠償請求の訴えを提起した（厳密には、メーカーに対しても不法行為が主張されており、製造物責任法に関する裁判例ではない）。

　本件は地裁では臨床工学技士の責任は認められず、メーカーのみに責任が認められたが、高裁においては、臨床工学技士によるチューブの締めつけが不十分であったこと等のためにチューブとチューブガイドが接触してチューブが削れ、亀裂が生じたとの認定のもとに臨床工学技士の過失が認定された。そのうえで、本件の人工心肺装置と送血ポンプについては、操作者の過失・過誤がなければチューブ亀裂等の事故を起こすことなく多数回の使用に耐えうるものであって欠陥はなかったと認定された。

　しかしながら、過去においても（事故には至らなかったものの）同種の不具合が生じたことがある等の理由から、裁判所は、メーカーは具体的な事故発生の危険性を指摘して警告すべき注意義務があったと指摘した。本件人工心肺装置には熟練者による操作を指示する注意書きおよび機器操作中の監視の必要を指示する注意書きが取扱説明書にあり、また「チューブ装着後はチューブホルダーにてチューブを確実に押さえてください」という警告ステッカーも貼付されていたが、これでは足りず、チューブの固定が不十分な場合における具体的な危険性（チューブガイドとの接触による亀裂発生により血液への空気混入）を明記する義務があったとされ、メーカーの責任が認められた。

　イ　東京地判平成 15 年 3 月 20 日判時 1846 号 62 頁

　呼吸障害のある乳児に気管切開術が施され、切開部位に A 社が輸入販売した気管切開チューブが装着された。さらに、医師が、その気管切開チューブと B 社が製造販売したジャクソンリース回路を接続して呼吸回路を組み立て、人工呼吸を行おうとしたところ、ジャクソンリース回路の新鮮ガス供給パイプの先端が気管切開チューブの接続部内壁にはまり込んで密着して回路が閉塞した。乳児は換気不全に起因する多臓器不全により死亡し、遺族が A 社、B 社および病院設置者（東京都）に対して損害賠償を請求した。同様のメカニズムによる回路閉塞のための換気不全事故は、国内においても数例起こっており、専門誌や学会等で紹介や注意喚起等がなされていた。また、そのような同種事故のなかには A 社および B 社の製品が関係して

いたものも含まれており、A社製品およびB社製品には一定の注意書きが付されていた。

　裁判所はまず、気管切開チューブとジャクソンリース回路の双方に、本件の事故に寄与した設計上の特徴のあることを認めたが、これらはいずれも用途上必要な特徴であって欠陥には該当しないと判断した。また、ジャクソンリース回路については、本来は小児の麻酔用として付属品のマスクとともにセット販売されており、当該マスクと接続した場合には回路の閉塞が生じないこと、気管切開チューブについては他種のジャクソンリース回路との間では閉塞を起こす危険がないこと等をあげて、いずれについても設計上の危険を否定した。

　しかしながら、いずれについても指示・警告上の欠陥が認められた。ジャクソンリース回路については、医療の現場では本来の麻酔用器具としてだけでなく人工呼吸用として他社製の呼吸補助用具と組み合わせて使用される実態があったこと、気管切開チューブのなかには本件のジャクソンリース回路と接続すると同様の回路閉塞を生じる危険のあるものが存在していたこと等から、B社には適切な指示・警告を行う義務があったものとされた。本件のジャクソンリース回路においては換気不全のおそれに関する概括的な注意書きがあったものの、本件のA社の気管切開チューブとの組み合わせに危険が存在するかが判然とせず、かつ換気不全のメカニズムが明示されていないために、医療従事者が具体的な組み合わせの安全性について判断することが困難であるという点において、指示・警告が不十分であったとしてB社の責任が認められた。

　気管切開チューブに関しても、本件のようなジャクソンリース回路と接続した場合の回路閉塞の危険についての指示・警告がなかったことに加え、使用説明書に「標準型換気装置および麻酔装置に直接接続できる」と明記し、本件のジャクソンリース回路との接続も安全であるかのような誤解を与える表示をした、ということ等を理由として、やはり指示・警告上欠陥があったと判断された。

　なお、本件においてはA社の気管切開チューブとB社のジャクソンリース回路の組み合わせをしたこと等について、医師の過失も認められている。

ウ　東京地判平成15年9月19日判時1843号118頁

　原告は脳動静脈奇形の治療のためにカテーテルを通じて塞栓物質を注入する脳血管内手術を受けたところ、医師による塞栓物質の注入中にカテーテルが破裂し、塞栓物質が脳内に流入した。これにより原告は脳梗塞を生じ、左片麻痺の後遺障害を負った。

　この事故が製品の欠陥によるものか医師の過失によるものか等が争われたが、裁判所は、医師があえて過剰な加圧をしたとは認められないことや本件製品の破裂実験の結果等を総合すると、同一ロット番号の製品に欠陥品が存在しなかったことを考慮しても、当該製品の破裂箇所が必要な強度を備えていなかったことが推認されるとして、カテーテルメーカーの責任を認めた。

エ　東京地判平成30年2月27日判タ1466号204頁

　筋萎縮性側索硬化症（ALS）患者が自宅で使用していたポータブル人工呼吸器がAC電源コードの断線による電力消失のために作動停止し、患者が死亡した事故に関し、製品の欠陥の有無が争われた。

　裁判所は、まず、AC電源コードが経年劣化で断線することはあり得る事象であることを指摘したうえで、当該機器が4年前から断続的に貸し出されていたこと、および死亡した患者に貸し出されてからの約3か月内にもかなり高頻度で電源コードの抜き差しがされていたことを認定して、AC電源コード自体の欠陥を否定した。さらに、裁判所は、当該機器のログ等から、当該機器が断線後も着脱式バッテリーおよび内蔵バッテリーによって約8時間半作動していたこと、その間アラームメッセージとアラーム音が繰り返し作動していたこと、および、それにもかかわらず消音ボタンやリセットボタンが都度押されていたことを認定した。加えて、当該機器の使用者向け取扱説明書にはアラーム発生時の標準的対処順序とアラーム対応表が記載され、かつアラームへの対応方法がわからない場合にも被告の営業所または機器安全センターで24時間対応の技術サポートを受けることが可能であったことが認定された。これらに基づき、本件機器の欠陥は否定された。

オ　総括

　上記ウの事件は、そもそも製品自体の強度不足という認定に基づけば、

製造物責任が生じるのは避けられない。注目すべきは上記アとイの事例である。いずれについても、設計上の欠陥は否定されており、しかもアでは事故は直接的には臨床工学技士の誤操作によって発生したものであり、イでは事故の原因は他社製品同士の接続であった。それにもかかわらず、裁判所が表示・警告上の欠陥を認めている主要な理由の1つに、いずれも同種の事故が以前にも生じていたという点があげられる。上記2(3)においては、不具合事象をすみやかに拾い上げて報告する態勢作りが必要であることを述べたが、同じことが製造物責任の観点からもきわめて重要であり、しかも不具合事象をすみやかに製品設計や表示・警告にフィードバックするまでの全行程のスピードが重要であることが示されている。

　また、上記イとウの裁判例から読み取れるもう1つの教訓として、特に医療機器に限ったことではないが、表示・警告を付す場合にもただ漫然と抽象的な危険を伝えるだけでは足りず、内容を吟味する必要があることも留意すべきである。

　これらに対して、上記エの事件では製品の欠陥を基礎づける事実自体が否定されている。しかし、この判決を、短絡的に「AC電源コードの断線は欠陥に該当しないと判断された事例」と捉えるのは危険である。この件では、裁判所は、着脱式バッテリーおよび内蔵バッテリーの作動、アラームシステムの作動とアラームの際の対応の説明の存在等を丁寧に認定したうえで結論を導いているからである。特に故障・動作不良が生命・身体の危険に直結し得るような医療機器においては、当然ながらバックアップシステムの充実が不可欠である。

　なお、上記の各裁判例との関連性は高くないものの、実務的な留意事項としては、医療機関とのコミュニケーションがあげられる。医療機器に関連した医療事故が発生した場合には、薬機法に基づく不具合事象の報告が必要な場合のあることもさることながら、事故が発生した医療機関から報告を求められるのが通常である。この初動において誤った情報や印象を与えてしまうと、後々まで軌道修正に苦労することとなり、場合によっては過大な責任を負わされることとなる。特に、医療機器の場合には、医薬品の場合とは違い、医療事故がそもそも医療機器の欠陥から生じたものか、医師等の手技のミスによるものかが判明しづらいことが多い（しかも、しば

しば両者が競合する）ため、初期における医療機関とのコミュニケーション管理はきわめて重要である。

〔近藤純一〕

コラム⑪：医療機器としてのコンピュータープログラム

　日本の薬機法においては、従来コンピュータープログラム（以下「プログラム」という）は単体としては医療機器としては扱われておらず、他の医療機器に組み込まれたプログラムが、当該医療機器の一部として規制を受けるにすぎなかった。しかし、平成26年施行の薬機法改正において、アメリカやEUと同様にプログラムが単体でも医療機器として扱われるようになった。

　他方において、遠隔診断などのいわゆるeHealthやウェアラブル機器による活動量計測・記録等のいわゆるmHealth等により、ヘルスケアに関連しながらも医療機器には該当しないソフトウェア・テクノロジーも多く登場するようになった。

　プログラムが医療機器に該当するか否かは、一般的な医療機器と同様に、「人……の疾病の診断、治療若しくは予防に使用され、または人……の身体に影響を及ぼすことが目的とされている機械器具……」という定義への該当性で判断される（詳細は第1章Ⅰ3⑴参照）。ただし、プログラムについては無体物であるという特性等をふまえて、以下の2点を考慮すべきとされる。

> ①　得られる結果の重要性にかんがみて疾病の治療、診断等にどの程度寄与するか
> ②　機能の障害等が生じた場合に人の生命・健康に影響を与えるおそれ（不具合の場合のリスク）を含めた総合的なリスクの蓋然性

　したがって、上記の2点を念頭に置きながら、疾病の診断・治療・予防に使用されるか、または身体に影響を及ぼすことを目的としているかを検討することとなる。さらに、厚労省の通知において医療機器に該当するプログラムと該当しないプログラムの例が示されており、以下にいくつかあげる。

図表⑪：医療機器の該当例と非該当例

医療機器に該当するプログラムの例
①　医療機器で得られたデータを加工・処理し、診断・治療に用いるための指標、画像、グラフ等を作成するプログラム 　　例：画像診断機器で撮影した画像や検査機器で得られた検査データを加工・処理して、病巣の存在する候補位置の表示や、病変・異常値の検出支援を行うプログラム

② 治療計画・方法の決定を支援するためのプログラム
例：画像を用いて脳神経外科手術等の手術をナビゲーションするためのプログラム

医療機器に該当しないプログラムの例
① 院内業務支援プログラム 　例：・インターネットを利用して診療予約を行うためのプログラム 　　　・総合コンピューターシステムにおいて、入力されたカルテ情報から受付、会計業務、レセプト総括発行等の集計作業を行うプログラム ② 健康管理用プログラム 　例：・日常的な健康管理のため、個人の健康状態を示す計測値（体重、血圧、心拍数、血糖値等）を表示、転送、保管するプログラム 　　　・携帯情報端末内蔵のセンサー等を利用して個人の健康情報を検知し、生活環境の改善を目的とした家電機器の制御や、健康増進・体力向上を目的とした生活改善メニューの提示等を行うプログラム 　　　・糖尿病のような多因子疾患の一部の因子について、入力された検査結果データと特定の集団の当該因子のデータを比較し、入力された検査結果に基づき、当該集団において当該因子について類似した検査結果を有する者の集団における当該疾患の発症確率を提示するプログラム、または特定の集団のデータに基づき一般的な統計学的処理等により構築したモデルから、入力された検査結果データに基づく糖尿病のような多因子疾患の発症確率を提示するプログラム ③ 機能の障害等が生じた場合でも人の生命・健康に影響を与えるおそれがほとんどないプログラム 　例：・汎用コンピューターや携帯情報端末等を使用して視力検査・色覚検査を行うためのプログラム 　　　・携帯情報端末内蔵のセンサー等を用いて体動を検出するプログラム

　実務的には、上記の医療機器に該当するソフトウェア（または該当しないソフトウェア）の例に近いものがあるか、といった観点から検討することとなる。
　医療機器に該当する場合には、当該プログラムは薬機法に基づく医療機器としての規制を受けることとなるが、特に IEC 62304（JIS T 2304）に準拠す

ることが必要であり、厳密なライフ サイクル マネジメント プロセスが要求されることとなる。

〔近藤純一〕

Ⅶ デジタルヘルスの展開

1 総論

近年の IoT、ICT、AI 等を用いたデジタル化の波は、ほぼあらゆる分野に及んでおり、医薬分野も例外ではない。国や国際機関等の取組みだけでも、世界保健機関は 2019 年に「デジタルヘルスのグローバル戦略」(Global Strategy on Digital Health 2020-2024) をまとめているほか、欧州委員会は 2018 年に「デジタル単一市場において健康と療養のデジタル変革を可能にするために」(enabling the digital transformation of health and care in the Digital Single Market) を発している。わが国でも、厚生労働省が「データヘルス改革推進本部」を設置しているほか、経済産業省は「健康・医療情報の利活用に向けた民間投資の促進に関する研究会」(ヘルスケア IT 研究会) を立ち上げている等の、国による推進も顕著である。このような新しい技術を用いた製品・サービスは一般に「デジタルヘルス」「e ヘルス」等と呼ばれているが、その内容は多岐にわたり、ごく一例をあげるだけでも下記のようなものがある。

図表 3-Ⅶ-1：デジタルヘルスの活用例

医療機関内部	治療・診断サポートプログラム、検査プログラム、患者管理システム
製薬会社・医療機器メーカー	AI を用いた開発、治験サポートシステム
患者向け	服薬管理システム、リモートモニタリングシステム、オンライン診療
一般人向け	健康管理システム、健康相談

これらを網羅的に論じることは紙幅の制限を超えるが、なかでも近年広まっているものとして、スマートフォン等のモバイルデバイスを利用して利用者の日々の健康状態を管理するサービスがあり、特に「m ヘルス」等と呼ばれることもある。利用者の健康に関するデータ（血圧、体重、睡眠時

間等）を利用者がモバイルデバイスに入力して管理するもの、ウェアラブルデバイス等を通じてこれらのデータを自動的に取り込むもの、さらに入力されたデータを AI または医療機関等がチェックしてアドバイスを行うもの等があり、治療中の患者の経過観察から健康な一般人の日常的な健康管理まで用途は幅広い。しかし、このようなサービスは個人を対象としていることもあり、医療機関内部や製薬・医療機器メーカー内で完結してそれらの本来の業務をサポートするようなシステム・サービスと比較して法的問題点を多くはらんでいる。

そこで、以下ではこのようなサービスに関する法的問題点について、まずは利用者に対するフィードバックが身体や健康に関するものであることから、サービスの医行為該当性（2）、次いでソフトウェアを用いてフィードバックが自動生成される場合の医療機器該当性（3）を論じる。これらはそもそもサービス提供の合法性という根本的な問題であるが、これらの問題をクリアしても、マネタイズの方法によっては健康保険制度と競合・抵触するおそれがある（4）。そして、最後に利用者から得られたデータを利用する際の留意点について概説する（5）。

2 サービスの医行為該当性

利用者側で入力されたデータをサービス提供者側の従業員または委託業者等が確認し、分析等の処理を行って、利用者に対して生活習慣の改善、医療機関の受診等のアドバイスを行う場合、医師等の有資格者以外の者がアドバイスを行うことができるかが問題となる。

医師法 17 条は「医師でなければ、医業をなしてはならない」と定めている。したがってサービスが医業に該当する場合、医師が行うか、少なくとも医師の監督の下で看護師等が行う必要がある。医業とは、一般に、医師の医学的判断および技術をもってするのでなければ人体に危害を及ぼし、または危害を及ぼすおそれのある行為（医行為）を、反復継続する意思をもって行うことと解されている（東京高判平成 6 年 11 月 15 日判時 1531 号 143 頁、平成 17 年 7 月 26 日医政発 0726005 号）。上記のようなサービスを提供する場合には、「反復継続する意思」の要件を満たすことが通常であると思われるが、医行為に該当するか否かの基準は、定義上あまり明確とはい

えない。

(1) 遠隔医療に関する指針等

デジタルヘルスのような遠隔サービスに限らず、保健相談・指導や栄養指導、運動指導のように、健康や身体に関連するアドバイスを行うサービスは、以前から民間および官公署によって広く行われている。デジタルヘルスの局面で問題となるのも、医業の業規制との関係で無免許の者がどこまでのアドバイスを行うことが許されるか、という点であり、従来から行われてきたサービスと共通の問題である。もっとも、本稿で取り上げるサービスでは通信機器を用いて健康増進または医療に関するアドバイスを行うものであるところ、このような場合には対面の場合とは異なる問題が生じうることから、厚生労働省は平成30年3月に「オンライン診療の適切な実施に関する指針」（令和元年7月一部改訂。以下「オンライン診療ガイドライン」という）を出している。オンライン診療ガイドラインにおいては、情報通信機器を使用した健康増進または医療に関する行為を広く「遠隔医療」と呼んでいるが、遠隔医療は、さらに①オンライン診療、②オンライン受診勧奨、③遠隔健康医療相談に分類される。

図表3-Ⅶ-2：遠隔医療の分類

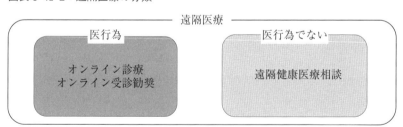

①オンライン診療とは、情報通信機器を通して患者の診察および診断を行い診断結果の伝達や処方等の診療行為を行う行為をいう。なお、オンライン診療に関する詳細は**コラム④：遠隔診療（オンライン診療）の法令上の扱い**を参照されたい。

②オンライン受診勧奨とは、情報通信機器を通して患者の診察を行い、医療機関への受診勧奨を行う行為であり、問診等の情報収集に基づいて疑

われる疾患等を判断して、疾患名を列挙し受診すべき適切な診療科を選択する等、患者個人の心身の状態に応じた必要な最低限の医学的判断を伴う受診勧奨をいう。

　③遠隔健康医療相談とは、情報通信機器を通して一般的な医学的な情報

図表3-Ⅶ-3：オンライン診療・オンライン受診勧奨・遠隔健康医療相談で実施可能な行為（対応表）

	オンライン診療	オンライン受診勧奨	遠隔健康医療相談（医師）	遠隔健康医療相談（医師以外）
指針の適用	○	○（一部適用外）	×	×
情報通信機器を通じた診察行為	○	○	×	×
情報通信手段のリアルタイム・同時性（視覚・聴覚情報を含む。）	○（文字等のみ不可）	○（文字等のみ不可）	—（必須ではない）	—（必須ではない）
初診	×（例外あり）	○	—	—
処方	○	×	—	—
受診不要の指示・助言	—	○	○	○
一般的な症状に対する罹患可能性のある疾患名の列挙	—	—	○	○
患者個人の状態に対する罹患可能性のある疾患名の列挙	○	○	×	×
一般用医薬品の使用に関する助言	○	○	○	○
患者個人の心身の状態に応じた医学的助言	○	○	○	×
特定の医療機関の紹介	○	○	○	○

出典：オンライン診療ガイドライン別添

の提供や、一般的な受診勧奨を行うもので、相談者の個別的な状態をふまえた疾患のり患可能性の提示・診断等の医学的判断を伴わない行為をいう。

それぞれで行うことのできる行為は**図表3-Ⅶ-3**のとおりである。

オンライン診療とオンライン受診勧奨は医行為に該当するため、原則として医師が行う必要があるが、遠隔健康医療相談であれば医師以外が行うこともできる（医師が行う場合もある）。地方自治体や健康保険組合が行っている健康相談は、遠隔健康医療相談に該当するものとして、看護師等が行っている事例も多いようである。

(2) **オンライン受診勧奨と遠隔健康医療相談の区別**

利用者が登録したデータを確認して健康に関するアドバイスや受診に関するアドバイスを行う場合、上記遠隔医療のうちのいずれに該当するかが問題となる。特に、オンライン診療は診察、診断といった行為を伴うためわかりやすいが、オンライン受診勧奨と遠隔健康医療相談の違いは一義的に明確ではない。他方で、オンライン診療またはオンライン受診勧奨、すなわち医行為に該当する場合、原則として医師が利用者に対するアドバイスをする必要があるので、その違いは重要である。

抽象的には、上記のとおり、相手の心身に関する情報を収集したうえで、その心身の状態に応じた医学的判断を伴うものはオンライン診療またはオンライン受診勧奨となり、他方で一般的な医学情報の提供や一般的な受診勧奨に留まるものであって相手の個別的な状態に対する医学的判断を伴わなければ遠隔健康医療相談として実施可能といえる。また、オンライン診療ガイドラインでは、社会通念上明らかに医療機関を受診するほどでない症状の者に対して経過観察や非受診の指示を行うことは遠隔健康医療相談として実施可能としているほか、以下の例をあげている。

図表3-Ⅶ-4：オンライン受診勧奨・遠隔健康医療相談の例

オンライン受診勧奨	発疹に対し問診を行い、「あなたはこの発疹の形状や色ですと蕁麻疹が疑われるので、皮膚科を受診してください」と勧奨する
遠隔健康医療相談	「発疹がある場合は皮膚科を受診してください」と勧奨する

これに対して、「具体的な疾患名をあげなければ医行為に該当しない」、「（一般用）医薬品の具体的な使用を指示しなければ医行為に該当しない」等といった誤解も散見される。しかし、具体的な疾患名をあげてこれに罹患している旨を伝達したり、（一般用）医薬品の具体的な使用を指示する場合には、そもそもオンライン受診勧奨に留まらず、オンライン診療として実施する必要がある。具体的な疾患への言及や医薬品使用の具体的指示がない場合には、通常はオンライン診療に該当しない場合が多いとは思われるが、オンライン受診勧奨への該当性が否定されるわけではない。具体的な疾患名への言及や医薬品に関する具体的な使用指示を避けたとしても、オンライン受診勧奨（場合によってはさらにオンライン診療）に該当して医行為とされる可能性があることには注意が必要である。
　結局のところ、オンライン受診勧奨と遠隔健康医療相談の区別には、情報収集の方法、収集する情報の内容、アドバイスに至る過程、アドバイスの内容、伝達方法等のさまざまな事情を考慮する必要があり、サービス毎にこれらの諸事情を具体的に検討しなければならない。

(3) 看護師等による相談の実施

　サービスがオンライン受診勧奨、すなわち医行為に該当する場合には、無資格者が提供することはできず、医師の関与が必要となるが、さらに、医師が自ら行う必要があるか、医師の監督のもとで看護師等が行うことができるかが問題となる。
　保健師助産師看護師法5条は、看護師は療養上の世話または診療の補助を行うことを業とする者であるとしている。また、同法37条は、看護師等は、主治の医師等の指示があった場合を除くほか、診療機械の使用、医薬品の授与、医薬品についての指示等、医師等が行うのでなければ衛生上危害を生じるおそれのある行為をしてはならないと規定しており、医師等の指示のもとであれば本来医師等が行うべき行為を行うことを予定しているといえる。サービスが遠隔健康医療相談の域を超え、医行為に該当する場合であっても、医師の監督のもとで看護師が行うことができる場合があると考えられる。
　一般に、医師のみが行うことができる医行為を「絶対的医行為」、医師の

指示・監督のもとで看護師が行うことのできる医行為を「相対的医行為」という。絶対的医行為に該当するか相対的医行為に該当するかは当該行為にかかる判断の難易度と技術的な難易度によって判断される。たとえば、診断や診療計画の立案のほか、人工心肺の開始等の難しい判断・技術を要する行為は絶対的医行為に分類され、医師自らが行う必要がある。一方で、尿量に応じた点滴量の変更の判断や静脈注射等は、相対的医行為に分類され、医師の指示・監督のもとで看護師が行うことを可能と考えるのが一般的である。

さらに、相対的医行為に該当する場合に必要な医師等の監督の程度（医師等の一般的概括的な指示で足りるか、具体的な指示が必要か）も上記と同様の評価基準から決められる。情報通信機器を用いたサービスではないが、訪問看護ステーションによる在宅看護の場合、医師が出した訪問看護指示書に基づいて看護師が吸入器の管理や創傷処理等といった医行為を実施する。訪問看護指示書の指示期間は最長6か月であり、その間看護師は医師からの個別具体的な指示を受けることなく患者の状態を見て措置にあたることになる。このように、医師からの包括的指示で看護師が医行為を行うことが可能な場合もあるが、行為についてより難しい判断・技術が必要とされる場合は、医師のより具体的な指示・監督が必要とされる。必要な指示・監督について明確な基準はなく、具体的な状況、行為にあたる看護師の能力等もふまえて検討する必要がある。

実際に看護師等が行っている通信機器を用いた受診勧奨行為の一例として、都道府県が設置している救急相談センターがある。東京都の救急相談センターでは急病時に受診の必要性、救急車を呼ぶ必要性についてアドバイスを行っているが、医師が医学的判断プロセスの監督と最終決定を行うものの、電話対応は看護師が行っているようである。

利用者に対して受診等のアドバイスを行う民間サービスについても、アドバイスの内容、方法等をふまえ、医師が行う必要があるか、医師の監督のもとで看護師が行うことができるか、また看護師が行う場合にはどのような方法、態様での医師の監督が必要かを検討する必要がある。

3 ソフトウェア医療機器

2では人がデータを分析してアドバイスの内容を決定する場合に生じる問題点について解説をしたが、人ではなく、あらかじめ応答のアルゴリズムを組み込み、またはAIを使用する等のプログラムがデータを解析して異常を検知する場合や、プログラムがアドバイスの内容まで提示する場合もある。また、データを解析しないまでにも、データを加工してユーザーが理解しやすいように表示するプログラムもある。これらのプログラムについては、薬機法上の医療機器に該当するかが問題となる。

医療機器としてのコンピュータープログラムについての概要は**コラム⑪：医療機器としてのコンピュータープログラム**に記載したとおりであって、いわゆるデジタルヘルスに属するプログラムであっても、①当該プログラムによって得られた結果の重要性にかんがみて疾病の治療、診断等に寄与する程度と②当該プログラムに機能の障害等が生じた場合に人の生命および健康に影響を与えるおそれ等のリスクの蓋然性、の2つの基準に照らして判断することに違いはないが、ここでは利用者のデータを収集、管理、加工、分析、表示するプログラムの医療機器該当性に的を絞って解説する。

まず、当該サービスが情報の送信、保管にとどまる場合は医療機器に該当する可能性は低い。たとえば、汎用の通信ソフト等が、利用者が入力したデータをそのまま医療機関や企業に送信する場合、記録としてそのまま保管する場合、アドバイザーとの通信手段としてのみ用いられる場合は医療機器に該当しないと考えられる。

入力したデータをグラフ化する等、分析・解析処理を伴わずに加工する場合も、医療機器に該当しない場合が多い。ただし、直接診断に使われる場合や診断に重要な影響を及ぼす場合は医療機器に該当する。また、どのような方法・程度の加工であれば入力データを分析・解析処理していないといえるかも曖昧であるため、加工の方法、態様、加工したデータの利用方法等をふまえた慎重な判断が必要とされる。

また、センサー等で就寝時の体動を検知して空調を調整する、歩数を検知して運動を勧める等の生活環境・生活習慣の改善を促すにとどまるプログラムも医療機器に該当しない場合が多い。一方で、体動や歩数ではなく

血圧を測定して血圧計として表示する場合には医療機器に該当する。また、身体や健康状態に関するデータの異常値を検出する場合や、データから疾病の状態を提示する場合は医療機器に該当しうる。このように、何を検知し、何に関するアドバイスをするかによっても医療機器に該当するか否かは変わりうる。

　さらに、利用者が入力した情報から特定の疾患にかかるリスクを提示するサービスもある。国立国際医療研究センターが平成30年に公開した「糖尿病リスク予測ツール」は、健康診断データをもとに構築された機械学習による糖尿病の発症リスク予測モデルに、利用者が入力した複数の条件（身長・体重・血圧・生活習慣・血液データ等）をあてはめることで、入力された条件と同等の条件を持つ集団が3年以内に糖尿病を発症する確率を表示する。かかるプログラムは、医療機器に該当するか否かの限界的な事例と考えられるが、これについては、厚生労働省医薬・生活衛生局監視指導・麻薬対策課長通知「プログラムの医療機器への該当性に関する基本的な考え方について」の一部改正（薬生監麻発1228第2号、平成30年12月28日）において「糖尿病のような多因子疾患の一部の因子について、入力された検査結果データと特定の集団の当該因子のデータを比較し、入力された検査結果に基づき、当該集団において当該因子について類似した検査結果を有する者の集団における当該疾患の発症確率を提示するプログラム、又は特定の集団のデータに基づき一般的な統計学的処理等により構築したモデルから、入力された検査結果データに基づく糖尿病のような多因子疾患の発症確率を提示するプログラム」が医療機器に該当しないとの考え方が明示され、これを受けて前述の「糖尿病リスク予測ツール」が公開提供された（国立国際医療研究センター平成30年12月18日付リリース「NCGMは糖尿病リスク予測ツールを再公開します——プログラム医療機器に該当しないことが確認されました」）。この事例と「プログラムの医療機器への該当性に関する基本的な考え方について」の一部改正は、プログラムの医療機器該当性を判断するにあたってきわめて示唆に富むものといえるが、あくまで当該リスク予測ツールに即した判断と思われ、通知の文言を超えてどのようなプログラムにまでこれと同様の判断が及びうるかについては、詳細な検討が求められる。

以上のとおり、医療機器に該当するか否かは、取得するデータ、取得方法、データの加工・表示方法、データの利用方法、アドバイスの内容をふまえて判断される。また、判断にあたっては製品の説明書や宣伝でどのような利用方法・効果・効用が謳われているかも検証されるため、これらの内容も慎重に検討する必要がある。

4　混合診療

医療機関の既存の患者の管理等のために同一の医療機関がモバイル機器等を使用してサービスを提供する場合には、混合診療の問題も生じ得る。

混合診療とは、一連の診療について、保険診療と保険外診療とを併用することをいう。現行の健康保険の制度上、保険診療と保険外診療の併用は原則として禁止されており、併用された場合は、通常であれば保険診療に含まれうる部分についても保険が適用されず、全額が患者の自己負担となる。オンライン診療については、「オンライン診療料」として保険が適用されるが、その他のオンライン受診勧奨・遠隔健康医療相談については保険外診療となるため、医療機関が既存の患者に対してサービスを提供して対価を受け取る場合、混合診療にあたる可能性がある。

図表3-Ⅶ-5：通常の診療と混合診療における自己負担の違い

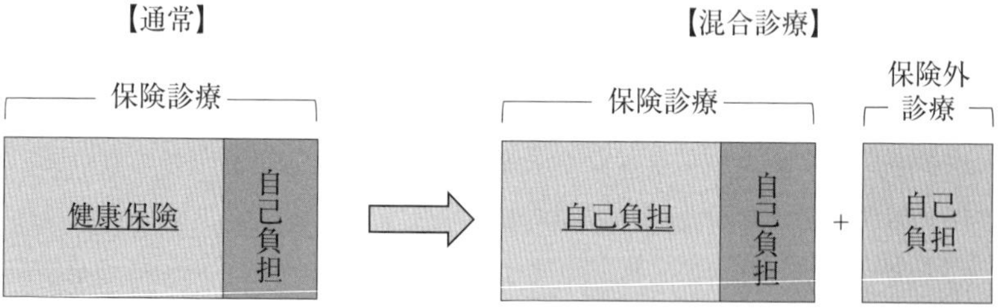

【通常】　　　　　　　　　　　　　　【混合診療】

保険診療　→　保険診療　＋　保険外診療
健康保険／自己負担　　自己負担／自己負担　　自己負担

※健康保険の範囲内の分も自己負担になる。

一般に、混合診療規制の例外として、評価療養（先進医療、治験、薬・医療機器等の適用外使用等）、患者申出療養（評価療養の対象とはならないが一定の安全性、有効性が確認された医療）および選定療養（差額ベッド、予約診療、時間外診療、大病院の初診料等）については、保険診療に上乗せして患者から料金を徴収することができる（健康保険法86条1項）。

オンラインでの診療予約は上記選定療養に該当し、保険診療に上乗せして患者から料金を徴収することが認められる。しかし、その他のオンラインでの健康管理・相談等のサービスについては、それが既存の診療と一連のものである場合、既存の診療を行っている医療機関が、重ねてかかるサービスについて対価を受け取ると、既存の保険診療も保険適用外として全額患者の自己負担となってしまう可能性があるため、サービスの組み立てやマネタイズの方法等に留意する必要がある。

5　ビッグデータの活用と個人情報保護

　以上に加え、企業や医療機関が利用者から収集した情報をデータベース化して活用しようとする場合、個人情報の保護が問題となる。

(1)　第三者提供

　企業や医療機関がモバイルデバイス等を通じて利用者から取得した情報のなかには病歴等の要配慮個人情報（詳細については**第１章Ⅴ**を参照されたい）が含まれる場合もある。個人情報保護法においては、要配慮個人情報を第三者に提供するには本人の明示的な同意が必要であり、オプトアウトによる同意は認められていない。そして、それはデータベース作成・管理等を目的として外部の会社等に要配慮個人情報を提供する場合も同様である。

　なお、企業や医療機関が取得した個人情報の加工・管理等を第三者に委託する場合は第三者への提供にあたらないため本人の明示的な同意は必要ない。しかし、「委託」とは自らの業務を代わりに第三者に行わせるものであるため、個人情報の加工・管理等が当該企業や医療機関自身の業務である必要がある。したがって、たとえばアプリ提供会社等が利用するデータベースを作成するため、複数の医療機関が取得した患者の情報を１つのデータベース作成会社に集約するような場合、各医療機関が内部での情報管理のためにデータベース作成を第三者に依頼する場合等と違って、各医療機関からデータベース作成会社への情報の引渡しは「委託」に該当しないと解される可能性がある。

　さらに、個人情報の管理等の委託にあたる場合、委託する当事者は委託

された個人データの安全管理が図られるよう、委託を受けた者に対する必要かつ適切な監督を行わなければならない（個人情報保護法22条）点にも注意が必要である。

(2) 匿名加工

データベースの作成にあたって、個人情報を匿名加工することも考えられる。匿名加工を行うことで、加工後のデータの提供・利用に本人の同意が必要なくなるため、データの利活用が容易になるが、匿名加工にあたっては以下の点に注意しなければならない。

個人情報が匿名加工されたといえるためには、氏名等の個人を特定できる記載をすべて削除する必要があるほか、個人識別符号が含まれる場合にはこれもすべて削除しなければならない。個人識別符号とは、その情報単体から特定の個人を識別することができるものをいい、医療関係では以下の情報が該当する（個人情報の保護に関する法律施行令1条）。

① 細胞から採取されたデオキシリボ核酸（別名DNA）を構成する塩基の配列
② 顔の骨格および皮膚の色ならびに目、鼻、口その他の顔の部位の位置および形状によって定まる容貌
③ 虹彩の表面の起伏により形成される線状の模様
④ 発声の際の声帯の振動、声門の開閉ならびに声道の形状およびその変化によって定まる声の質
⑤ 歩行の際の姿勢および両腕の動作、歩幅その他の歩行の態様
⑥ 手のひらまたは手の甲もしくは指の皮下の静脈の分岐および端点によって定まるその静脈の形状
⑦ 指紋または掌紋

ただし、②～⑦については、本人を認証することを目的とした装置やソフトウェアにより本人を認証することができるようにしたものが個人識別符号に該当することに留意が必要である。たとえば、歩行の姿勢（⑤）に関しては、単なる歩行の動画（顔が映っていないもの）ではなく、これを個人識別が可能なように分析・加工等したものが個人識別符号に該当する。また、上記情報の組合せによって個人を識別できる場合には、個人の識別が

できなくなるように情報の一部または全部を削除しなければならない。したがって、これらの情報を含むデータに関しては、個人の氏名等を削除するだけでは足りず、上記の情報も削除する必要があるが、場合によってはこれらの情報を削除してしまうと、本来意図していた利用目的の達成に支障を来してしまうこともありうるので、あらかじめ必要なデータの範囲が個人識別符号とされる情報と重ならないかを検討しておく必要がある。

　匿名加工を行うために匿名加工業者に対して個人情報を引渡す場合は個人情報の提供または委託に該当するため、原則として(1)記載の規制が適用される。ただし、次世代医療基盤法に基づいて認定を受けた事業者に対する提供については、いわゆる「丁寧なオプトアウト」による同意取得が認められる（詳細は**第1章Ⅵ**を参照されたい）。

〔近藤純一＝淺井茉里菜〕

Ⅷ 医薬品・医療機器業界における独占禁止法上の留意点

1 はじめに

　独占禁止法は、公正かつ自由な競争を促進し、一般消費者の利益を確保すること等を目的とする法律である（独占禁止法1条）。本来、独占禁止法は業種に関係なく適用され、医薬品・医療機器業界もその例外ではない。

　特に医薬品業界では薬価制度を前提に（メーカーではなく）医薬品流通企業が医療機関・薬局との納入価交渉を担うといった構造が存在することもあって、これまでは、一部の医療機器の事件を除けば、独占禁止法の摘発事例は医薬品流通企業のカルテル等の医薬品業界の一部の分野に限定されていた。このような背景において、公正取引委員会の関心事項もそれらの分野に限られているのではないかといった憶測もあった。しかし、近時、製薬会社間のカルテルの摘発に代表されるように、これまでは独占禁止法の摘発事例が見られなかった領域でも独占禁止法の摘発事例が現れている。そこで、本項では、医薬品業界における独占禁止法の近時の摘発事例や法改正にも触れつつ、医薬品・医療機器業界における独占禁止法上の留意点を解説する。

2 カルテル・談合

(1) 概要

　いわゆるカルテルや談合は、独占禁止法上は、不当な取引制限として禁止されている（独占禁止法2条6項、3条）。不当な取引制限とは、「事業者が、……他の事業者と共同して対価を決定し、維持し、若しくは引き上げ、又は数量、技術、製品、設備若しくは取引の相手方を制限する等相互にその事業活動を拘束し、又は遂行することにより、公共の利益に反して、一定の取引分野における競争を実質的に制限すること」をいう。

　公正取引委員会は、不当な取引制限を行った事業者に対し、排除措置命令（独占禁止法7条）を行うことができる。排除措置命令とは、違反行為を排除するために必要な措置の実施を命じることである。最近の事例では、

違反行為を取りやめることまたは取りやめていることの確認（取締役会設置会社の場合は取締役会決議）、当該確認内容の取引先や自社従業員への通知、社内での再発防止策の実施等が求められている。また、公正取引委員会は、不当な取引制限を行った事業者に対し、課徴金納付命令（独占禁止法7条の2第1項）も行うことができる。現行法では、課徴金の額は、違反行為の実行期間中（最長3年）の対象商品・役務の売上額に、課徴金の算定率（原則10％）を掛け合わせた金額と定められている。また、自らの違反行為を公正取引委員会に自主的に報告した場合には、課徴金の額を免除または減額する課徴金減免制度（独占禁止法7条の2第10項から18項まで）も存在する。課徴金制度に関する近時の法改正については、下記(3)を参照されたい。

不当な取引制限は排除措置命令および課徴金納付命令の対象であるだけでなく、刑事罰も定められている（独占禁止法89条から91条まで）。また、カルテルや談合等が発覚した場合には、各地方自治体等の調達において指名停止処分を受ける場合があるほか、被害者が、違反行為者に対し、民事訴訟により損害賠償を請求する場合もある。

(2) 事例

医薬品業界における不当な取引制限の典型例は、下記アのような医薬品卸会社によるカルテルであり、その傾向は現在でも変わらない。しかし、近時、下記イおよびウのような製薬会社によるカルテルが摘発されている。いずれも認定事実によれば仕切価を揃えるという明白なカルテルであり、また同一薬の併売という状況自体が新薬においてはあまり多いとはいえないが、製薬会社においても不当な取引制限の防止のためのコンプライアンス強化が求められる。

ア　医薬品卸会社10社による価格カルテル

医薬品卸会社10社は、平成12年度の薬価改定で薬価が全体として約7％の引下げとなったことを受けて、宮城県の病院等で平成12年4月1日以降使用される医薬品の販売について、価格カルテルを行った。具体的には、医薬品卸会社10社は、①自社が病院等にすでに納入している個々の医薬品の取引（自社札）に関して、病院等に提示する薬価からの値引率を約6.6％とすることおよび②他社が病院等にすでに納入している個々の医薬

品の取引（他社札）を相互に奪わないという「休戦」と称する得意先等争奪防止の禁止の方針のもと、他社札の薬価からの値引率が自社札の薬価からの値引率を下回るようにすることを決定し、この決定に基づき、病院等との間で医薬品の納入価格の改定交渉を行った。公正取引委員会は、平成15年2月10日、医薬品卸会社10社に対し、合計で約5億3000万円の課徴金の納付を命じた。

イ　製薬会社2社による後発医薬品の価格カルテル

　製薬会社A社および製薬会社B社は、X剤に関する共同開発契約を締結し、A社はX剤を自社で製造販売する一方、B社は自社製品として販売するX剤の全量について、A社に製造委託することとなった。B社は、A社に対し、自社製品として販売するX剤の仕切価を提示したうえ、これを目途にA社が自社製品として販売するX剤の仕切価を合わせるよう依頼したところ、A社はこれに応じる旨を回答した。公取委は、2019年6月4日、A社に対し、排除措置命令および137万円の課徴金納付命令を行った。

　なお、B社は、A社から安定供給に必要なX剤の供給を受けられなかったことから、結果的に、X剤の販売には至らなかった。しかし、価格カルテルへの合意時点で違反行為は成立することから、B社は排除措置命令および課徴金納付命令の対象とはなっていないものの、不当な取引制限の違反行為者として認定されている。

ウ　製薬会社2社による先発医薬品の価格カルテル

　製薬会社C社は、製薬会社D社からY剤を購入し、自社製品として販売する一方、D社は自社でY剤を製造し、それを自社製品として販売していた。日本国内でY剤を販売しているのはC社およびD社に限られるところ、両社は、Y剤の薬価改定が行われる場合にはY剤の仕切価を同一の価格またはおおむね同一の価格とすることを合意し、その合意に基づきY剤を同一の価格またはおおむね同一の価格で販売していた。公正取引委員会は、令和2年3月5日、C社に対し、排除措置命令および287万円の課徴金納付命令を行った（C社は、課徴金減免制度により30％の課徴金の減免を受けている）。他方、D社は課徴金減免制度の適用により、排除措置命令および課徴金納付命令の対象からは免れた。

図表 3-Ⅷ-1：関係図

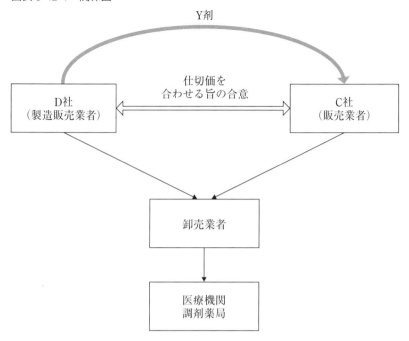

(3) 法改正

　令和元年6月19日、課徴金制度等を見直すための改正独占禁止法が成立した。改正法の施行日は、一部の規定を除き、令和2年12月25日と定められている。

　主な改正点としては、現行法では、課徴金の算定期間は最長3年だが、改正法では、最長で調査開始日の10年前まで遡れることとなった（改正独占禁止法2条の2第13項）。また、除斥期間は5年から7年に延長された。つまり、改正独占禁止法では、違反行為が終了してから7年を経過するまでは排除措置命令および課徴金納付命令の対象となりうる（改正独占禁止法7条2項ただし書、7条の8第6項）。

　課徴金減免制度についても、申請順位に応じた減免率が改正されるとともに、新たに協力度合いに応じた減算率が設けられた（改正独占禁止法7条の4、7条の5、7条の6）。協力度合いに応じた減算率は、事業者の協力内容（自主的に提出する証拠等）をふまえて公正取引委員会と事業者の協議と合

意により決定される。協力内容の評価方法等を定めた「調査協力減算制度の運用方針」は、令和2年12月25日に施行される。

図表3-Ⅷ-2：改正前の課徴金減免制度の課徴金の減免率

申請時点	申請順位	申請順位に応じた減免率
調査開始前	1位	全額免除
	2位	50%
	3～5位	30%
	6位以下	
調査開始後	最大3社[注]	30%
	上記以下	

注：調査開始日前の申請者と合わせて5位以内である場合に限り適用される。

図表3-Ⅷ-3：改正後の課徴金減免制度の課徴金の減免率

申請時点	申請順位	申請順位に応じた減免率	協力度合いに応じた減算率
調査開始前	1位	全額免除	
	2位	20%	+最大40%
	3～5位	10%	
	6位以下	5 %	
調査開始後	最大3社[注]	10%	+最大20%
	上記以下	5 %	

注：調査開始日前の申請者と合わせて5位以内である場合に限り適用される。

3 業務提携に関する独占禁止法上の留意点

(1) 概要

令和元年7月10日、公正取引委員会は「業務提携に関する検討会」報告書(以下「業務提携報告書」という)を公表した。業務提携報告書は、業務提携を7類型(研究開発提携、標準化提携、技術提携、購入提携、生産提携、物流提携および販売提携)に分類したうえで、業務提携に関する独占禁止法上の考え方を整理したものである。医薬品・医療機器業界においてもさまざまな業務提携が行われているが、主に検討・実行されるのは物流提携および販売提携が多いと思われるところから、本稿では、医薬品業界における物流提携および販売提携に係る公正取引委員会の相談事例を紹介しつつ、これらの分野の業務提携における独占禁止法上の留意点を解説する。

(2) 物流提携

業務提携報告書によれば、物流提携については、物流業務の調達市場と共同配送の対象商品の販売市場が検討対象市場となるとされている。物流業務の調達市場については、市場シェアや競争者の存在等が主な判断要素として検討され、共同配送の対象商品の販売市場については、販売価格に占める物流経費の割合の高低が主な判断要素として検討される。ここでは、製薬会社による医療用医薬品の物流部門の共同化に関する公正取引委員会の相談事例を紹介する(「独占禁止法に関する相談事例集(平成16年度)」の事例4参照)。

ア 相談の要旨

製薬会社A社および製薬会社B社の医療用医薬品Xの販売市場における市場シェアは、それぞれ40%および20%であり、両社はそれぞれ物流会社を設立し、病院等に医療用医薬品Xを供給している。両社は、以下の内容の物流部門の業務提携(以下「本件物流提携」という)をしているが、独占禁止法上問題ないか。

- 両社は、それぞれの物流会社に、両社の製品について常時一定量の在庫を置く。

- 両社は、病院等から注文を受けると、当該病院等の最寄りの物流会社に連絡し、当該物流会社は、注文のあった製品について所定の数量を当該病院等に納入する。
- 両社は、自社の納入数量等の情報が、物流会社を通じて、相手方にも利用可能とならないように、相互に当該物流会社との間に、情報遮断のための措置（ファイアーウォール）を講ずる。

図表3-Ⅷ-4：関係図

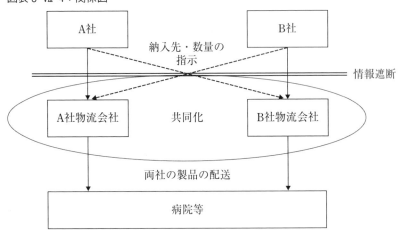

イ　公正取引委員会の回答の要旨

　競争事業者間の業務提携であり、不当な取引制限（独占禁止法3条）の観点から、医療用医薬品Xの販売市場における競争が実質的に制限されないかが問題となる。確かに、本件物流提携後の医療用医薬品Xの販売市場におけるA社およびB社の合算市場シェアは約60％となる。しかし、①提携の対象が共同配送・保管に限られ、医療用医薬品Xの供給に要する費用に占める共同配送・保管の費用は5％に留まり、両社間の価格競争の余地がなくなるとまでは認められないこと、②共同配送等を通じて自社の販売情報が相互に利用できる場合、これらは競争を回避するための手段として用いられるおそれがあるが、本件については、情報遮断のための措置を講じるとしており、この措置が確実に実施されるのであれば、このようなおそれがあるとは認められないこと等から、医療用医薬品Xに係る一定の取引分野における競争が実質的に制限されることはなく、ただちに独占禁止

法上問題となるものではない。

　ウ　検討

　上記イのうち、①では、A社およびB社のコスト構造の共通化の問題点が論じられている。業務提携報告書によれば、一般に、提携当事者間でコスト構造が共通化されると、提携当事者間において協調的な行動が助長されやすくなる（提携当事者間で相互にコスト情報が共有されると、提携当事者間において、協調的な行動からの逸脱に対する監視が可能になり、逸脱行動があった場合に適時に報復を行うことができるようになる場合がある）。また、コスト構造の共通化により、提携当事者双方のコスト削減を図るという重要な競争手段に係る意思決定も一体化することになる。本件では、A社およびB社の合算市場シェアは約60％と非常に高くなるものの、共通化されるコストの割合が医療用医薬品Xの供給に要する費用の5％に留まることから、両社間の価格競争の余地がなくなるとまでは認められないと評価されている。

　また、上記イのうち、②では、本件物流提携に伴う情報交換に関する問題点が論じられている。業務提携報告書によれば、提携当事者間の情報交換・共有を通じて市場の透明性が高まり、提携当事者が相互の行動を予測しやすくなると、提携当事者間で協調的な行動をとることができる条件について共通認識をもつようになる可能性があり、また、提携当事者が互いに協調的な行動からの逸脱を監視し、逸脱に対する報復を適時に行うことが容易になる。このような状況下において、提携当事者が長期的視点で利益を確保していこうとするときは、通常、単独で自己の利益の最大化を図るよりも、協調的な行動が助長されやすくなる。もっとも、本件では、両社間の情報遮断措置が確実に実施されることを前提として、このような協調の懸念は生じないと評価されている。業務提携報告書においては、事業者としては、業務提携を行うに際し交換される情報が当該業務提携の実施に必要な範囲のものとなっているかを検討するとともに、競争上重要な意味をもつ情報を交換・共有する必要がある場合には、情報遮断措置を含めた情報の取扱方法も検討する必要があると指摘されている。

(3) 販売提携

業務提携報告書によれば、販売提携は、需要者に最も近い位置での提携関係にあり、対価の決定といった重要な競争手段を直接的に共同化することが懸念される類型であるとされている。ここでは、いわゆるコ・マーケティングに関する公取委の相談事例を紹介する（「独占禁止法に関する相談事例集（平成14年1月～平成16年3月）」の事例3）。

ア 相談の要旨

製薬会社C社および製薬会社D社は甲医薬品市場において、第4位および第5位の製薬会社であり、ほかに市場シェア70％を超える製薬会社が存在していた。C社は、自社が開発した甲医薬品分野のa新薬の販売を開始することとしているところ、a新薬を市場に早期に浸透させるため、従来から甲医薬品分野の商品を開発・販売している製薬会社D社にa新薬を供給することで販路を増やすとともに、D社のMRの協力を得ることとした。そして、C社およびD社は、100床以上の医療機関については、発売日から1年間を限度として、両社のMRの情報提供活動先を振り分けることとした。このようなMRの活動先の振り分けは、独占禁止法上問題ないか。

図表3-Ⅷ-5：関係図

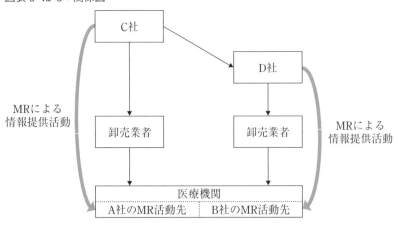

イ 公正取引委員会の回答の要旨

C社およびD社の間でMRの活動先である医療機関の振り分けを行う

ことにより、卸売業者間の価格競争が阻害され、価格が維持されるおそれがある場合には、拘束条件付取引として不公正な取引方法に該当し、独占禁止法上問題となる（独占禁止法19条、一般指定12項）。しかし、本件については、①MRの振り分けは、薬効等の説明を行うことにより新薬を早期に浸透させるためであること、②C社およびD社はそれぞれ互いの販売活動には関与しないことから、C社およびD社が、MRの活動先医療機関の振り分けを行ったとしても、価格が維持されるおそれはなく、独占禁止法上問題ないと考えられる。

　ウ　検討

　上記公正取引委員会の回答理由の①および②は、いずれも製薬業界の流通構造やMRの位置付けによるものであって、抽象的には、市場シェアにかかわらずあてはまるようにも読まれうるが、必ずしもそうとは限らず、当事者の市場シェアや市場の状況によっては別途の考慮もありうることには留意が必要である。

　また、上記の相談事例では、拘束条件付取引（相手方とその取引の相手方との取引その他相手方の事業活動を不当に拘束する条件をつけて、当該相手方と取引すること）の問題として処理されているが、コ・マーケティングの場合、競争関係にある製薬会社が同一の医薬品をそれぞれ販売することになるので、不当な取引制限（カルテル）も問題となりうる。特に、販売価格について相互に情報交換がなされれば、不当な取引制限のリスクが高まることから、コ・マーケティングの場合には、製品納入価の調整等のメカニズムに仕切価格等の情報を持ち込まないような契約構造の注意に加えて、実際に接触する担当者間での情報管理も含めて、提携事業者間での情報交換には注意を要する。

　なお、上記の事例は提携事業者がおのおの医薬品を販売するコ・マーケティングに関するものであって、販売自体は一方当事者のみが行うコ・プロモーションの場合には、他方当事者はMR活動に協力するのみで当該医薬品に関して競争関係にないので、原則として不当な取引制限（カルテル）の懸念は生じない。もっとも、コ・プロモーションのような広範な協働関係においてはさまざまな情報へのアクセスが双方に生じる可能性があり、営業秘密の問題に留まらず、競争関係に立ちうる他剤との関係で独占禁止

法上の問題が生じることもありうるので、注意は必要である。

4 医療用医薬品の流通に関する独占禁止法上の問題点

(1) 概要

平成18年9月27日、公正取引委員会は「医療用医薬品の流通実態に関する調査報告書」（以下「医薬品流通実態報告書」という）を公表した。同報告書は、競争政策上の観点から、医療用医薬品の流通取引についての改善点を提言している。

また、厚生労働省医政局長の意見聴取の場として組織された検討会である「医療用医薬品の流通改善に関する懇談会」（以下「流改懇」という）は、医療用医薬品の流通過程の現状を分析し、公的医療保険制度のもとでの不適切な取引慣行の是正等について検討を行うことにより、今後の医療用医薬品の流通改善の方策を検討している。この流改懇の活動とも関連して、厚生労働省は平成30年1月23日、「医療用医薬品の流通改善に向けて流通関係者が遵守すべきガイドライン」（以下「流通改善ガイドライン」という）を策定した。流通改善ガイドラインにおいても、一部独禁法に関する留意点が言及されている。

特に流改懇においては、薬価制度との関係もあって、マイナスの一次売差、未妥結・仮納入、総価山買い等、医薬品の流通に関する多様な問題が取り上げられており、それらは医薬品の流通においては非常に根本的で重要な問題ではあるが、本稿では、医薬品の流通取引に関する独占禁止法上の問題点に焦点を絞って解説する。

(2) 製薬会社による再販売価格拘束

製薬会社が卸売業者による医療機関への納入価格を拘束することは、再販売価格拘束として不公正な取引方法に該当し、独占禁止法上問題となる（独占禁止法2条9項4号、19条）。また、医薬品流通実態報告書でも述べられているとおり、製薬会社が納入価格を卸売業者に指示する場合だけでなく、メーカーが卸売業者からの販売価格等の情報に基づいて、一定の価格を下回って販売した卸売業者に、リベートやアローアンスについて不利な取扱いをする場合にも、再販売価格拘束に該当しうる。

ただし、卸売業者が単なる取次として機能する場合には、再販売価格拘束には該当しない。公正取引委員会の相談事例では、製薬会社A社は、医薬品を卸売業者に販売し、卸売業者は当該医薬品を医療機関B会に販売するところ、A社とB会との間で卸売業者のB会への納入価格を決定し、A社は納入価格から一定の手数料を差し引いた価格で医薬品を卸売業者に販売するという取引が問題となった（「平成13年相談事例集」の事例2）。同事例において、公正取引委員会は、A社とB会との間でA社製品を卸売業者を通してB会に納入するという取引の枠組みと納入価格が取り決められ、卸売業者は、物流および代金回収の責任を負い、その履行に対する手数料分を受け取るにすぎないと認定した。そして、この場合、当該納入価格が一定の取引数量を前提として取り決められ、当該数量が卸売業者に明示される場合には、卸売業者に在庫リスクが生じないことから、本件取引形態は、実質的にはA社がB会に販売するものといえ、独占禁止法上の問題はないと考えられると判断した。

図表3-Ⅷ-6：関係図

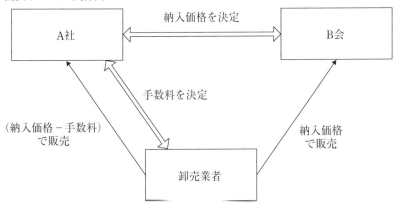

(3) リベート

流通改善ガイドラインにおいては、割戻し（リベート）については契約により運用基準を明確化すべきであると述べられている。公取委が公表している「流通・取引慣行に関する独占禁止法上の指針」（以下「流通取引慣行ガイドライン」という）においても、リベートの供与自体がただちに独占禁止

法上問題となるものではないとしつつも、リベートの供与の方法によっては、取引先事業者の事業活動を制限することとなり、独占禁止法上問題となる場合があるとし、リベートの供与の基準を明確にし、これを取引の相手方に示すことが望ましいと述べられている（流通取引慣行ガイドライン第1部第3の1）。

(4) 先発医薬品メーカーによる後発医薬品についての説明

後発医薬品をめぐる競争法上の問題は、欧米においては早い時期から大きな論点となっていたところであるが、医薬品流通実態報告書においては、先発医薬品メーカーが、競合する後発医薬品の使用例について事実に反する情報を提供したり、特定の後発医薬品についての欠陥情報を、後発医薬品一般についての情報であるかのように医療機関に説明したりすることで、競合する後発医薬品メーカーの販売活動を妨害する場合には、取引妨害として不公正な取引方法に該当し、独占禁止法上問題となりうると指摘されている（独占禁止法2条9項6号、19条、一般指定14項）。そのような妨害行為は、もとよりコード・オブ・プラクティスや不正競争防止法に抵触するほか、民法上の不法行為にも該当しうるが、これらに加えて独占禁止法上も違法とされることには、注意を払う必要がある。

5 私的独占

(1) 概要

私的独占とは、「事業者が……他の事業者の事業活動を排除し、又は支配することにより、公共の利益に反して、一定の取引分野における競争を実質的に制限すること」をいい（独占禁止法2条5項）、独占禁止法3条により禁止されている。私的独占の摘発事例自体は少ないものの、独占禁止法の中核的な違法類型である。医薬品や医療機器の最終製品の取引に関する摘発例はなかったが、近時、製薬会社による私的独占の疑いのある事例が確約手続（独占禁止法48条の2から48条の9まで）により処理されたことから、確約手続の概要とともに本稿で紹介する。

(2) 確約手続

確約手続とは、独占禁止法違反の疑いについて、公正取引委員会と事業者との間の合意により解決する仕組みであり、平成30年12月30日に運用が開始された。

手続の流れは、**図表3-Ⅷ-7**を参照されたい。公正取引委員会が、調査を開始し、確約手続に付すことが適当であると判断する場合（ただし、入札談合や価格カルテル等は確約手続の対象とならない）には、違反被疑行為者に対し、確約手続通知を行う。確約手続通知を受けた事業者は、通知から60日以内に、確約計画（違反被疑行為を排除するために必要な措置や違反被疑行為が排除されたことを確保するために必要な措置に関する計画）を自主的に作成し、公正取引委員会に申請することができる。確約計画が違反被疑行為の排除およびその確保のために十分であり、かつ、確約計画が確実に実施されると見込まれると公正取引委員会が認定した場合には、公正取引委員会は、排除措置命令・課徴金納付命令を行わない（ただし、事業者名を含む違反被疑行為や認定確約計画の概要等を公正取引委員会のホームページ上で公表する）。なお、公正取引委員会が、確約計画の認定をすることは、当該違反被疑行為が独占禁止法違反であると判断するものではなく、公正取引委員会の公表文においてもその旨が記載される。

確約手続通知から確約計画の申請までの60日間の期間制限については、延長が認められておらず、しかも、確約計画が公取委の認定要件を満たしていない場合には確約計画が却下される点に留意する必要がある（確約計画の申請後も、確約手続通知があった日から60日以内か、確約計画が認定または却下されるまでの間のいずれか早い日までであれば、申請した確約計画を変更することは可能であるが（公正取引委員会の確約手続に関する規則9条、23条）、60日間の期間制限が課されることに変わりはない）。確約手続通知から60日以内に、認定要件を満たす確約計画を申請することは難しい場合も十分想定されることから、実務上は、確約手続の利用が想定される事案の調査が開始されれば、早期に確約手続の利用の可否や確約計画の内容も含め公正取引委員会と意思疎通を図るべきと考えられる。

図表3-Ⅷ-7:確約手続の流れ

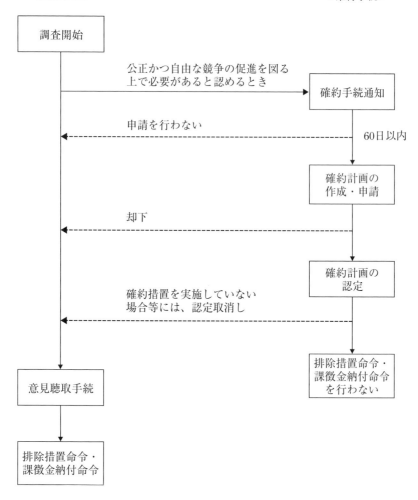

(3) 製薬会社による私的独占の疑いのある行為が確約手続により処理された事例

　国内で唯一X剤を製造していた製薬会社Aは、これも国内唯一のX剤の卸売業者であるYを通じて、X剤を販売していたところ、BがX剤の製造販売業に新規参入した。それに対し、Aは、以下の行為を行った。

① Aは、X剤を全国一律価格で販売していたが、Bは地域別価格の導入を試みたことから、Aは、Yに対し、Bと地域別価格によるX剤の取引をした場合には、Aが製造するX剤の販売を停止する旨を伝えた。
② Aは、BがX剤の自動投与装置メーカーと共同開発したX剤の自動投与装置(以下「特定自動投与装置」という)の導入がありえたZ地区に所在する取引先医療機関に対し、特定自動投与装置においてAが製造販売するX剤を使用できる可能性があったにもかかわらず、明確な根拠なく特定自動投与装置では使用できないと説明していた。
③ Aは、Bが製造販売するX剤を購入しているZ地区の取引先医療機関からAが製造販売するX剤の当日中の配送依頼を受けた際にはこれを拒否していた。

Aは、以下の内容の確約計画を申請したところ、公正取引委員会は当該確約計画を認定した。公正取引委員会の公表文では、上記①〜③の行為は、Bの事業活動を排除することにより、Z地区のX剤市場における競争を実質的に制限していた疑いがあるとして私的独占に該当する疑いがあると述べられている(Aと競争関係にあるBとYとの取引およびBとZ地区の取引先医療機関との取引を不当に妨害していた疑いがあるとして、不公正な取引方法のうちの取引妨害にも該当する疑いがあるとも述べられている。独占禁止法19条、一般指定14項)。ただし、上記(2)のとおり、上記①〜③の行為が独占禁止法違反であることを公正取引委員会が認定したものではない。

・ 取締役会決議により、上記①〜③の行為をすでに行っていないことを確認し、今後3年間同様の行為を行わないこと。
・ 上記取締役会決議を、YおよびZ地区の取引先医療機関に通知し、かつ、Aの従業員に周知徹底すること。
・ Z地区の取引先医療機関に対して、Aが製造販売するX剤の特定自動投与装置における使用確認試験の結果を通知すること。
・ 今後3年間、上記①②と同様の行為を行わないこと。
・ 今後3年間、Z地区の取引先医療機関から当日中の発送依頼を受けた際に、Bが製造販売するX剤を購入していることを理由とした依頼の拒否を行わないこと。
・ 独占禁止法遵守についての行動指針の作成および従業員への周知徹底ならびに定期的な社内研修および法務担当者による社内監査を実施すること。

・　上記の措置の履行状況を公正取引委員会に報告すること。

6　企業結合

(1)　概要

　独占禁止法は、株式取得や合併といった企業結合により市場における競争が実質的に制限されることとなる場合、そのような企業結合を禁止している（たとえば、株式取得については、独占禁止法10条1項）。そして、一定の規模を超える企業結合については公正取引委員会への事前届出制としている。たとえば、株式取得の場合は、①取得会社グループの国内売上高の合計額が200億円を超え、②対象会社およびその子会社の国内売上高の合計額が50億円を超え、かつ、③取得会社グループによる対象会社の株式に係る議決権の保有割合が新たに20％または50％を超えることとなる場合には、事前届出が必要となる（独占禁止法10条2項）。届け出られた企業結合について、公正取引委員会は市場における競争が実質的に制限されることとなるか否かを審査している。

　公正取引委員会の企業結合審査の手法は、「企業結合審査に関する独占禁止法の運用指針」（以下「企業結合ガイドライン」という）に記載されている。企業結合審査の大きな枠組みとしては、公正取引委員会は、①市場（競争が行われている場）を画定したうえで、②当該企業結合によりその市場における競争が実質的に制限されることとなるか否かを検討する。

(2)　医薬品業界における企業結合の審査事例と最近の企業結合ガイドラインの改正

ア　市場画定

　一般的に、市場は、商品役務の範囲と地理的範囲という2つの側面について、需要者から見た場合の代替性と供給者から見た場合の代替性という2つの観点から画定される。ただし、医薬品の商品範囲について、実務上、公正取引委員会は、原則としてATC分類法（欧州医薬品市場調査協会（EphMRA）が設定するATC分類法を指す。公正取引委員会の公表事例では、WHOのATC分類法は利用されていないことに留意されたい）のレベル3の分

類に基づき画定しつつ、レベル3の分類で同じでも、機能・効能が同種とは言えない場合（患者への投与や医師の判断等の実務に照らして代替的に使用される関係にない場合等）には、レベル4の分類やさらに細分化された分類等に基づいて画定している。

たとえば、武田薬品工業株式会社によるシャイアー・ピーエルシーの株式取得では、炎症性腸疾患用薬(A7E)のうち、アミノサリチル酸製剤(A7E1)の低分子医薬品と副腎皮質ホルモン製剤（A7E2）とでは、処方される患者の重症度が異なるとして、両者は異なる商品範囲に属すると判断された（「平成30年度における主要な企業結合事例」の事例3）。そして、同じアミノサリチル酸製剤（A7E1）の中でも、低分子医薬品と上市予定のバイオ医薬品とでは、処方される患者の重症度が異なるとして、両者は異なる商品範囲に属すると判断され、さらに、バイオ医薬品（抗インテグリン阻害薬、抗TNFα阻害薬および抗IL阻害薬）の中でも、薬理作用や副作用の違いから、中等症から重症の潰瘍性大腸炎またはクローン病向けの抗インテグリン阻害薬という商品範囲が最終的に画定された。

イ　研究開発

令和元年の企業結合ガイドラインの改正により、当事会社が競合する商品役務の研究開発を行っている場合には、当該研究開発の実態もふまえて審査が行われることが明記された（企業結合ガイドライン第4の2(1)カ）。製薬会社を例にとると、ステージ4の肺がんを適用症とする抗がん剤Xを製造販売する製薬会社Aが、同じく肺がんを適用症とする抗がん剤Yのフェーズ3の臨床試験を行っている製薬会社Bを買収する場合、抗がん剤Xと承認後の抗がん剤Yの競合の程度が高いと見込まれるのであれば、当該買収を行わなかった場合と比べて、当該買収を行うことにより、将来の肺がんの抗がん剤に関する競争が減少する可能性や、肺がんの抗がん剤に関する製薬会社Bの研究開発のインセンティブが減退する可能性が考えられる。もっとも、医薬品業界の企業結合に関する企業結合審査では、従前から、フェーズ3の臨床試験段階以降の上市前の製品については、近い将来に上市に至る可能性がある程度高いため、審査の対象となっていた。たとえば、前述の武田薬品工業株式会社によるシャイアー・ピーエルシーの株式取得やノバルティスアーゲーによるグラクソ・スミスクライン株式

会社からの事業譲受け(「平成26年度における主要な企業結合事例」の事例4)が該当する。

　また、企業結合ガイドラインの改正と同時に、「企業結合審査の手続に関する対応方針」も改正され、公正取引委員会が当事会社の内部文書の提出を求めることがあることが明記された。なお、これまでの実務でも内部文書の提出が求められることがあった。通常、内部文書を求めるのは特に必要性のある一部案件に限られており、また、求める範囲についても当事会社と相談しつつ、審査上必要な範囲に限っており、その実務は今後も同様であると公正取引委員会は述べている(「『企業結合審査に関する独占禁止法の運用指針』(案)及び『企業結合審査の手続に関する対応方針』(案)に対する意見の概要及びそれに対する考え方」の2のNo.35)。臨床試験段階ではATCコードは確定していないことから、当事会社が上市済みのどの医薬品を競合製品とみなして検討を進めていたかといった当事会社の認識に基づき、上市済みの製品と上市前の製品の競合関係を審査することも想定される。さらにそのほかにも、上市済みの製品と上市前の製品の競合関係を検討するため、上市前の製品の治験に関与している医師に対して公正取引委員会がヒアリングを行う場合もある。その場合、当事会社は、ヒアリングには立ち会うことができないものの、ヒアリング候補者リストの公正取引委員会への提出やヒアリング対象者への事前説明といった準備作業を行うことになりうる。ヒアリングの準備からヒアリング結果の公正取引委員会による分析に至るまで1か月程度を要する場合もあり、届出のスケジュールに相当程度の影響が生じる。

図表3-Ⅷ-8：内部文書の例

- 当事会社の取締役会等の各種会議等で使用された資料や議事録等
- 当事会社が企業結合の検討および決定にあたり企業結合の効果等について検討・分析した資料
- 企業結合の検討に関与した当事会社の役員または従業員の電子メール等

出典：企業結合審査の手続に関する対応方針の別添の注3

〔近藤純一＝中林憲一〕

事項索引

◆ アルファベット

aBLA 申請……………………………157
Actavis 事件…………………………202
AI………………………………207, 289
ANDA…………………………142, 201
ANDA 申請……………………………157
CRO……………………………………9
GCP 省令………………………9, 19, 76, 79
GCTP 省令……………………………22
GLP 省令……………………………9, 19
GMP 省令……………………………9, 247
GQP 省令……………………………12, 247
GVP 省令……………………………12, 247
jRCT…………………………………85
M&A…………………………………236
PMDA…………………………………9
QMS 省令……………………………19, 20
Scope of the Patent…………………203
SMO……………………………………9

◆ あ行

アライアンス……………217, 223, 225, 231
安全確保法……………………………29
安全管理責任者………………………12, 247
安定供給………………………178, 188, 251
意匠権………………………………130
一般医療機器…………………………18
一般補償……………………………251
一般用医薬品………………………14, 27, 132
遺伝子組換細胞………………………146
遺伝子治療薬…………………………47
イニシャルペイメント………………278
医薬品…………………………………7
医薬品製造業者との委受託契約………252
医薬品等………………………………7
医薬品等適正広告基準………………14, 59, 247
医薬部外品……………………………16

医薬用途………………………126, 159
医薬用途特許…………………………152
医薬用途発明……………………159, 162, 170
医療機器………………………………17
医療情報……………………………111
医療情報安全管理関連ガイドライン
　………………………………………88, 97
医療情報システム……………………97
医療情報データベース等……………113
医療情報取扱事業者………………109, 114
医療分野の研究開発に資するための匿名
　加工医療情報に関する法律についての
　ガイドライン………………………108
医療用医薬品の販売情報提供活動に関す
　るガイドライン……………………66
医療用医薬品の流通改善に関する懇談会
　………………………………………326
医療用医薬品の流通改善に向けて流通関
　係者が遵守すべきガイドライン……326
医療用医薬品の流通実態に関する調査報
　告書…………………………………326
インターネット販売…………………27
インフォームドコンセント…………85, 95
引用発明……………………………161
営業秘密……………………………207
閲覧等制限の申立て…………………183
オープン・イノベーション…………218
オブザーバー………………………233
オプトアウト……………………103, 118
卸売販売業……………………………14
オンライン診療（遠隔診療）
　…………………………28, 88, 100, 103
オンライン服薬指導………………28, 105

◆ か行

介護機器（福祉用具）………………292
外国特例承認…………………………33
介護保険……………………………292

会社分割……………………………239, 245
改善命令……………………………45, 78
開発情報………………………………280
核酸医薬………………………………48
学術研究を目的とする機関又は団体…89
格別顕著な効果………………………165
過失……………………………………294
確約手続………………………………329
課徴金…………………………55, 65, 317
課徴金減免制度………………………319
合併……………………………10, 238
株式交換………………………………238
株式譲渡………………………………238
株主間契約……………225, 231, 232
仮処分命令……………………………185
カルテル………………………………316
刊行物に記載された発明……………161
間接侵害………………………181, 186
感染症…………………………………14
管理医療機器…………………………18
企業結合ガイドライン………………332
企業結合審査…………………………332
企業結合審査の手続に関する対応方針
　………………………………………334
記載要件………………………………170
技術移転………………………………220
技術常識………………………………162
技術の利用に係る制限行為…………197
基準適合証……………………………20
希少疾病用……………………………23
機能的記載……………………………153
希薄化防止条項………………………230
供給業者………………………………287
競業避止………………………………267
行政機関個人情報保護法……………90
強制売却権……………………………234
競争制限的な合意……………………199
共同研究…………89, 208, 219, 223, 289
共同研究開発契約……………225, 242
共同売却権……………………………234
共有……………………………………244
許認可……………………224, 238, 249

拒否権付株式…………………………231
緊急命令………………………………45
経営株主………………………224, 234
景品表示法………………………55, 64, 247
化粧品…………………………………16
欠陥……………………………………294
結晶形（結晶多形）……………126, 155
研究委託………………………………289
健康・医療戦略………………………286
健康増進法……………………………64
健康保険………………………137, 290
検定制度………………………………13
コ・プロモーション…………………325
コ・マーケティング…………………324
公正競争規約……………………73, 247
拘束条件付取引………………………325
抗体医薬………………………144, 152, 156
公知技術………………………………161
高度管理医療機器……………………18
後発医薬品（ジェネリック医薬品）
　…………………………124, 144, 178, 199
公務員…………………………………70
コーポレート・ベンチャー・キャピタル
　………………………………………223
個人情報保護条例……………………90
個人情報保護法………………………88
誇大広告………………………………54
コンソーシアム………………………220

◆ さ行

再審査…………………………………15
再審査期間……………………………135
再生医療………………………………29
再生医療等………………………35, 48
再生医療等技術………………………35
再生医療等製品……………………21, 30
再生医療等提供機関…………………37
再生医療等提供基準…………………42
再生医療等提供計画…………………42
臍帯血移植……………………………46
再販売価格拘束………………………326
細胞加工物……………………………36

細胞培養加工施設‥‥‥‥‥‥‥‥‥39
債務不存在確認請求‥‥‥‥‥‥‥190
先使用権の抗弁‥‥‥‥‥‥‥‥‥192
先買権‥‥‥‥‥‥‥‥‥‥‥‥‥234
差止請求‥‥‥‥‥‥‥‥‥‥‥‥180
サポート要件‥‥‥‥‥‥‥173, 189
残余財産の分配‥‥‥‥‥‥227, 229
事業譲渡‥‥‥‥‥‥‥‥‥239, 245
資金調達‥‥‥‥‥‥‥‥‥216, 222
資金等の提供‥‥‥‥‥‥‥‥80, 86
次世代医療基盤法‥‥‥‥‥‥88, 103
事前承諾・事前協議‥‥‥‥‥‥‥233
事前調整‥‥‥‥‥‥‥179, 188, 206
執行力‥‥‥‥‥‥‥‥‥‥‥‥‥185
実施可能要件‥‥‥‥‥‥‥170, 189
実施計画‥‥‥‥‥‥‥‥‥‥‥‥82
私的独占‥‥‥‥‥‥‥‥‥196, 328
市販直後調査‥‥‥‥‥‥‥‥‥‥15
社会医療法人‥‥‥‥‥‥‥‥‥‥72
周辺特許‥‥‥‥‥‥‥‥‥‥‥‥154
受託研究‥‥‥‥‥‥‥‥‥‥‥‥219
取得価額の調整条項‥‥‥‥‥‥‥230
取得条項付株式‥‥‥‥‥‥‥‥‥230
取得請求権付株式‥‥‥‥‥‥‥‥229
種類株式‥‥‥‥‥‥‥‥‥‥‥‥226
商業化‥‥‥‥‥‥‥‥‥‥‥‥‥277
条件および期限付承認‥‥‥‥‥‥33
上場申請‥‥‥‥‥‥‥‥‥‥‥‥230
使用成績評価‥‥‥‥‥‥‥‥‥‥21
商標権‥‥‥‥‥‥‥‥‥‥131, 253
剰余金の配当‥‥‥‥‥‥‥‥‥‥227
職務発明‥‥‥‥‥‥‥‥‥‥‥‥243
新規参入‥‥‥‥‥‥‥‥‥‥‥‥286
新規性‥‥‥‥‥‥‥‥‥‥160, 189
進歩性‥‥‥‥‥‥‥‥160, 164, 189
診療報酬‥‥‥‥‥‥‥‥‥‥‥‥105
成果有体物‥‥‥‥‥‥‥‥‥‥‥220
製剤‥‥‥‥‥‥‥‥‥‥‥‥‥‥154
製造業(の)許可‥‥‥‥‥‥‥12, 245
製造業者‥‥‥‥‥‥‥‥‥‥‥‥288
製造上の欠陥‥‥‥‥‥‥‥‥‥‥295
製造販売(の)許可‥‥‥‥‥‥11, 245

製造販売業者‥‥‥‥‥‥‥‥‥‥288
製造販売承認‥‥‥‥8, 32, 124, 134, 245, 252
製造販売承認審査‥‥‥‥‥‥‥‥18
製造販売届出制度‥‥‥‥‥‥‥‥19
製造物責任‥‥‥‥‥‥‥‥288, 294
製薬協‥‥‥‥‥‥‥‥‥‥‥‥‥65
誓約事項‥‥‥‥‥‥‥‥‥‥‥‥249
設計上の欠陥‥‥‥‥‥‥‥295, 297
前提条件‥‥‥‥‥‥‥‥‥‥‥‥249
千年カルテプロジェクト‥‥‥115, 120
総括製造販売責任者‥‥‥‥‥12, 247
相同利用‥‥‥‥‥‥‥‥‥‥‥‥41
措置命令‥‥‥‥‥‥‥‥‥‥‥‥65

◆ た行

第三者提供‥‥‥‥‥‥‥‥‥92, 93
対象地域‥‥‥‥‥‥‥‥‥‥‥‥269
対象領域‥‥‥‥‥‥‥‥‥‥‥‥268
対内直接投資等の事前届出‥‥‥‥245
多額かつ正当化できない‥‥‥‥‥202
立入検査‥‥‥‥‥‥‥‥‥‥‥‥45
チェンジオブコントロール条項
　‥‥‥‥‥‥‥‥‥‥238, 241, 249
治験‥‥‥‥‥‥‥‥‥‥9, 76, 221
知的財産の利用に関する独占禁止法上の
　指針‥‥‥‥‥‥‥‥‥‥‥‥‥197
中止命令‥‥‥‥‥‥‥‥‥‥‥‥59
長期収載品‥‥‥‥‥‥‥‥237, 251
長期保存試験‥‥‥‥‥‥‥‥‥‥149
著作権‥‥‥‥‥‥‥‥‥‥‥‥‥133
追加データ‥‥‥‥‥‥‥‥‥‥‥174
定期報告‥‥‥‥‥‥‥‥‥‥‥‥45
データ補充‥‥‥‥‥‥‥‥‥‥‥173
適応‥‥‥‥‥‥‥‥‥9, 13, 77, 80, 295
適応外使用（オフラベルユース）‥‥60
適合性調査‥‥‥‥‥‥‥‥‥‥‥13
デュー・ディリジェンス‥‥‥223, 237
テリトリー‥‥‥‥‥‥‥‥‥‥‥269
添付文書‥‥‥‥‥‥‥‥13, 20, 133, 139
店舗販売業‥‥‥‥‥‥‥‥‥‥‥14
投資契約‥‥‥‥‥‥‥‥‥225, 226
同等性／同質性‥‥‥‥‥‥‥‥‥148

事項索引　337

登録認証機関による認証…………………19
毒性試験…………………………………150
独占期間…………………………………201
独占禁止法………………………………195
独占販売権………………………………142
特定細胞加工物製造事業者………………38
特定認定再生医療等委員会………………38
特定臨床研究…………………………77, 79
特定臨床研究実施者………………………81
特別補償…………………………………251
匿名加工医療情報…………………108, 113
匿名加工医療情報データベース等……114
匿名加工医療情報取扱事業者…………116
匿名加工医療情報に関する基本方針
　　………………………………………110
独立行政法人等個人情報保護法…………90
特許権存続期間の延長登録（特許権の期
　　間延長登録）………………………134, 191
特許権の有効期間………………………125
特許侵害訴訟………………………179, 201
特許請求の範囲……………………125, 173
特許法 102 条に基づく損害額の計算また
　　は推定…………………………………182
取引妨害…………………………………328

◆ な行

日本薬局方…………………………………13
認定医療情報等取扱受託事業者………115
認定再生医療等委員会……………………37
認定手続…………………………………187
認定匿名加工医療情報作成事業者
　　……………………………109, 115, 117
認定臨床研究審査委員会…………………85

◆ は行

バイオ医薬品……………………………144
バイオシミラー（バイオ後続品）
　　…………………………144, 147, 157
排除措置命令……………………………316
配置販売業…………………………………14
パッケージ…………………………132, 133
ハッチ・ワックスマン法……………142, 201

発明の構成容易想到性…………………165
パテント・リンケージ………136, 140, 206
パテントダンス…………………………157
パラグラフⅣ証明書……………………142
判定………………………………………191
販売業（の）許可…………………………14
表示・警告上の欠陥………………295, 299
表明保証……………………………232, 250
非臨床試験…………………………………9
品質保証責任者……………………12, 247
副作用………………………8, 14, 21, 34, 145
副成分…………………………128, 134, 138, 140
不公正な取引方法………………………196
不正競争防止法…………………………131
プット・オプション……………………235
不当な取引制限……………196, 204, 316
プログラム………………………129, 207, 300
プロダクト・バイ・プロセス・クレーム
　　………………………………………128
プロモーションコード…………………65, 74
ベンチャー・キャピタル………………222
ベンチャー企業…………………………222
保健機能食品………………………………64
保険償還…………………………………290

◆ ま行

マーカッシュ形式…………………152, 161
マイルストーンペイメント……………278
未承認（の）医薬品……………13, 59, 63, 77, 80
無効審判請求……………………………189
虫食い申請…………………………126, 137
明確性要件…………………………175, 189
明細書………………………………125, 173

◆ や行

役員選任権付株式………………………232
薬害………………………………………295
薬事法………………………………………6
薬理試験…………………………………170
薬価………………………………………251
薬価基準（への）収載
　　………………………137, 178, 181, 188, 206

薬価下落分についての損害賠償請求
　………………………………………183
薬機法………………………………… 6
有効成分………………………………125
優先株式………………………………227
優先基礎出願…………………………169
優先権主張……………………………169
輸入差止申立…………………………186
用途特許………………………………136
要配慮個人情報………………91, 103, 101
用法・用量……………………………126

◆　ら行

ライセンス契約……………… 197, 224, 242

利益供与……………………………… 69
利益相反…………………………… 77, 82
利害関係人……………………………189
リバース・ペイメント……………143, 199
流通・取引慣行に関する独占禁止法上の
　指針…………………………………327
臨床研究……………………………… 78
臨床研究法…………………………… 76
臨床試験……………………… 9, 76, 150
倫理指針…………………… 76, 85, 88, 101
ロイヤルティ…………………………267

◆　わ行

賄賂…………………………………… 70

編著者・著者紹介

【編著者】
第1章編集担当
石原　坦（いしはら・ひろし）〔第1章Ⅱ、Ⅵ執筆〕

1997年東京大学経済学部卒業、2000年弁護士登録、2005年米国コロンビア大学ロースクール修了（LL. M.）、2006年カリフォルニア州弁護士登録、2007年ニューヨーク州弁護士登録、2015年からアンダーソン・毛利・友常法律事務所パートナー。主要な業務分野は、ヘルスケア・薬事規制、国内およびクロスボーダーのM&A、国際商取引。ヘルスケア・薬事規制では、製薬会社のM&Aや再生医療に関するアドバイスを多数行う。日本銀行および総合商社への出向経験を有する。

第2章編集担当
城山　康文（しろやま・やすふみ）〔第2章Ⅰ執筆〕

1992年東京大学法学部卒業、1994年弁護士登録、1998年米国カリフォルニア大学デービス校修了（LL. M.）、2003年からアンダーソン・毛利・友常法律事務所パートナー。2016年から2019年まで東京大学法科大学院客員教授。主要な業務分野は、知的財産権の紛争および取引。

第3章編集担当
近藤　純一（こんどう・じゅんいち）〔第1章Ⅰ、コラム①、Ⅳ、第3章Ⅴ、Ⅵ、コラム⑪、Ⅶ、Ⅷ執筆〕

1992年東京大学法学部卒業、1994年弁護士登録、同年にアンダーソン・毛利法律事務所（当時）入所、1999年米国スタンフォード大学ロースクール修了（J. S. M.）、2000年ニューヨーク州弁護士登録、2003年からアンダーソン・毛利・友常法律事務所パートナー。主要な業務分野は、ヘルスケア・薬事規制、ソフトウェアライセンス、国内およびクロスボーダーのM&A。ヘルスケア・薬事規制では、国内外の製薬会社および医療機器メーカー等のM&A、ライセンシング、薬機法および公正競争規約等の規制、PL等に関するアドバイスを多数行う。

【著者】

中町　昭人（なかまち・あきひと）〔第 3 章 I 執筆〕

　1991 年京都大学法学部卒業、1993 年弁護士登録、1997 年米国ニューヨーク大学ロースクール修了（LL. M.）、1998 年ニューヨーク州・カリフォルニア州弁護士登録、1999 年から 2003 年まで Wilson Sonsini Goodrich & Rosati（カリフォルニア州パロアルト）アソシエイト、2003 年から 2009 年まで Kirkland & Ellis LLP（カリフォルニア州ロサンゼルス・サンフランシスコおよびパロアルト）パートナー、2009 年からアンダーソン・毛利・友常法律事務所パートナー。米国のトップクラスの大手ローファームにおける 10 年以上の実務経験を有する。主要な業務分野は、ライフサイエンス企業を含むハイテク・ビジネスをクライアントとする、知的財産にかかわる各種契約の交渉・作成（テクノロジー・トランザクションズ）、国内およびクロスボーダーの戦略提携（アライアンス）、M&A、ベンチャー投資等。

岩瀬　吉和（いわせ・よしかず）〔第 1 章コラム③、⑤執筆〕

　1995 年東京大学法学部卒業、1997 年弁護士登録、2003 年米国カリフォルニア大学バークレー校ロースクール修了（LL. M.）、2004 年ニューヨーク州弁護士登録、2005 年弁理士登録、2006 年からアンダーソン・毛利・友常法律事務所パートナー。主要な業務分野は、知的財産権の紛争解決および取引。

山田　篤（やまだ・あつし）〔第 2 章 V 執筆〕

　1994 年東京大学法学部卒業、1998 年裁判官任官、2003 年米国コーネル大学ロースクール修了（LL. M.）、2005 年弁護士登録、2013 年ニューヨーク州弁護士登録、2015 年からアンダーソン・毛利・友常法律事務所パートナー。主要な業務分野は、独占禁止法／競争法。

木川　和広（きかわ・かずひろ）〔第 1 章コラム②、III 執筆〕

　1998 年京都大学法学部卒業、2014 年米国カリフォルニア大学バークレー校ロースクール修了（LL. M.）。2000 年検事任官、2010 年から 2012 年まで東京地検医事係検事、2012 年弁護士登録、2018 年からアンダーソン・毛利・友常法律事務所パートナー。厚生労働省医政局「医療情報の提供内容等のあり方に関する検討会」委員、同「あん摩マッサージ指圧師、はり師、きゅう師及び柔道整復師等の広告に関する検討会」委員。主要な業務分野は、医療・ヘルスケア規制と広告・マーケティング規制をめぐる法律問題。

青柳　良則（あおやぎ・よしのり）〔第3章Ⅲ、Ⅳ執筆〕

1998年東京大学法学部卒業、2000年東京大学大学院法学政治学研究科修了、2001年弁護士登録、同年にアンダーソン・毛利法律事務所（当時）入所、2008年米国ニューヨーク大学ロースクール修了（LL. M.）、2009年ニューヨーク州弁護士登録、2012年からアンダーソン・毛利・友常法律事務所パートナー。主要な業務分野は、国内およびクロスボーダーのM&A、ヘルスケア・薬事規制、国際商取引その他企業法務全般。

龍野　滋幹（たつの・しげき）〔第3章Ⅱ執筆〕

2000年東京大学法学部卒業、2002年弁護士登録、同年にアンダーソン・毛利法律事務所(当時)入所、2007年米国ニューヨーク大学ロースクール修了(LL. M.)、2008年ニューヨーク州弁護士登録、2012年からアンダーソン・毛利・友常法律事務所パートナー。2014年から東京大学大学院薬学系研究科・薬学部「ヒトを対象とする研究倫理審査委員会」審査委員。主要な業務分野は、企業買収、ジョイント・ベンチャー、クロス・ボーダー投資案件、ベンチャー企業に対するアドバイスやPEファンドに対するアドバイス、知的財産取引その他企業法務全般。

飛岡　和明（とびおか・かずあき）〔第3章Ⅳ執筆〕

2006年東京大学法学部卒業、2007年弁護士登録、2013年米国シカゴ大学ロースクール修了（LL. M.）、2014年ニューヨーク州弁護士登録、2017年からアンダーソン・毛利・友常法律事務所パートナー。主要な業務分野は、M&A。ライフサイエンスを含む種々のセクターにおいて、経営統合、企業買収等に関するアドバイスを行う。

後藤　未来（ごとう・みき）〔第2章コラム⑥、Ⅲ執筆〕

京都大学理学部卒業、東京大学大学院工学系研究科・神戸大学法科大学院・スタンフォード大学ロースクール修了（LL. M.）、2008年弁護士登録、2014年ニューヨーク州弁護士登録、2017年からアンダーソン・毛利・友常法律事務所パートナー。2002年から2004年まで株式会社日立製作所（知的財産権本部）勤務。主要な業務分野は、知的財産権の紛争および取引。

山内　真之（やまのうち・まさゆき）〔第1章コラム④、第2章Ⅳ、第3章コラム⑩執筆〕

2002年慶應義塾大学理工学部卒業、2004年慶應義塾大学大学院理工学研究科修了、2007年東京大学法科大学院修了、2008年弁護士登録、2013年米国スタンフォード大学ロースクール修了（LL.M.）、2014年ニューヨーク州弁護士登録、2017年からアンダーソン・毛利・友常法律事務所パートナー。主要な業務分野は、知的財産関連業務およびライフサイエンスをはじめとする先端技術に関する法律業務。

池田彩穂里（いけだ・さおり）〔第1章Ⅰ執筆〕

2005年東京大学法学部卒業、2007年東京大学法科大学院修了、2008年弁護士登録、2015年米国カリフォルニア大学ロサンゼルス校修了（LL.M.）、2015年から2016年までReed Smith LLP（カリフォルニア州ロサンゼルス）勤務、2017年ニューヨーク州弁護士登録、2020年からアンダーソン・毛利・友常法律事務所パートナー。主要な業務分野は、コーポレート、労働法およびライフサイエンス（特に、ヘルスケア・薬事規制についてのアドバイス）。

中崎　尚（なかざき・たかし）〔第1章Ⅴ執筆〕

1998年東京大学法学部卒業、2001年弁護士登録、同年にアンダーソン・毛利法律事務所（当時）入所、2008年米国コロンビア大学ロースクール修了（LL.M.）、2008から2009年まで米国ワシントンD.C.のArnold & Porter法律事務所勤務、2013年からアンダーソン・毛利・友常法律事務所スペシャル・カウンセル。主要な業務分野は、国内外のデータ規制、IT・インターネット・テクノロジー、シェアリングエコノミー、ベンチャービジネス等、先端分野の規制対応。総務省・経済産業省の各種委員を歴任。AI・GDPR等、情報・先端分野の著作・講演多数。

伊東　大幸（いとう・ひろゆき）〔初版第1章Ⅲ執筆〕

2008年東北大学法学部卒業、2011年中央大学法科大学院修了、2012年検事任官、東京地検、大阪地検、静岡地検、さいたま地検を経て、「判事補・検事の弁護士職務経験制度」に基づき、2018年から2019年までアンダーソン・毛利・友常法律事務所アソシエイト。

甲斐　聖也（かい・せいや）〔第3章Ⅱ執筆〕

2009年東京大学法学部卒業、2011年東京大学法科大学院修了、2012年弁護士登録、2013年からアンダーソン・毛利・友常法律事務所アソシエイト。

武士俣隆介（ぶしまた・りゅうすけ）〔初版第 1 章Ⅱ、Ⅵ執筆〕
2007 年東京大学法学部卒業、大手製薬企業に勤務後、2013 年東京大学法科大学院修了、2014 年弁護士登録、2015 年からアンダーソン・毛利・友常法律事務所アソシエイト。

中林　憲一（なかばやし・けんいち）〔第 3 章Ⅴ、Ⅷ執筆〕
2015 年東京大学法学部卒業、2016 年弁護士登録、同年 12 月からアンダーソン・毛利・友常法律事務所アソシエイト。

風間凜汰郎（かざま・りんたろう）〔第 1 章コラム⑤執筆〕
2015 年早稲田大学法学部卒業、2017 年弁護士登録、同年 12 月からアンダーソン・毛利・友常法律事務所アソシエイト。

村上　遼（むらかみ・りょう）〔第 2 章コラム⑧執筆〕
2011 年東京大学法学部卒業、2013 年東京大学法科大学院修了、2014 年弁護士登録、2015 年からアンダーソン・毛利・友常法律事務所アソシエイト。

藤本　啓介（ふじもと・けいすけ）〔初版第 1 章Ⅵ執筆〕
2009 年東京大学薬学部卒業、2010 年薬剤師登録、2014 年東京大学法科大学院修了、2016 年弁護士登録、同年から 2019 年までアンダーソン・毛利・友常法律事務所アソシエイト。

出野　智之（いでの・ともゆき）〔第 2 章コラム⑥執筆〕
2003 年京都大学農学部卒業、同年から特許庁勤務、2011 年筑波大学法科大学院修了、2017 年弁護士登録、同年からアンダーソン・毛利・友常法律事務所アソシエイト。

淺井茉里菜（あさい・まりな）〔第 1 章コラム①、第 3 章Ⅶ執筆〕
2014 年東京大学法学部卒業、2016 年慶應義塾大学法科大学院修了、2017 年弁護士登録、同年 12 月からアンダーソン・毛利・友常法律事務所アソシエイト。

大出　萌（おおいで・めぐみ）〔第 1 章コラム②、Ⅲ、コラム④、Ⅵ執筆〕
2016 年東京大学法学部卒業、2017 年弁護士登録、同年からアンダーソン・毛利・友常法律事務所アソシエイト。

松尾　朝子（まつお・あさこ）〔第1章Ⅱ執筆〕
2009年大阪府立大学理学部卒業、システムエンジニアとして企業勤務を経験後、2016年一橋大学法科大学院修了、2017年弁護士登録、同年からアンダーソン・毛利・友常法律事務所アソシエイト。

徳備　隆太（とくび・りゅうた）〔第1章コラム③執筆〕
2017年東京大学薬学部卒業、2018年弁護士登録、同年12月からアンダーソン・毛利・友常法律事務所アソシエイト。

津江　紘輝（つえ・ひろき）〔第1章Ⅵ執筆〕
2015年東京大学法学部卒業、2017年東京大学法科大学院修了、2019年弁護士登録、同年12月からアンダーソン・毛利・友常法律事務所アソシエイト。

橋本　裕里（はしもと・ゆり）〔第1章Ⅱ執筆〕
2018年慶應義塾大学法学部卒業、2019年弁護士登録、同年12月からアンダーソン・毛利・友常法律事務所アソシエイト。

林　俊吾（はやし・しゅんご）〔第1章Ⅴ執筆〕
2016年東京大学法学部卒業、2018年東京大学法科大学院修了、2019年弁護士登録、同年12月からアンダーソン・毛利・友常法律事務所アソシエイト。

小野　誠（おの・まこと）〔第2章Ⅱ、コラム⑦執筆〕
1987年東京大学農学部卒業、1987年から森永製菓株式会社勤務、1999年博士号取得（農学、東京大学大学院農学生命科学専攻科）、1999年弁理士登録、1999年から都内特許事務所勤務、2009年からアンダーソン・毛利・友常法律事務所弁理士。ライフサイエンス、医薬品、農薬、食品分野の国内外特許出願および登録手続を扱う。

重森　一輝（しげもり・かずき）〔第3章コラム⑨執筆〕
1999年東北大学理学部卒業、2001年東北大学理学研究科修了（理学修士）、2003年弁理士登録、2005年から2010年まで東京大学産学連携本部知的財産統括主幹（特任准教授）、2010年からアンダーソン・毛利・友常法律事務所弁理士。電気通信大学情報理工学部非常勤講師。主要な業務分野は、国内外特許出願および登録手続、特許関連の紛争、産学連携。

川嵜　洋祐（かわさき・ようすけ）〔第 1 章コラム③、第 2 章Ⅲ執筆〕

1999 年京都大学理学部卒業、2006 年京都大学大学院生命科学研究科博士課程修了（生命科学博士）、同年から同研究科にて博士研究員（産学官連携）、2009 年から特許庁審査第三部医療勤務、2014 年弁理士登録、同年からアンダーソン・毛利・友常法律事務所弁理士。ライフサイエンス、医薬品、農薬、食品、化学分野の国内外特許出願および登録手続を扱う。

医薬・ヘルスケアの法務〔第2版〕
――規制・知財・コーポレートのナビゲーション

2018年10月 7 日　初　版第 1 刷発行
2020年10月25日　第 2 版第 1 刷発行
2021年10月25日　第 2 版第 2 刷発行

編　者　アンダーソン・毛利・友常法律事務所
　　　　医薬・ヘルスケア・プラクティス・グループ

発 行 者　石　川　雅　規

発 行 所　株式会社　商 事 法 務
　　　　〒103-0025　東京都中央区日本橋茅場町3-9-10
　　　　TEL 03-5614-5643・FAX 03-3664-8844〔営業〕
　　　　TEL 03-5614-5649〔編集〕
　　　　https://www.shojihomu.co.jp/

落丁・乱丁本はお取り替えいたします。　印刷／三報社印刷㈱
ⓒ 2020 アンダーソン・毛利・友常法律事務所　Printed in Japan
　　　医薬・ヘルスケア・プラクティス・グループ
　　　　　　　　Shojihomu Co., Ltd.
　　　　　ISBN978-4-7857-2814-4
　　　　＊定価はカバーに表示してあります。

|JCOPY|＜出版者著作権管理機構　委託出版物＞
本書の無断複製は著作権法上での例外を除き禁じられています。
複製される場合は、そのつど事前に、出版者著作権管理機構
（電話 03-5244-5088、FAX 03-5244-5089、e-mail：info@jcopy.or.jp）
の許諾を得てください。